中樞院調查課編

李朝の財產相續法

朝鮮總督府中樞院

例言

一、事案に顯はれた法律現象の一面一相を捉へて、法の本質的な觀念の定立を急ぐことの危險であることはいふ迄もないが、與へられたる資料を組織的に整理する爲めには或程度の原則を豫定することは、避け難い手續である。そこに前提の錯舛を來し、それがまた資料に對する考察の不十分なることと相重なりて、誤解の因を爲すを免れない。およそ之等のことは素より豫期する處ではあるが、それが本書の價値を傷けるものとは思はれない。

一、本書の價値は法規の說明に在るのではなくして、資料の提供自體に存する。中樞院から與へられた資料を整頓し、配列して、多少とも査閱に便するのが、此の書の主眼である。其の爲めに冗長に涉るを厭はず與へられた資料は、悉く揭げて餘さざらんことを期し、所說の根據を總べて資料に索めて、苟も獨斷に流れざるに努めた。唯祭祀相續に關するもの及び婚姻其の他親族法に屬するものは、後日それを主題として他の擔當者の報告書が發表せられる豫定であるので、茲では直接牽聯あるものに限り、其の一部を採つて重複を避けた。本書の資料に依つて、本書の臆測の誤れるを批評し、資料を再吟味することは始めから讀者の爲めに殘された興味ある課題でなくてはならぬ。

一、範圍を李朝に止め其の以前に遡ることを得なかつたのは、資料の蒐集せられたるもの未だ甚だ乏しきに因る。併合後に及ばなかつたのは、判例を中心としての相續法に觸れることの、却つて錯綜を增すことを惧れたからである。蓋し朝鮮人間の相續に關しては、大體に於て慣習法に依り、民法の適用はないのであるが、而も尙慣習法の推移があり、又民法の他の規定との調和の爲めにも、蓋曲せられたものがあるのは數の免れない處だからである。判例を中心としての親族法及び相續法に付ては、京城帝國大學教授藤田東三氏の著書がある。

一、尙財產相續に關し一般の法則と異つた取扱を受けるものとして、財產の方面に於ては功臣田・科田がある。人の方面に於ては僧侶・宦官がある。何れも特別法に屬するもので、後日の研鑽に讓つた。

一、本書は年時を表示するに唯何王何年とのみ書して各處に皇紀及び西紀との對照を註記するの煩を避けた。仍つて別に李朝歷代の年表を後尾に附して之等年次の對照に便した。

終りに中樞院囑託渡邊業志氏の助言に負ふ處甚だ大なることを附記して謝意を表する。

喜頭兵一識

李朝の財産相續法 目次

序

朝鮮は併合後四半世紀を閲したとはいへ、尙母國と法制・民情・風俗を異にしてゐるところが尠くなく、特に親族・相續に關しては今尙民法に依らず大部分は舊時の慣習に依つてゐるのである。從つて過去の慣習及制度を知ることは、一般施政上は勿論民事令を行ふ爲めにも甚だ必要である。故に中樞院に於ては豫てより或は人を派して實地に各地の慣習を討ね、或は諸文獻に依つて之が攻究に努めたのであるが、昨今漸く一應の調査を終つたので、玆に實地調査の結果は姑く措き、文獻調査の結果の一部を公にすることにした。卽ち本書の資料は李朝に於ける諸法典、歷代の實錄、承政院日記、各種政法史は云ふに及ばず、其の他の古記錄・文獻を涉獵すると共に、傍ら廣く民間に散在する古文書をも採訪して之が蒐集に努めた結果であつて、未だ以て完備の域に達したとは云ひ得ざるも、大體纒つたので、之を朝鮮總督府判事喜頭兵一氏に提供し其の記述を委囑したところ、漸く脫稿を見るに至つたのである。

本書は中樞院より提供した資料のみに依り記述されたのであるから、或は本院の調査不充分にして材料不足の點もあり、且又朝鮮の財產承繼に關する系統的記述の最初の試みであるから、將來の硏究に俟つ可き點もあるが、少くとも現時に於ける財產相續に關する慣習の由來を窺ふ上に於て、大に裨補するところあるは信じて疑はぬ。仍つて玆に舊慣調査書の一部として本書を上梓した次第である。

昭和十一年三月下浣

中樞院書記官長　牛　島　省　三

李朝の財産相續法

第一章　序説

第一　相續の觀念

相續と分給、分執

一　相續と分財

相續なる文字は文獻には見當らぬ。分給・分執・許給・決給等の語がある。經國大典刑典私賤條に

未分奴婢、勿論子女存歿分給

續大典刑典私賤條に

父母奴婢、不爲和會者、呈官分執

と云へるが如きである。被相續人の生前の贈與と遺贈と相續とが同一の觀念

に包攝せられた。

大典內、無子女夫妻奴婢、本族外不得與他、而未有買賣之禁、自祖宗朝行之已久

（決訟類聚補私賤條）

の與も亦無償讓渡といふよりは、相續を意味し、本族外不得與他と云へるは、本族以外の相續を許さざることを寧ろ其の規定の主眼とする。

財産相續に付ては獨占相續制は認められなかつた。共同相續制を採り、男女の間に差別なく分給した（一七一頁參照）。相續財産は分割せられる迄は共同相續人の團體財産として存し、各相續人は分割請求權を有した。共同相續人の協議に依る相續財産の分割を和會分執といふ（四一〇頁參照）。分割は被相續人の生前に、被相續人に依つても指定せられた。此の場合には相續財産は、相續の開始と共に當然に分割せられて各相續人に承繼せられる。經國大典刑典私賤條に

父母・祖父母・外祖父母・妻父母・夫妻妾、及同生和會分執外、用官署文記

と云へるは、父母・祖父母・外祖父母・妻父母・夫妻妾の許與證書と、同生和會分執證書とを併せ規定したもので、官署文記に依ることを要せず白文文記を以て足ると

したのである（四四頁參照）。同生は兄弟姉妹である。其の和會分執が相續財産に關するものなることはいふまでもない。父母の子に對し、祖父母・外祖父母の孫に對し、妻の父母の婿に對し、夫の妻妾に對し、及び妻妾の夫に對する許與も亦、相續と牽聯して考へられる。相續は親族法上の地位に伴ふ權利であつて、右の内で、妻の父母から婿へ、及び夫から妾、妾から夫への相續は認められないのであるが、其の以外は相續の行はれる續柄だからである（五三頁參照）。ことに許與が分財又は分給と云はれる場合に、最も著しく相續と牽聯せしめられる。分財は贈與であり、遺贈であり、又は相續財産の分割の指定でもあり得る。之等の間に明瞭な區別はなかつた。女子の婚嫁（二六三頁參照）若くは次子の分家（四〇五頁參照）に當つて之に分財することが多かつた。其の場合の分財は明に贈與である。大明律戸律別籍異財の條には

凡祖父母・父母在、而子孫別立二戸籍一、異二財産一者、杖一百

と規定してゐるが、祖父母・父母から分財を受けて別籍することを禁止したのではない（四〇四頁參照）。或は又多數の子女に對して同時に分財することがある。

高麗時、有李承召、號三灘先生、陽城人、孝悌出天、文章鳴世、母嘗謂其父曰、吾夫妻已老、久於世未可必也、願分奴婢・田宅、以給子女、父曰、吾二人雖死、承召在、何患身後子孫爭鬪乎、蓋信服其子之賢也(朽淺集卷之八)

三灘先生の賢に信頼して、其の父は身後に紛爭の憂なしとし、分財をしなかつたのである。若し子の賢に信頼し得なかつたならば、分財したであらう。其の場合に割合を以て相續分を指定することもあらうが、個々の財產を指示して分配することが多い。全財產に付ての分財の效果を被相續人の死亡に係らしめたとすれば、相續財產分割の指定である。此の際に妻妾・兄弟の如き、子女と共に共同相續に加はることを得ない者が、分財に與つたとすれば遺贈である。しかし併せて分財として考へられた。生前に分財しなかつたときは法定の順位に從つて、同順位の者の間に共同相續が開始する。共同相續人間で和會分執することを得なかつたときは、官に呈して分執する。官は法定の相續分に依つて決給する。生前の分給と死後の分割とが、同一觀念に包攝せられるが故に、相續なる文字はないのである。生前に分給せられなかつた未分奴婢が卽ち相續財產で

傳繼

あり、其の分執が相續である(參照四〇四頁)。故に例へば太宗の受教(太宗實錄第十卷五年九月戊戌條)中にも相續分に關し詳細なる規定を設けた後に有傳繼者、不在此限と云つてゐる。傳繼は分給である。相續分の規定は分給の補充であり、法定の分給だからである。

財產の處分は文書に依ることを要した傳繼文記と云ふ(參照四四頁)。故に未分奴婢は傳繼なき奴婢である。經國大典刑典私賤條の

無子女夫妻奴婢、雖無傳繼、生存者區處、本族外不得與他

に於て雖無傳繼と云ふは裏面に相續を意味する。區處は處分である。子女なき亡配偶者の遺產は、生存配偶者が相續し處分するのである(參照二六八頁)。

無子息文契未成、身死者奴婢、依奴婢傳繼、族親限寸分給(太宗實錄第九卷五年四月乙亥條)

も同じ趣旨である。文契未成は傳繼文記の未だ完成せず、從つて生前處分の效力なきもので、相續財產を謂ふ。依奴婢傳繼といふのは相續をも包含しての承繼法の意味で、ここでは專ら相續法を指す。限寸は限四寸の意味で、相續に與る

本族

本族は四親等內に限られるからである(二八七頁參照)。

相續人は第一順位に於ては、子女卽ち直系卑屬である。其の子孫は代を限らず代襲相續する。第二順位に於て本族、卽ち傍系親が相續する。本族が相續する場合には生存配偶者が、其の終身、先位相續人として介入する。本族は四寸を限り、又使孫とも云ふ。無同生則三寸、無三寸則四寸親の法と稱するのが卽ちそれであつて、四親等を以て限りとし、其れが又二つの順位に分れる。第一は同生卽ち兄弟・姉妹であつて、其の子及び孫は代襲相續をする。同生の曾孫は五寸に當り、本族外である。何れも被相續人の父の子孫である。第二は叔伯父・姑であつて、其の子は代襲相續する。叔伯父・姑の孫は五寸であつて、本族に當らない。何れも被相續人の祖父の子孫である。結局被相續人の子孫、其の父の子孫、及び其の祖父の子孫の三順位に分れ、後の二者は四親等を以て限度とする。同順位の者は總て共同相續人となるのである。其の中間に於て特殊の地位を占める者に、侍養子女、妾子女、義子女がある。

分給と親族關係

二 祖業

相續は死後の分給であり、生前の分給は相續財産の事前の分割であると考へたのは、一面に於て相續は、常に親族法上の地位に伴ふ權利であつたからである。相續財産は之を祖先に承けて、子孫に傳へるものとなす思想が基本となつて、生前の分財が自から相續人の範圍に制限せられた(五三頁參照)。祖先傳來の財産を祖業と稱し相續財産と殆ど同じ意味に於て考へられた。勿論被相續人の新に取得したものと區別したのではない。新に取得したものをも併せて、子孫に傳授すべき財産である。父母の遺産は必ず子女が相續する。子女なき夫妻の遺産は生存配偶者が、其の終身を限り相續し、死後は亡配偶者の本族が相續する。母の父母卽ち外祖父母が、母に財産を分給するに當つての遺書には、往々にして勿給孫外の禁止文句があつた(一四三頁參照)。子女がなければ母の本族、卽ち外祖父母の子孫に相續せしめんとするのである。本族が相續すべき場合に、本族がなければ國家に歸屬する。故に相續人の範圍は、一定の親族に限定せられてゐるのであつて、法定相續制が相續法の基本をなすのである。他人を相續人に指定することは考へられなかつた（參照九七頁）。他人の子を養嗣子となすことは、結果に於ては相續人の指定であり、死後養子（參照三二〇頁）は相續人の選定に當るのではあるが、尙ほ嫡子に準ぜられたる親族法上の身分を取得したのであつて、相續は其の效果である。稀には相續人なき者が其の遺產を、里洞・佛寺に遺贈して祭祀を託するが如き事例もあるが、それとても、然らざれば國家に歸屬すべきが故に、僅に許されたる例外である。

恭讓王三年、郎舍上疏曰、比年以來奔競成風、皆欲冒寵於權門、雖有子孫者、祖業人口盡與他人、故其子孫益以窮迷、猶怨祖父之無德、則安有孝順之可稱者乎、奴婢雖賤亦天民也、例論財物、恬然買賣、或以牛馬易之、一匹之馬、給二三口、猶未足償、則以牛馬爲重於人命也、昔廐焚、孔子曰、傷人乎、不問馬、則聖人之貴人賤畜如此、安有以人易馬之理乎、世俗昏迷自作殃咎、納民於寺以圖求福、若以佛爲正、則安有納賂免禍之理乎、然則非維未蒙其福、徒自勞苦、貽患子孫耳、伏惟殿下幷察焉、祖業人口、不許孫外相傳、雖無後者、養其夫婦中同宗者相傳、其買賣之人、納寺

之弊、並皆禁治、則豈無レ補二於聖理之萬一一乎、從レ之(高麗史八十五卷刑法志奴婢條)

高麗に於ける祖業放賣の禁

祖業たる奴婢(人口)が子孫の外に移るを欲せず、嗣子なき者(無後)も同宗の子を養嗣子又は養子としてこれに傳へしめんとした。當時祖業の他人に歸するのは、權門に贈與し、賣却し、又は佛寺に施納することであつた。故に總て之を禁止せんとしたのである。權門に對する贈與の禁に付ては、其の後にも受敎があるが(四七頁參照)經國大典以後は廢止せられた(四二四頁參照)。賣却の禁に付ては後には唯、生存配偶者の亡配偶者の遺産に對する管理權に付てのみ議論せられた(二七二頁參照)。

尙ほ賣買に關しては、同じく恭讓王の次の敎旨がある。

恭讓王五年判、年月雖レ多不レ過二其直一、其容二隱役使他人奴婢一者、依レ律論レ罪、一、今後奴婢買者、無レ孫許二親戚一、無二親戚一者沒官、賣者毋レ得二還執一、一、奴婢放賣痛行二禁理一、其爲二飢寒所一迫、及因二公私宿債一、勢不レ得レ已者、具レ狀告レ官、方許二買賣一、如以二酒色博奕狗馬財貨之故一放賣者、奴婢沒官(下略)(高麗史第八十五卷刑法志奴婢條)

其の前段は、買主無後なるの故を以て、其の奴婢を賣主に還付すべきものでないことを明にしたのであらう。其の後段は、飢寒に迫られ、若くは負債の爲めに、已

里洞佛寺に遺贈

むを得ざるものは、官に告げて奴婢を放賣することを許したのである。

次の文記は無後の人が遺産を、里洞に遺贈して香火を託したものである。

光緒二十三年丁酉三月初三日本里尊洞頭員前明文

右明文事段《ハ》矣《ワガ》身勢年滿二八十餘歲、膝下一無二子女、死後火禁之意、家舍田卷餘釜三座、是遺《ニシテ》草家四間、馬廊三間、垈附三時耕、川越崔中道家垈員三時耕、又於二公鳳㺚家垈員二日三時耕、及蘆田洞左右全數、下邊二時耕、及鴟岩洞左右全數、四標段《ト》、東金應化田、南川、西姜水赫田、北元嶺、又於二家垈田、四標段《ト》、東姜水赫田、西金用先田、四標分明處《トコロヲ》兩員、內、本文記十四度、幷《スベテ》以付二於尊洞頭員一、則日後雖二他人雜言一、則持二此文記內臭《ノ通リヲ》如一告官卞政事

夫妻香火日字每年九月九日

家舍田卷家裝付主　黃　成　坤　花押

證　人　韓　益　道　花押

筆　執　公　河　圖　花押

子孫ある者が、遺産を佛寺に施納することは許されなかつた。

司憲府掌令洪貴達來啓曰、廣平大君夫人申氏、將奴婢七百三十餘口、竝前所生田七十餘結施納佛寺、欲署文券于掌隷院・漢城府、本府聞之、取文券考之、金守溫執筆、申允甫作證成之也、廣平有子孫、而田・民施納於寺、甚不當、請禁之、守溫以識理宰相、受奴婢執筆作文、允甫以申氏之兄、非惟不禁、又爲之立證、請鞫之、史臣曰、世之惑佛求冥福者、非愚妄之徒、則必豪富之人、至如貴戚之家、金銀佛刹動費巨萬、臧獲・土田亦多施納、是未必爲亡人資冥福也、邪念一萠、不能自遏、名爲求福、而醜聲傳播、言之可痛、申氏亦不能免人譏議(成宗實錄第十一卷二年八月壬子條)

廣平大君の夫人申氏が、奴婢七百三十口と田七十餘結とを佛寺に施納した。申氏には子孫があつた。又其の文記は大臣金守溫の執筆で、申氏の兄申允甫が證人となつてゐる。何れも賄を受けたのである。故に司憲府は其の施納を禁じ、筆執・證人を罰せんことを請ふた。史臣も申氏の行動を批評して、名は冥福を求めて而も醜聲外に傳はることを非難してゐる。しかし

司諫院獻納崔漢禎來啓曰、申氏施納田・民、不可不禁、且金守溫於申氏、其族屬親疏、未之知也、然以大臣爲人執筆、而受奴婢、不可不治也、傳曰、申氏爲大君永順君而施

納、非施納於寺也、然其數太多、當諭申氏減之、守溫受贈不須責也、爾言、大臣不可受人贈物、大臣不擇當否一切却之者、爾見幾人、漢禎啓曰、太宗革寺社奴婢、皆美政也、今若復開其端、流弊滋甚、雖一口不可施納也、且守溫因何事往申氏第乎、其族系疏、則不當往、親則當曉之以義而禁之也、守溫不惟不能禁、且受奴婢、不可不鞫、其所得奴婢、亦當屬公、傳曰、申氏爲大君施納、何必禁斷、且世俗交親戚、不在親疎、守溫亦不可論也、(成宗實錄第十一卷二年八月丙辰條)

とあるに依れば、施納田民の數を減少するに止め、又賄を納れて執筆した大臣金守溫の罪をも問はなかつた。故に史臣は憤慨して前記の附記をしたのである。

相續人なき相續財産は國家に歸屬する。

仁宗十年判、無後人奴婢屬官(高麗史第八十五卷刑法志奴婢條)

經國大典刑典私賤條には

無子女嫡母奴婢、良妾子女七分之一、承重子則加三分、餘還本族、無本族則屬公

とあるも、子女なき嫡母奴婢に限らず、相續人なき總ての場合に屬公となるのである。

三　法定相續制と遺言相續制

遺言制の基調

遺言制度がまた、相續は死後の分給であり、生前の贈與は相續財産の事前の分割であると考へた思想と、祖業は子孫に傳へるといふ思想と、此の二つの基本的な思想の下に於て發達した。遺言は始めは父母の子に對する、若くは祖父母の孫に對する遺命として行はれた（九七頁參照）。經國大典刑典私賤條に

用祖父母以下遺書

と云へる遺書は遺言である。其れが祖父母・父母に限定せられたのは、子及び孫に對してのみ遺命の遵守を要求し得ると考へたからである。然るに死後に於ける遺産の處置を内容とするに至つて、遺書の適用範圍は外祖父母に擴張せられた。續大典刑典文記條に

外祖父母遺書、竝皆通用

とあるのがそれである。用は有效の意味で不用又は勿用と云ふは無效を意味する。外祖父母の遺書とは云ふが、直接外孫に對して爲された遺言のみを意味

するのではなく、母に對する遺書が其の子を拘束することをも意味するのであつて、外祖父母の母に對する遺贈に關しての遺言が主なるものである。それが遺言として効力を認められねばならないのは、出嫁せる女子も法定相續人なるが故である。若も外祖父母から母への遺書が用ひられないとすれば、出嫁女に對する遺產の分給をなすことを得ない結果となるからである。之を要するに遺書の宛名人たるべきものは、總て法定相續人であり、從て遺書が遺產の處分を內容とするに至つたと云つても、任意相續制の是認とはならぬ(一三五頁參照)。

遺言が遺產の處分に關するときでも、相續人たり得べき者の間に於てのみ行はれるといふことはこれに依つて理解し得るが、而も僅に第一順位に於て相續人たるべき者の間に局限せられ、夫婦・兄弟・叔姪の間に及ばなかつたのは、一方に於て、遺言は遺命であると考へたのと、他方に於て、贈與と遺贈及び死因贈與との區別が明でなかつたのに由ると思はれる(一五三頁參照)。其れは又遺書の方式が、傳繼文記の方式と殆ど差異のなかつたことにも原因する(七三頁參照)。遺書に依つて子女に分財するに當つて、妻妾・兄弟にも分財することは一般に行はれた。之を別給と云ふことがある。 併し强てそれを遺書と傳繼文記との結合として考へたのではない。 故に遺言の行はれる範圍に於てのみ之を遺贈と稱し、遺贈と別給とを對立せしめる程に明確なものではない。 時には他人に對する別給もある。故に汎く死因行爲としての意味に於ての包括遺贈を相續と解し、之を法定相續制に對して遺言相續制として認め得ないのではない。 だが多くの場合分財が、子女・本族・夫妻妾の間に於て、唯相續順位と相續分とを變更し、併せて相續財産の分割を確定することを目的としたと同樣に、遺書に依る分財も其の範圍を出でなかつた。 相續人たり得べき者に依つての相續を、法定相續制と云ひ得るならば、大體に於て、其の範圍を越えての遺言の自由は認められなかつたと云ひ得るであらう(一六一頁參照)。 遺言に依る相續人の指定は養嗣子の指定(立後)としてのみ許された(一五四頁參照)。 子女あるに拘らず、他人に多數の財産を分與するが如き遺書は、亂命と稱し其の效力を否定せられた(二〇一頁參照)。 遺留分を越えたる部分に付てのみではない。 遺留分なる觀念は始めから認められてゐない。 それは無制限に遺言の自由を認めたからではなくして、其の意味に於ての遺言相續制の否定を前提としての結果と解すべきである。

遺言自由の範圍

生前に於ける分財又は死因行爲に依る處分が、何等かの理由で無效なる場合に、依二成法一、官作二財主一分給なる語が屢用ひられる（一五六頁參照）。相續法を適用することを云ふのであつて、相續に因る相續財產の承繼にも尙ほ、被相續人（財主）の處分を擬制するのである。贈與と遺贈と相續とを併せて傳繼として觀念したからである。此の場合に被相續人の意思に代るものは相續法である。法定の相續順位と相續分とは、被相續人の意思の補充である。故に其の範圍に於て被相續人に、遺言の自由が、分給として許されるのは當然である。法定の相續順位に在る者が、法定の相續分を以て相續することを、法定相續と云ふならば、遺言相續制は後順位の者を先順位の相續人の內に加へて、相續分を指定する範圍に於て認められる。遺言に依り不孝を理由に先順位の者を排除し、廢疾を理由に廢嫡することもある（一五九頁參照）。

第二　相續財產

奴婢田宅

相續財産は未分奴婢を以て代表せられ、田宅同といひ、田宅を奴婢に準じ、田宅と奴婢との割合を定めた。詞訟類聚私賤條に

嘉靖三十二年五月初二日、三公、議田地與奴婢相適爲當、

又

萬曆四年六月二十六日、大臣議田地十負、準奴婢一口宜當、啓下漢城府

とある。續大典刑典私賤條に、

田地十負、準奴婢一口

と云へるはこれに依つたのである。

家舍

尙ほ續大典戶典田宅條に

父母未分家舍・財産、依奴婢・田宅例分數分給、

とある。其の家舍の內で、祖先の神主を祭る祠廟の存するものは、祭祀を承繼する者が相續した。

經國大典戶典田宅條に

立廟家舍、傳於主祭子孫

祭田、墓田

と云へるがそれである。

五月戊子、漢城府條陳三事、其一、家廟之設、已有著令、士大夫、廣占家基、崇峻堂寢、不曾立廟、殊無報本之意、乞令承重者限今年畢立祠堂、違者移文憲司糾理、(下略)(太祖實錄第二十五卷十三年五月戊子條)

祭祀を承繼する者の特權に屬する相續財產は、立廟家舍の外に祭田・墓田がある。

初立祠堂、則計見田、每龕取其二十之一、以爲祭田、親盡則以爲墓田、後凡正位・祔位皆放此、宗子主之、以給祭用、上世初未置祭田、則合墓下子孫之田、計數而割之、皆立約聞官、不得典賣、(家禮源流卷一通禮條)

祭田は每龕に存し、各神主の遺產二十分の一を割て之に當つとあるが、顯達富裕の神主についてのことであつて、總ての神主に之を置くのではない。龕は神主を安置する厨子を謂ふ。又墓下の子孫が各自田を據出して之に當つることもある。 家廟に祀る神主は、初めは三代を限とし、庶民は父母に止めた。

文武官六品以上、祭三代、七品以下、祭二代、庶人則只祭考妣、(經國大典奉祀條)

然るに禮記には四世而緦麻之窮也、五世袒免、殺同姓也とあるに從ひ、後には身分の高下を論ぜす高祖父母迄の四代を祭つた。

按、栗谷擊蒙要決亦從國制、只祭三代、然家禮既以四代定爲中制、故好禮之家、多從家禮(家禮輯覽卷一附註祭四代已爲僭條)

親盡きるときは、神主を墓所に藏め、年に一度の祭をなす。親盡きたる神主の祭田を墓田と謂ふ。

祭田親盡、則以爲墓田云者、蓋謂親盡埋主、故以此爲墓田、而爲歲一祭之地也、如有最長房、既奉此位之祭、且家貧無以爲祭、則此祭田亦隨移、而次次爲祭田、似不失禮意矣、但尤菴先生、答閔士昂問以爲、不可送長房、而直爲墓田云、未知如何也(屛溪集卷十八)

親盡くとは奉祀子孫から數へて四代を越ゆるを謂ふ。宗孫親盡きて墓所に遷すべき神主も、支孫中未だ親盡きざるものあるときは、神主を之に移して祭祀せしめる。之を祧遷又は遞遷と云ひ、支孫の代未だ盡きざるものの内行列・年齡最も高き者を最長房といふ。

同宗

問最長房曰、古人屬世同居者、於一門之內子孫各有私房以居、亦若儀禮所謂南宮北宮、然祠堂若有親盡之主當遷、而族人有親未盡者、則遷于其中最長之房以祭之也、(家禮源流十一卷)

族人私房を有つて、一門の內に同居することは、朝鮮では行はれないが、最長房の名はこれに依つたのである。祭田・墓田は其の收穫を以て祭祀の用に供するのであつて、主祭子孫相傳へて典賣を許さない。之が神主と共に最長房に移るか否かの爭も、唯祭祀に供する收益に關しての問題であらう。

宗子與諸父兄尊行同行遠祖之祭、則祼獻誰當主之耶、或曰、五代祖代數不遠、而旣已親盡祧遷、則宗子不得主祭、況於遠祖乎、尊行當祼獻、或曰、親盡之祖、則最長房旣已旁題奉祀、宗子不得主祭固也、遠祖之祭、則與此有異、而宗法至嚴、宗子不可不主祼獻、未知二說孰是耶

神主祧遷則其宗毀、而族人不復相宗矣、又安有宗子之名乎、其主在最長房、則是稍近、而尙此如此、況神主旣埋、而尤遠者、則宗子之名、益無所施矣 (尤庵集答宋源奎條)

承重子

これに依れば宗は家廟に奉祀する最高の神主を始祖とする男系子孫の一團である。支子も支系の宗となり、其の子之を祀つて孫に傳へる。宗家・支家相岐れて各其の宗子が承重する。娶らざる者は子なく、子なければ祀を享くるを得ない。從つて又一支の宗となることを得ない。しかし奉祀者たるの資格は幼少に依つて妨げられなかつた。

累世奉祀之人、死後雖有其妻、婦人奉祀、禮無明文、其子則幼不能主祀、亡者之從弟、姑爲奉祀、俟其子長成、欲還傳重、未知不悖於禮耶、禮有子幼、則以衰抱之之文、主喪既如此、則主祀寧有異同耶、朱子所答李繼善問、正說此事（尤庵集答全瑜條）

第三　祭祀相續と財産相續

一　宗子・支子

祭祀は宗子相傳へて祭主となり、神主に旁題する。之を祭祀相續と稱することは、必ずしも不當ではないが、財産相續に對立せしむべきものであつて、財産相續の一分類ではない。祭祀相續と財産相續とが同時に開始するときでも、特殊の財産相續として民法の家督相續に比較すべきものではないのである。祭祀を承繼する者を承重子と云ひ、之に對し他の子女を衆子女と云ふ。承重子には祭祀條を加給する。經國大典刑典私賤條の

　父母奴婢、承重子加五分之一、衆子女平分

と云へるがそれである。立廟の家と祭田・墓田とは承重子に傳へる。

祭祀相續は男系男長子主義であつて、子なければ同宗の支子を立てて後(養嗣子)となす。女系の子孫をして祀を奉せしめることは、外孫奉祀と稱し、事實に於て行はれたが、祭祀相續を以て論ずべきものではない。四禮按の外孫奉祀條に

　按、退溪曰、外家祖先無後、不忍其主之無歸、則權奉別所、而往來展省、未爲不可、若與其本親同享一廟、則悖理莫甚○尤庵曰、外孫奉祀之非、既有朱子答汪尙書之明訓、而程子母夫人將終、命伊川曰、爲我祀父母、明年不復祀矣、不復祀云、則其祀當止於侯夫人、此亦爲外孫不得奉祀之明證○又曰、喪家未立後之前、其出嫁女、權奉饋奠、亦有俗例、而非禮之正也、至於其女服盡之後、不撤几筵、則尤有難便、不

祭祀承繼に關する諸原則

若從速立後也、

祭祀は男系の男長子が承繼する。これを宗子と云ひ、次子を支子といふ。長子に男子なければ次子祀を嗣ぐ。兄亡弟及之法であつて(三二〇頁參照)、殷の禮なるが故に殷及之禮ともいふ。然るに父既に歿し、長子祀を繼で後に、子なくして死したるときは、其の妻は其の終身を限り祀を行ふ。是を冢婦之法といふ(三三四頁參照)。妾子も承重子たることを得る。

嫡無子有女者奴婢、良妾子承重、則其分加二分(經國大典刑典私賤條)と云へるが如きそれである。但妾子を卑しみ、嫡孽の分を嚴にするが故に、祭祀の相續順位に於て、嫡子は妾子に優先するばかりではなく、若も長子に嫡子なく妾子のみあるときは、次子の子を立てて後となすか、然らざれば長子は、次子に宗を嗣がしめて、妾子と共に別に一支をなすことを許すのである(三二九頁參照)。しかしながら之等の原則は相牴觸して一貫し難いものがある。例へば、

問、承嫡・立後之法、禮家所行不一、或以妾子承嫡、或舍妾子而繼後、未知何者爲正禮而的從歟

答、國典立後條、嫡妾俱無子者、告官立後、○奉祀條、嫡長子只有妾子、願以弟之子爲後者聽、○又曰、欲自與妾子別爲一支者聽○國典三條如此、故人家或有以妾子奉祀者、或有舍妾子而立後者、或有以妾子只奉己祀爲一支、而祖以上祀、則移奉於次子者、惟在家長之處置而已、然有妾子、則不立後、以妾子奉祀者、禮之正也、下二款、則國俗也、以此三者、裁處之如何、有非他人之所可定也(明齋疑禮問答)

と云ひて嫡孽の分に迷ひ(三五八頁參照)

沙溪之爲子、尤庵之爲伯兄、不立其後而傳重於次嫡何哉、嫡・妾無子、則稽國典而不悖宗法至嚴、則質禮經而當然、且殷及之禮、當用於未成人而死者、若既娶者、以無後而絕其嗣、則惡在其爲適子之重哉、恐不當以大賢家法而效之、未知如何(梅山集四答鏡湖李公條)

と云ひ、大賢の立後せざるを怪んで殷及之禮の適用範圍を疑ひ(三四三頁參照)。

退溪答人曰(中略)國法決訟、率用家婦奉祀法、中間尹彥久爲大憲、欲改其法、滉謂尹曰、此法固可改、但俗薄無義、長子死肉未寒、或驅逐家婦、無所於歸者有之、當如之何、故今若欲改此法、必並立令家婦有所歸之法、然後乃可、尹拯以爲然、未知其

後能卒改與否耳（疑禮類說）

と云ひて兄亡弟及の法と冢婦之法との調和を難しとし（三三四頁參照）、又

古禮必以長孫承重、至趙宋長子死、則不用姪用次子、非古禮也、（中略）我國專用古宗法、長子妻立後、則是無子而有子、當奉祀也、又反思之、長子妻無子、已移宗於次子、致今立後、必有辨爭之端、未知國典舊例如何也（疑禮問解卷一答趙希逸）

と云ひて兄亡弟及の法と立後の法との調和に苦しむ（三二〇頁參照）。不用姪用次子は姪を立てて後とすることなく、直に次子をして奉祀せしむるを謂ふ。

宗支之分、嫡孽之序、立後之法、冢婦之法及び兄亡弟及之禮、およそ之等の諸原則が、相交錯し妥協する處に祭祀相續法が成立するのである。財産相續と關係のある範圍に於て後に詳說する。

二　廢嫡

廢嫡に付ては

禮有嫡子癈疾、不得承重之文、今沈得祥之父、既以凶悖之人、得罪倫常、則其重於

癈疾也懸矣、況其祖父判官公及其祖母、前後有治命、至使得祥不得奉祀、則其絶之也嚴矣、今至於祖父母俱歿之後、乃敢違命奉祀、似無其理矣、又判官公雖有外孫、而外孫奉祀、朱夫子、斥之以非族、則又有所不敢違者矣、聞判官公、有側出男、則不得已、以此承重矣、鄙見如此、須稟於典禮之家、行之如何(尤庵集答或人)

これに依れば癈疾と凶悖と遺言(治命)とが擧げられる。しかし治命は亂命に對する。正當なる廢嫡の理由を具したるものでなければならぬ。又凶悖は癈疾より重いといふのであるから、結局の標準は癈疾である。

續問解、長子雖病癈、不可傳重於次子

南溪問、一人兩子、長盲、次未娶、其父死、祖以長子病癈不可承重、以次子主其喪、旁題亦以次子、祖父母喪、皆代其服、盲兄娶妻生子、今至長成、其家宗祧、歸於何處、答、祖父以權宜、命次孫承重矣、非其本意、今長子生子、理當還使主宗、告祖父祠堂行之(禮書劄記卷之二宗法條)

これに依れば長孫盲なるが故に承重するを得ず、次孫が其の亡祖父の喪主となつたのは、祖父の權宜に依つたのであつて、盲兄妻を娶つて子が生れた後は、奉祀者の地位を之に還せといふのである。ただし其の當否は疑はしい。承重は單に几筵の前に饋奠を奉ずるだけのことを意味するものではない。既に宗が次孫に移つた後は、長子の子は祖上の祀を承くべきものではない。だが何れにしても癈疾は、祭祀相續の缺格に止り、衆子として遺産の相續に與る妨げとはならぬ。

子女均分

第四　子女の相續

一　嫡子女と妾子女

相續は父母の遺產を、子女が分配するを以て典型とする。第一順位の相續人は子女である。未分奴婢、勿論子女存歿、分給、と云ふは即ちそれである。男女を問はず均等の相續分を以て、共同相續人となる。經國大典には勿論存歿とあるが、古くは父母に先つて死する者を不孝の子と稱し、其の子孫の相續分を減少した。太祖實錄第十二卷六年丁丑七月甲戌條の一節に、

一、以₂先亡同腹₁稱₂爲不孝₁、其子息奴婢減給、甚爲₂無理₁、許₃令₂平均決給₁、

とある。先亡同腹は父母に先つて死亡した兄弟を指すのである。

太宗實錄第十卷五年九月戊戌條にも同樣に

一、父母未分奴婢、分執次、先亡同腹子息、不孝稱名減給者、平均分給

とある。

遺妻代襲

子女なくして夫死亡し、寡婦家に在るときは(守信)亡夫に代襲して父母の遺産の相續に與る(二七〇頁參照)。

妾子女

妾子女は嫡子女に比して一定率を減給し、承重子には嫡子と妾子とを問はず祭祀條として定率を加給する。妾子女には良妾子女と賤妾子女との別がある(一七二頁參照)。經國大典刑典私賤條に依れば

一、

父母奴婢、承重子加₂五分之一₁、衆子女平分、良妾子女七分之一、賤妾子女十分之

然るに太祖實錄第十二卷六年七月甲戌條に、

一、妾子無₂傳繼明文₁者、給₂七分之一₁、其賤妾所₂生、無₂明文₁而爭望者禁止、

とあるを見れば、賤妾子女は始めは法定の相續人ではなかつたのである。

これに續いて

一、雖婢妾所生、亦是骨肉、而奴婢一例役使未便、財主現存、自己婢妾所生、永放爲良、以爲恆式、

とあるが、賤妾の外に婢妾なるものがあるのではない。同じく太祖實錄第十二卷六年七月辛卯條に、

奴婢辨定都監上言、歷考古典、大小宗嫡妾之法、全以承家繼嗣爲重、其有嫡室無後者、妾子固當繼嗣、乞於良妾子孫、專給奴婢、若良妾亦無子、而自己婢妾有子者、雖無傳繼明文、宜減半給之、一半屬公、其娶他人之婢爲妾有子者、只給七分之一、餘竝屬公、上允之、

とあつて婢妾は即ち賤妾である。

立後

二 繼後子

養嗣子は嫡長子に同じ。身後宗祀を繼がしめることを目的とする。繼後子、

と稱し、又は後と云ふ。經國大典禮典立後條に、

嫡妾俱無」子者、立二同宗支子一爲」後、

其の註に、

兩家父同命立」之、父歿則母告」官、

實家・養家の父の合意に依つて成立し、官に告げて禮斜を受けるを原則とする。養家の父を所後父と云ふ。同宗の支子なることを要する。同宗は後には同姓に擴張せられた。長子は出でて他家を繼ぐを許さない。唯本宗を繼ぐ場合を例外とする。又子の列に在る者でなければならぬ。例へば從弟は同列である。後とするを得ない。

後者、死者之身後也、古者死而後立」後、未」有二父生而立」後者一也、今人生而立」後、名實俱舛矣（與猶堂集三十四卷出後一）

死而後立」後は父歿則母告」官に當る。俗に死後養子と云ふ。其の事例は極めて多いのではあるが、寧ろ例外であることは、前記の經國大典禮典立後條の註に依つても明である。而して其の死後養子に付ては、相續法上種々の問題の存する

ことは後に述べるが如くである。然るに右の如く生前の立後を不當とし、これが爲めに千病百弊生ずと云ひ、死後養子を以て原則とすべきことを主張する說がある。

今人生而立後、故千病百弊都由此發、有妻死哀其無嗣、而立後者、子既服孝、再娶生男、將欲還之、服不可追、將欲留之、愛日以衰、母子兄弟、轉成仇隙、又或本生絕祀、使之歸宗、則十年父子、一朝路人、又或貧家之子、來嗣高門、聲色移心、瘡疣百出、被遣而還、身世凄冷、又或辛勤取養、旋遭夭折、始欲託身、乃反離映、出入往來、死生斷續之際、倫彝戾、服術顚倒、雖鴻儒邃學、茫然不知所以爲答者、比々有之、苟究其故、皆生前立後、有以致之也、普請知禮之君子、父生愼勿立後、雖或取養、勿名父子、以遵先聖先王、爲萬世深長慮之良法美制、庶乎其寡悔也(與猶堂集三十五卷)

其の弊害の内で、立後の後實子の生れた場合の繼後子の地位に付ては後に述べる(一九四頁參照)。　實家の絕嗣に依る罷繼歸宗にも大なる弊害は生じない(三九九頁參照)。其の他の事情に關しては、或ものは實子に付ても生ずるであらうし、立後を死後に限らねばならぬ程のものではない。

收養侍養

三　養子女

養子女には收養子女と侍養子女の別がある。養子女と云へば此の兩者を指すのであつて、繼後子を含まない。三歲前に收養して子女となすものを收養子女と云ふ。收養父の姓を稱し子女に準ぜられる。收養子女に非ざるものを侍養子女と云ふ(參照三二一頁)。經國大典刑典私賤條に、

嫡有子女養父母奴婢、養子女十分之一、三歲前卽七分之一、

と云へる三歲前は、收養子女を指すのである。故に養子女十分之一は侍養子女の相續分に當る。養子女は繼後子と異り、異姓たるを妨げない。故に祭祀を承繼する資格はない。財產相續に在りては、右の比率を以て子女と共に之に與るのである。同じく私賤條に、

無子女養父母奴婢、養子女七分之一、

其の註に、

三歲前則全給

故に本文は侍養子女に關するものである。其の分數率は前と異り、子女なきが故に、本族が相續すべき場合であつて、七分之一は本族を基準に、六對一の割合を以て、本族と共同して相續に與るのである。卽ち收養子女は、本族に先つて相續順位を有する點に於ては、嫡子女に準ずべき地位に在り、侍養子女は嫡子女なきときは本族と共に相續に與るのであつて、寧ろ義子女に近い。

第五　子女なき夫妻の相續

一　先位相續と後位相續　附　次養子

父母の遺產の相續に對立して子女なき夫妻の遺產の相續がある。曩に擧げた經國大典刑典私賤條の

無子女夫妻奴婢、雖無傳係、生存者區處、本族外不得與他、如有妾子女・養子女、亦毋過其分、妻適他者、其所區處不用、

がそれである。區處は處分である。財產の主體たる地位を意味する。生存者

生存配偶者の相續

生存配偶者と亡配偶者の本族

區處は亡配偶者の遺産を生存配偶者が相續することをいふ。

生存配偶者は其の終身、亡配偶者の遺産を相續する。祖先の家産は、子孫相傳へて他族に歸せしめることを欲しない。子女なき場合に、亡配偶者の遺産を、生存配偶者をして其の一身を限つて相續せしめるのも、其の者をして從來の生活を持續して身を終らしめんが爲めであつて、結局は亡配偶者の本族が相續すべき財産である。亡配偶者の遺産が、生存配偶者の死亡に因つて、當然に本族に承繼せられるのは相續である。始めから其の生存配偶者の財産であつたものは、生存配偶者の本族が相續する。故に生存配偶者の死亡に因つて財産は、亡配偶者の遺産と、生存配偶者の遺産とに分れ、同時に二つの相續が開始するのである。此の場合に生存配偶者の遺産に付て其の本族が、生存配偶者の相續人であることは論を俟たないが、亡配偶者の遺産であつた財産に付て、亡配偶者の本族を以て、同じく生存配偶者の相續人であると解するのは當らない。生存配偶者の相續が中間に介在はするが、亡配偶者の本族の相續は、生存配偶者の相續を根據としての相續ではなく、亡配偶者に子女あるときは之が第一順位に於て相續す

後位相續

べかりしものを、子女なきが故に本族が、次順位の相續人として相續するのである。被相續人は生存配偶者ではない。

亡配偶者を被相續人とし、亡配偶者の遺產を相續財產としての相續なるが故に同じ相續財產に付き、同じく亡配偶者を被相續人として、曩には生存配偶者の爲めに相續があり、今又生存配偶者の死亡に因つて、亡配偶者の本族の爲めに相續があるのである。即ち生存配偶者は先位相續人であり、亡配偶者の本族は後位相續人である。後位相續の特徵は、先位相續人と同じ被相續人を、被相續人とし、同じ相續財產を、相續財產として開始する相續である點に在る。故に先位相續人は自ら相續人であり、相續に因つて相續財產を承繼したに拘らず、後位相續人の爲めに、後位相續の開始する迄、其の相續財產を管理すべき地位に在る。其の管理は、自己の爲めにする管理であつて、使用收益する權利を有する。又必ずしも處分權を否定するものではない。先位相續人が處分權を有するか否かは、先位相續を認めるに當つて、法の定める處に依る。故に生存配偶者は、亡配偶者の遺產に付て處分權を有するや否やが不「得」與」他の意義に關して問題となつたことは後に詳論する（二七二頁参照）。

相續が解除條件付なるときは、其の相續人と、解除條件の成就に因つて相續人となるべき者との間に、先位相續と後位相續との關係を生ずる。解除條件の成就の前と後とに於て、被相續人を異にすることは、解除條件の觀念と相容れないからである。先妻が死んで夫が相續した先妻の遺產は、後妻を娶つても、先妻の本族には還さない。先妻の本族は、夫の死亡を俟つて始めて相續し得るのである。之に反し、妻の相續した亡夫の遺產は、妻が他に改嫁するときは、亡夫の本族に歸する。妻適₂他者₁其所₂冨處₁不₂用は其の意である（三九六頁参照）。卽ち妻が亡夫の財產を相續するのは、改嫁を解除條件とするのである。改嫁に因つて亡夫の本族の爲めに、後位相續が開始する。先位相續人と後位相續人との間には相續はなく、單なる地位の轉換がある。

改嫁に因る後位相續

先位相續と後位相續との關係は、次養子に付ても生ずる。子一人を有する者が、其の獨子を喪ひ、孫なきが爲めに、孫の列に在る者を取つて其の子の後となすべきに當り、適當の者なきときは、子の列に在る者を以て、自己の繼後子とする。

次養子の先位相續

之を次養子といふ。其の子の生れるを俟つて、死んだ子の後となすことを目的とするのである(二〇一頁參照)。故に次養子も繼後子である。所後父死亡するときは祭祀を繼ぎ、承重子として遺產を相續するのであるが、次養子に子が生れたときは、之に其の地位を讓らねばならぬ。即ち次養子は、嚴格な意味に於て相續人の指定ではないが、相續に關しては、其の子の出生を後位相續の相續原因としての先位相續人の指定であり、次養子の子は、後位相續人である。次養子の指定の時に於て、即ち其の子の出生前に於て、其の子は後位相續人として指定せられてゐるのであつて、其相續は、所後父の意思に因るものと謂ひ得る。所後父を被相續人とし、次養子を先位相續人とする後位相續である。唯祭祀の關係に於ては、死んだ子の繼後子の地位に立つ。

二 妻の遺產と妾子女及び義子女

妾子女・義子女は、夫に取つては子女である。故に夫の遺產は、夫の死亡に因り、妾子女・義子女に於て相續し、妻は相續しない。妻が亡夫の遺產を相續するのは、妾子女も義子女もない場合である。しかし妻の遺産の相續に關しては、妾子女と義子女とは、特別の地位に立つ。妾子女と嫡母、義子女と繼母との間には、姻族關係あるに止り、親子關係を認めないからである（一七一頁參照）。

子女なき妻の遺産

妻に承重子あるときは、妾子女は妻の遺産の相續には與らない。妻に女のみあるときは、承重姦子のみが之と共に相續する。妻に子女なきときは、妻の遺産は夫が相續し、夫の死亡に因つて妻の本族が相續するに際し、妾子女は一定の分數率を以て、此の相續に參加するのである。同樣に、後妻（繼母）の遺産に付ては、後妻に承重子あるときは、先妻の女は相續に與らない。先妻の子が承重子なるときは、承重義子のみが後妻の子女と共に、後妻の遺産の相續に與る。先妻（前母）の遺産は、先妻に子女あるときは、先妻の死亡に因り、先妻の子女が相續する。故に後妻の子女との間に相續の問題を生じない。先妻に子女なきときは、其の遺産は夫が終身相續し、夫の死亡に因つて、先妻の本族が相續する。故に後妻の子女と先妻の遺産との間に、相續が問題となり得るのであつて、此の場合にも承重義子のみが先妻の本族の相續に參加する（二五八頁參照）。

三　未婚者の遺産

私生子

未婚者の遺産に付ても、相續はある。第一順位に於て兄弟・姉妹が相續すること、子女なき夫妻の本族に於けると同樣に解すべきであらう。私生子の親族法上及び相續法上の地位に付ては明でない。

第六　相續分

相續分

共同相續人間の相續分は分數に依つて示される。

父母奴婢、承重子加五分之一、衆子女平分、良妾子女七分之一、賤妾子女十分之一（經國大典刑典私賤條）

相續分の表し方

分數は相續財産の分數量ではなくして、基準となる者の相續分に對する比率を意味する。良妾子女七分之一と云ふのは、嫡子女を標準として六對一の比例を示したのである。其の註に

如嫡子女各給六口、良妾子女各給一口之類

とあるは、卽ち其の意味である。衆子女は承重子に對して云ふのであつて、妾子女に對しては嫡子女である。嫡子二人良妾子一人あるときは六對六對一の比例に依つて分配し、嫡子は各相續財産の十三分の六、良妾子は十三分の一となる。嫡子間に於て、承重子加五分之一と云へば六對五を意味する。卽ち其の註に

如衆子女各給五口、承重子給六口之類

とある。故に前例に於て嫡子二人の内一人を承重子とすれば

承重子	衆子	良妾子
6	: 5	
	6	: 1
36	: 30	: 5

、承重子は相續財産の七十一分の三十六、衆子女は七十一分の三十、良妾子は七十一分の五となる。

時には單に加何分と云ふことがある。例へば經國大典刑典私賤條に

無子女前母・繼母奴婢、義子女五分之一、承重子則加三分

といふが如きであつて、義子女の相續分は前母又は繼母の本族(使孫)四に對する

一(五分之一)であるのを、承重義子には三分を加給し、四對四となすのである。詞訟類聚私賤條に

謂下義子女、與ニ前母・繼母・使孫等一、五分之一、承重子毎分加ニ三分三口一、並四口、與ニ使孫一皆四口上、

と云へるは其の意味である。

分數は常に共同相續人中の或者を基準とする。其の基準を示すに當つて餘の字を用ふることがある。經國大典刑典私賤條に

無ニ子女一嫡母奴婢、良妾子女七分之一、承重子則加ニ三分一、餘還ニ本族一

又續大典刑典私賤條に

無ニ子女一嫡母奴婢、妾子女分數外、餘還ニ本族一、勿ㇾ論ニ生歿一均給、

これ等の場合に良妾子女七分之一は、嫡母の本族を基準とするものであつて、一對六の比を云ふ。本族として相續に與る者、例へば嫡母の兄弟・姉妹數人あるときは、本族間は均等であり、各本族と良妾子女との比例は六對一である。同樣の規定は例へば詞訟類聚私賤條に

則父奴婢、給養子女七分之一、餘並給妾子女

又は

母奴婢、從本分給妾子女（分數同上）餘、並給收養子女

といふ如きがある。前者は妾子女を基準に、侍養子女の相續分を定めたものであり、後者は收養子女を基準として、妾子女の相續分を定めたものである。

端數

相續財產たる奴婢・田宅が、所定の比例に依つて都合よく分配するに足らず、又は端數を生ずることの多かるべきは想像に難くない。經國大典刑典私賤條の前記未分奴婢、勿論子女存歿分給の註に

未滿分數者、均給嫡子女、若有餘數、先給承重子、又有餘、則以長幼次序給之、嫡無子女、則良妾子女、無良妾子女、則賤妾子女同（田地同）

故に甲乙丙丁の四人の子の內、甲を承重子とし、相續財產奴婢十口とすれば、各自二口を取り、承重子として甲が更に一口を取るときは、尙ほ一口の端數を生ずる。長幼の序に依つて、次の乙が取ることとなるのである。前記の如く承重子七十一分の三十六、衆子七十一分の三十、良妾子七十一分の五の割合で、承重子甲、次

子乙、妾子丙に奴婢十口を分配するとすれば、甲は五口、乙は四口、丙は一口となるのであらう。

第二章　傳係文記

第一　白文文記と官署文記

重要財産の處分と官署文記

經國大典刑典私賤條に

父母・祖父母・外祖父母・妻父母・夫・妻妾、及同生和會分執外、用官署文記

其の註に

子之於親、亦不須官署

又

田宅同

とある。奴婢・田宅の承繼は官署文記に依るを原則とし、其の列擧したるもののみは例外として、白文を以て足るとしたのである。官署文記は官の認證ある證書である。是れ重要なる財産の歸屬を明確にし、併せて官をして承繼の當初に於て、處分の效力若くは承繼の當否を審査する機會を得せしめ、後日の紛爭を絕

たんとするのである。其の列擧した例外は、正統壬戌年(世宗二十四年)八月二十八日の受教に依るものなることは

傳旨禮曹曰、今頒行經國大典刑典(中略)一、正統壬戌八月二十八日以後、大典頒降以前、祖父母・父母許與及同腹自中分執記外、不稅契文券、勿許受理(下略)(世祖實錄第二十五卷七年七月丁未條)

に依つても明である。稅契文券は官署文記を謂ふ。

又

掌隷院啓、大典用文記條云(中略)金克儉・韓健・曹克治・安瑚・洪興議(中略)壬戌年文契官署事立法時、只稱祖父母、以該之、故人不以內外區別、行之已久(下略)(成宗實錄第二百二十八卷二十年五月癸未條)

又

傳旨掌隷院、壬戌年以前、父母・祖父母・外祖父母・妻父母・夫妻・同生和會文記外、餘贈給白文勿用(成宗實錄第二百三十四卷二十年十一月丙辰條)

又

傳旨掌隷院曰、自今幷用外祖父母遺書、壬戌年以前白文亦行用(成宗實錄第二百三十六卷二十一年正月丙寅條)

正統壬戌八月二十八日の受敎

然るに壬戌年の文契官署に關する法といふのに該當するものが、資料中に見當らない。大體に於て、祖父母·父母許與及同腹自中分執記のみは白文を許す旨を定めたものであらう。

壬戌八月二十八日の受敎としては

議政府、據刑曹呈啓、今之世俗、當婚姻之時、以奴婢多寡、爲家風高下、故人人務得、爲心恬不爲怪、僥利者、將己奴婢、投權納賂、貪得者、任情忘義、市權受賂、廉恥道喪、風俗之敗、職此之由、請自今大小朝官兩班子弟等、衆所共知收養·侍養、及同姓親·異姓親·妻親並限四寸外、奴婢受贈、一行禁約、如有違法贈與、則與者·受者並皆論罪、受者以贓吏論、其奴婢沒入于官、於違法許與、筆執·證保人、並依律論罪、當該官吏、不能檢擧者、以知非誤決論、且大小官吏、執政時受贈奴婢、亦皆沒官、從之(世宗實錄第九十七卷二十四年八月乙卯條)

といふのがある。壬戌八月乙卯は二十八日に當る。しかしこれは曩に揭げた世祖七年七月丁未の

傳二旨禮曹一曰、今頒二行經國大典刑典一(中略)一、正統壬戌八月二十八日以後、大典頒降以前、祖父母・父母・許與及同腹自中分執記外、不レ税二契文券一、勿レ許二受理一、衆所二共知一收養・侍養、及同姓親・異姓親並限二四寸一外、贈二給奴婢一、亦勿二受理一

の後段の衆所二共知一收養・侍養云々に該當するもので、官署文記に對する例外を認めたものではない。苞苴公行の弊を矯めんが爲めに、奴婢の贈與の範圍を限定したのであつて、綱紀肅正の爲めの一時の禁制である。收養・侍養及び同姓四寸親は、何れも子女こ共同して、若くは次の順位に於て、相續人たるべき身分關係に在る者で、素より贈與の許さるべきは當然である、異姓親及び妻親も四寸を限つて之を許したのは、近い姻族なるが故である。妻親は妻の本族、異姓親は母の本族を云ふのであらう。兩者を併せて異姓親こいふを妨げぬ。此の禁制は大典頒降以後は解かれたのである(四二四頁參照)。

壬戌前は白文を許さず

其の以前の太宗の受教を見るに

禁奴婢私與・私受、刑曹都官上言、今後京・外大小人員、子息及收養・侍養許與奴婢、贈與奴婢、皆寫二數目一、親告二所在官司一、官司閲二考其主本意一、給二文案一、其暴卒未レ分者奴

婢、令子孫納名目、官作財主平均分給、其所在官司、如有因好惡不公分給者、以犯贓論、今年七月十日以後、私與私受奴婢、並皆屬公、永爲恒式（太宗實錄第七卷四年六月癸巳條）

又

立奴婢傳繼文字之法、議政府受教、凡奴婢文字傳繼、以在前例、證人・筆執者、用族親及隣里中有職者二三人以上、成給文契、傳得者、不過四年呈狀、財主及證人・筆執準備答通憑考、立案成給、財主文契成置身死者、則於侍病族親及奴婢憑考取招、立案成給、無子息、文契未成身死者奴婢、依奴婢傳繼族親限寸分給（太宗實錄第九卷五年四月乙亥條）

の如き父母の許與文記に付ても相續に因る承繼に付てさへも、官文（立案）を成給したことを示すものである。暴卒未分者奴婢を官作財主平均分給と云ふは、相續を意味する。文契未成身死と云ふは、文契なきが故に、處分の效力を生ぜざることを意味し、從つて子息がなければ本族が相續する。族親限寸分給は、限使孫四寸分給の意味であつて、本族に依る相續である。奴婢の傳係を、例外なく官署

文記に依らしめんとしたことが、どの程度に嚴守せられたかは疑問である。其の後に於て

刑曹啓、凡傳得奴婢・財物者、不告財主所居官、而京・外互換告狀、官家又不覈實、姦僞成風、爭訟益煩、請自今奴婢・財物傳係之文、必於財主所在官告狀、憑問證・筆・財主、然後成給文案、以杜爭訟、從之(世宗實錄第四十七卷十二年二月丁酉條)

の受敎もあるのである。此の受敎は前記壬戌年の受敎の前十二年に當る。

所有奴婢制限の議

此の公文成給の制度を利用して各人の所有奴婢の數を限定せんとの提議もあつたが、採用には至らなかつた。

議臧獲公文(中略)上曰、公文可成給、不可定數、若定數則人人不肯從之、然議得以聞、予從卿等之計、卞季良曰、若不成公文則已、如欲成給、必須定數、國家錄籍給之、不限其數、而一家奴婢、或多至千餘口、則後來何觀、多不過百五十爲數、上曰、卿言是矣、然不可定數、雖有千餘口者、有子孫必分之、雖無子孫者、使孫收養中分之、則必無餘數、但此意徵示之可也、雖定數、入於公者必無矣、且此言勿露、仍敎臺諫曰、爾各言其志、掌令李賀曰、不可不定數、但卞季良曰百五十口爲數、臣以此數爲少也、約二百口

則可也、百五十口、則臣亦缺望、臣之奴婢、亦有二百餘口、上不答、賀以己私敢言上前、不以爲愧、識者鄙之六曹啓、奴婢公文成給可也、而定數則不宜、傳旨曰勿露定數之言、成給可也、且多奴婢者、雖分於子孫一族、而餘數不可不知（太宗實錄第三十四卷十七年八月辛亥條）

所有奴婢の數を限定せられることを聞いては、誰も官に告げることを好まないであらうし、公文成給のことすらも困難となるべきを惧れたのである。こんな次第で、祖父母・父母の許與文記及び相續財產の分割文記には白文を許すことゝなつたのであらう。兎に角例外を認めて之に白文を許したのは、世宗の正統壬戌年八月二十八日の受敎であつたと思ばれる。

白文文記

世祖七年經國大典刑典頒行後にも

藝文館典翰崔敬止輪對曰（中略）奴婢白文不稅契、姦僞滋甚、請告官稅契（中略）凡奴婢文券、皆用白文、則姦僞或生、自今親父母・義父母・養父母・妻父母許與、及同腹和會分執記外、並用經官文券（睿宗實錄第六卷元年六月壬申條）

と云へるを見れば、官署文記の勵行は相當困難なものがあつたのであらう。　其

繼母の許與と白文文記

の文中、祖父母・外祖父母を擧げないのは、之を除外せんとする趣旨ではない。又父母を親父母・養父母・義父母に區別し、其の總てに付て白文を許したやうに見えるが、義父母の內、繼母に付ては疑を生じた。

臺諫啓、前事大典私賤條云、父母・祖父母・外祖父母・妻父母・夫妻妾及同生和會分執外、用二官署文記一、而繼母文記、則用二官署一與否、別無二擧論一、故聽訟官吏、所見不レ同、或以爲、繼母義同二親母一、其傳係白文、不レ許二攻破一、或以爲、繼母非二天性之親一、其成置文記、必用二官署一(中略)議論不レ一、用レ法各異、請並議立二定規一、立法事、命議二大臣一、餘不レ允(中宗實錄第六十六卷二十四年十一月乙卯條)

それに依つて大臣の議に付し

三公啓曰、大典私賤條內、繼母白文、用二官署一與否事、及無二子女一養父母奴婢、以二分數一分給事、使二之議一立二定規一、然如二此事一、各年受敎必多、而近來行用法例亦多有レ之、令二該司相考報一府、然後爲二公事一何如、傳曰、如レ啓(中宗實錄第六十六卷二十四年十一月己未條)

關係法規を調査せしめた上で、といふことになつたのであるが、大典後續錄刑典

の內に

　繼母傳係文記、用二官署一、嫡母・庶母・同(嘉靖九年正月二十二日刑曹受敎)

と見えてゐる。嘉靖九年は中宗二十五年に當る。それが續大典刑典文記條に其のままで現れてゐる。

　右に述べた如く、祖父母・父母・同腹和會文記に付ては正統壬戌以後は白文が行はれたものと思はれるのであるが、ここに不可解なのは、成宗實錄第六十七卷七年丙申三月丁未條に

　掌隷院啓、天順辛巳七月十六日以後、成化丙戌七月初八日以前、凡奴婢文契、依辛巳年大典奴婢傳給條、雖祖父母・父母・同腹和會文記、並用二官署一、從レ之、

とあることである。天順辛巳は世祖六年で、經國大典中戶典の頒行せられた年であつて、刑典の頒行せられた前年である。又成化丙戌は、世祖十一年に當る。經國大典刑典私賤條に於て、明に白文を許したに拘らず、大典頒行を中に挿んで、前後六年間は官署文記を用ひしめたとも思はれないし、其の六年間の白文文記に、效力を否定すべき何等かの理由が、成宗七年に至つて生じたとも考へられぬ。成宗七年は世祖十一年の後僅に十一年である。

文記より見たる相續と許與

同腹自中分執と云ひ、同生和會分執といふのは、言ふ迄もなく相續である。古くは祖父母・父母の生前の許與文記のみならず、相續に付ても、官署文記を成給せんとしたのは、相續を以て、官が死者に代つて許與するものと考へたからである。即ち相續は被相續人の死後の許與であつたのである。然るに後に至つて、同腹自中分執記と、祖父母・父母許與文記とについて、共に白文文記を許されたのは、相續と被相續人の生前の贈與との牽聯を示すものと謂ひ得る。相續は親族法上の地位に伴ふ權利である。其の身分を有せざるものは、被相續人の意思に依つても、相續せしめることを得ない。換言すれば、身分關係を基礎とする贈與の、然らざる贈與に對して有する特異性が、相續をも包含する一つの觀念を構成するのであつて、其の觀念の下に、傳繼文記に此の例外を認めたのである。身分關係を基礎として、生前の贈與と、死因贈與と、相續とが、同一觀念に包攝せられたことは、傳繼文記の官署と白文との區別からも略ば推斷し得ると思ふ。妻の父母の遺產に對して、夫は相續人たる身分ではない。しかし妻の生存中は、夫は妻と同視せられる。夫の遺產に對して、妾は相續人ではない。しかし夫の生前に於ては妻に對する關係に近い。白文を許した範圍が此の兩者に及ぶことは、必ずしも前記の推斷を覆すものとは謂へぬ。繼母の義子女に對するものを、白文から除外したのも、其の間には唯姻族關係を認むるに止り、相續法上の地位が、實子と著しく異るに依る。遺言が特に嚴格なる形式を採ることなく、却て白文に依るのも、同じ理由に基く。故に少くとも相續財産に關する限り、遺言は白文の許されると同じ範圍に於て認めらるべきものと思はれるに拘らず、之を祖父母・父母に限定し、僅に外祖父母に擴張したに止るのは、遺言を以て遺命なりとし、直系卑屬のみが、之に服從し拘束せられるものと爲す思想が、より強く働いたからである（九七頁參照）。

嘉靖二十五年五月二十七日、子息八娚妹亦中、都許與成置後、各其葉、許與成給事吐《ハ》段、寡婦《ニシテ》以年將七十人事難期、乙仍《ニ仍テ》子息等亦中、家財・田民乙平均分給爲去乎《スルノヂアルカラ》、後爲雜言者不孝、以此斷、告官治事

一、次子忠順衛崔浩衿、婢內加三所生、奴億連癸未生婢加之二所生、婢福德

年癸巳生、婢檢德一所生、奴檢連年乙未生、奴山菊良妻幷産三所生、婢山
節年辛丑生、朴月良扵員畓二石落只、阿橋員畓二十斗落只、村北員畓五
斗落、新里員貴麥《귀리》田一石落只、同員代田東邊皮麥《겉보리》田一石落只、鍮盆一坐、
小盆一坐、鍮鉢二坐、匙一丹、周鉢五葉、水鐵火爐一坐、峯爐一坐、鼎一坐、牛
一首印

財主贈吏曹參判江城君 崔 世 楗

妻貞夫人金 氏 印

筆執承政院都承旨東原君 崔 齊 教 花押

寡婦金氏が子女八人に分財したもので、本文記は支子に對して成給したものである。前文に年將七十人事難期を以て子息等に家財・田民を分給すとある遺言かとも考へられる、嘉靖二十五年は明宗元年に當る。

和會文記をも序にここに揭げて置く

康熙十一年壬子十二月二十五日和會成文

顯宗十三年(紀元二、三三二年)の文劵

右和會爲去乎事段《シタコトハ》、吾家偏被酷禍、大父主、以宿病累月襯席、子女許與、未及成文、而纔至不救、禫服纔闋、家嚴不意下世、祖母主李氏晝夜摧痛、氣力將盡、叱分不喩《ナラズ》、祖先祭祀及許多徭役、勢難支堪、不得已、招致外孫始徽・三寸姪崔順成・四寸孽甥李杜、使李杜執筆爲旀《テ》、已身奉祀條、及無後末女祭條、內外男女孫別給計除爲遣《シテ》、其餘奴婢・田畓乙《ヲ》、一男一女衿平均分給、而唯一三寸叔母夫、遠在北幕、未得參見、乙仍于《ニ仍テ》別紙列錄而已、未及成文爲有如乎《ノニ》、祖母主李氏、不勝哀毁、終世於壬子正月十九日、叔母夫、於同年九月、自北罷還、一從別與、孤哀海雄、依法典和會成文、兩家各執一張爲旀《シテ》、元來奉祀段置《モ》、並錄於和會文劵中爲乎矣《スルケレドモ》、本文記良中《ニハ》、只書石數落只、而不書第坐負數爲有置《コトトシタ》、其中所謂崔繼祖處買得畓二十斗落只庫《處》、馬山家買得畓七斗落只庫《處》乙、無路辨別、乙仍于《ニ仍テ》不得不以見南畓二十斗落只庫《處ト》果、夫乙其洞畓七斗落只庫《處》、代錄於元奉祀爲旀《シテ》、祖母主李氏邊、多有未分奴婢・田畓是去乎《デアルカラ》、衿付後、從其多少、更良《更ニ》平均分執事是乎旀《デアリ》、養曾祖母金氏邊田畓、在橫城水踰等地、而道路未通、往來不頻、負數庫數、無從可知是乎等以《デアルカラ》、姑爲安徐爲去乎《スルモノデアレバ》、後次推尋、兩家分執事是旀《デアル》、未成人末男祭條、祖母主不爲擧論爲臥乎所《トゴロナルモ》、其在情法、俱極未安、乙仍于《ニ仍テ》連谷亘勿沙里畓一石落只乙《ヲ》、相議出定爲旀《シテ》、各衿條目乙《ヲ》元財主草記導良《ニ従ツテ》、書之以子女孫《ニ》爲去乎《スルモノデアレバ》、並以知悉爲旀《シテ》、法典內、乳母新奴婢段《ハ》、不入於分衿中《ニ》是如爲乎矣《トスルケレドモ》、此則與元財主區處有《ニ》異爲去等《カ》、以《ヲ》兩家乳母新奴婢等乙《ヲ》幷錄於文記末端《ニ》爲有置《シ》、幷以《ナラビニ》依此文施行印

元奉祀條

婢世還、奴石龍、婢加也之、奴風山、奴禮男、婢愛彔、婢銀玉、奴彥林、婢銀香、婢甲切、婢玉還、奴於此金、婢女成今、奴守男、奴者斤、奴宿立、奴万萬印

崔繼祖處買得畓庫、不知代赤夜七畓二十三卜五束二十斗落只、見南馬山家買得畓七斗落只庫、不知代德方百七十一分畓五卜七斗落只、夫乙巷洞家垈皮麥田二十斗落只、祠堂北獐頂家畓二十斗落只、家北松內牟田二十八斗落只、家邊西籬下畓十八斗落只、夫乙巷洞畓二石十斗落只、聞莫龍畓二十斗落只、獐德畓十斗落只、古今未畓一石斗落只印

新奉祀條

婢九還一所生、奴季仁庚辰生、婢女香三所生、婢眞香庚辰生、婢景丹一所生婢愛丹甲午生、婢守永今五所生婢承眞丙午生、婢香分五所生奴二天戊戌生、印

村北五十五分畓參拾肆卜六束二十五斗落只、化門外下孔十一畓三十二卜六束二石斗落只、末山德方百七十一分畓七卜七束十斗落只、夫乙染洞用城里參田十一卜二束秋牟十斗落只、州內々可里德方二百十四田拾卜秋牟十七斗落只、賢守田德方十九分田三卜二十分田三卜七夫秋牟七斗落只、尤家西新里四十分畓七卜四夫、又四十分畓二卜七夫、白雲洞仙位阿竹七十八分田一卜七夫、七十九分田六夫五斗落只、德永基印鐵豆無《두무》一坐、新釜二坐、鍮鉢里六立、鍮蹄《금두발》周鉢七立、皮《피》周鉢七立、鍮盆一坐、鍮果器七立、神仙爐一坐、鍮大凉《양》盆《큰》一坐、鍮大錚盤《쟁반》一立、鍮餠貼《떡접시》三立、大鍮盒《합》一坐、盖具畫沙貼《거림사기접시》一竹印《죽안》

長 男 衿

婢守永介三所生奴安生、買得婢貴香、買得奴右同、婢景丹三所生奴愛善、婢守永介五所生奴綫伊、婢奉今一所生奴成世、婢丹二所生奴愛吉、婢莫介屎一所生奴山日、婢彥飛二所生奴論卜、婢女成介五所生婢今花年己亥生、婢彥飛四所生婢莫介屎、婢守永介二所生婢順眞年戊子生、奴㖙金良產二所生婢守永介年丁卯生、婢奉禮二所生奴應仙年丁未、奴禮龍良產二所生奴海宗年己亥、奴德山良產二所生、婢禮分、同奴良產奴海民年庚午、同奴良產婢禮春年丙子、婢女仁一所生婢仍香年辛卯生、奴命得、婢禮仁二所生奴貴奉、婢禮春四所生奴龍立年甲辰生、二所生婢龍女年戊戌生、婢龍德、奴等還、奴松桂二所生婢命德、婢莫之、婢一女、婢恣德二所生婢禮切年庚午生、婢古伊女、婢禮切一所生奴太善年丁亥、四所生奴男伊年壬寅、婢七分三所生奴金伊男年乙丑、同奴良產四所生奴愛龍、五所生婢郎音生、婢禮春五所生奴名不知等印

乳母奴守元良產婢守化、新奴婢德香一所生奴李一年壬申、婢蘭伊一所生婢季春年辛巳印

㐎洞七十三畓六卜三夫、七十四畓二卜、七十五畓八夫、七十六畓五卜二石落只、公土乃德方百七十一分畓二卜七夫三斗落只、夫乙芿洞新里十七畓十三卜十九斗落只、獐德阿橋三百三十六畓十卜、三百四十一畓七夫、三百四十二分畓一卜八束二十二斗落只、龍淵上邊新里百六十六畓十二卜五夫一石落只、五里洞利馬家東德方百三十七畓六卜四夫七斗落只、方築洞德方百三十二畓二卜二夫五斗落只、方築洞金男伊畓新里百十一畓七卜八夫二十斗落只、安雲成畓德方百四十二畓六夫一斗落只、方築洞居士梯畓馬山二十三畓七卜九夫、二十四畓七卜九夫、二十五畓三十一卜一夫三斗落只、㐎洞二百十

八分畓一卜七夫、二百十九分畓五卜二夫一石落只、古今木德方三百十二畓一卜二夫、百三十三畓二卜三夫百三十四畓四卜九夫二十五斗落只、防築下邊德方二百八畓四卜九夫、二百九畓一卜五夫一石落只、莫守梯半程二畓九卜一夫一石落只、豺溪草畓五十九畓六卜九夫、六十畓一卜六夫一石落只、亘勿沙里二石落、十六畓五卜九夫十斗落只、白岩前聲谷百六十一畓九卜二夫十斗落只、愛男家前同員百二十九分畓八卜四夫、百三十分畓五卜六夫一石落只、忠義家西阿橋三百七十六分畓二卜七夫七斗落只、吾向畓死斤谷六十四分畓八卜六夫、五畓八卜一夫二十斗落只、阿橋四百七分畓十卜七夫一石落只、義男畓仁政里八田七卜三夫秋牟七斗落只、龍池末山田八斗落只、第卜不知德方六十三分田七卜九夫貴麥四十斗落只、七松上下碁同員百六十六田六卜七夫貴麥二十斗落只、溝北同員百五十七田十二卜六夫春牟十斗落只、桑下乃可里百六十二田二十二卜六夫貴麥二十斗落只、井南邊同員百六十八田四卜六夫春牟五斗落只、香一家南同員二百二田五卜二夫秋牟五斗落只、建男家西岱洞二百三十四分田八卜一夫貴麥一石落只、雲夢田北谷百七十三田五夫、百七十四田一卜九夫春牟十斗落只、鈴津井南北亘文里二分

田九夫、同員百三分沓三卜四夫三斗落只、德方百六十田四卜、百六十一田七
夫春牟七斗落只、丁山家基前厤田德方十九分田六卜六夫秋牟七斗落只、允
家西德方二百四十六田八卜四夫、二百四十五田一卜三夫、金伊男田府德方
百十九沓六卜八夫、阿橋二百五十幕入田二卜三夫、平岩在正陳秩德方二百
十一田七卜九夫、二百十九田二卜一夫、盤松下百五十沓四卜八夫、加也之沓
百六十九田二卜三夫、香一家後二百五十四田一卜三夫、橋頂基西二百八十
六田一卜七夫、京家西百十四沓六卜八夫、防築洞二百三十六田參夫、百二分
沓五卜二夫庫不知、百三十九田三卜八夫、百四十分田二卜、劉同基阿橋百十
五田八夫、咸哥仕北非呼石八分沓四夫、四百九十七分田三夫、香墓下裳陳秩
無多三十三田六夫、三十四田一卜九夫、加沓三卜五夫、㐓洞百三十六田三卜
四夫、百四十九田三卜九夫印、雜物秩、鹽盆一隻、伐鐵豆乎亇無一坐、青銅火爐一坐
大小足鼎四坐、中錚盤一坐、小鍮盆一坐印

女壻　衿

婢一玉所生奴一立、婢九還三所生奴八立壬辰生、婢㱾今一所生奴奉先戊辰
生、婢正還七所生婢庚辰庚辰生、婢禮成介三所生奴金孫癸巳生、婢奉女一所

生奴壬寅壬寅生、奴論卜良產一所生奴論山丁酉生、三所生奴同叱孫、戊申買得婢貴分二所生奴頓立辛卯生、婢守永介四所生婢仁眞乙未生、買得婢禮尙介己未生、婢㐃今二所生婢奉今辛未生、買得婢雲介丙寅生、婢貴香五所生奴正龍乙巳生、奴禮龍良產二所生婢海今辛丑、三所生婢　奴德山良產一所生婢禮仁壬戌、四所生奴海奉癸酉、六所生奴㐂奉庚辰、婢禮分一所生婢禮丹丁亥、三所生奴太承癸巳、五所生奴已男庚子、六所生奴已賢甲辰、奴海㦤二所生婢命丹戊戌、三所生奴得立辛丑、奴㐂奉二所生婢命業癸卯、婢禮奉一所生婢龍今己亥、奴松桂三所生婢一玉壬午、四所生婢莫㐂丁亥、奴守彥良妻一所生婢叔女甲戌、同婢一所生婢己禮己亥、奴金伊男良產一所生奴愛立甲申、五所生奴愛連丙申、六所生婢伐於之己亥、婢永介一所生奴㐆金乙酉印

乳母婢彥飛二所生婢守亂代庚申、新奴婢德香二所生奴香一辛未、新婢守亂代一所生婢秋香甲申生印

瓦釜三十九畓八卜八夫十斗落只、聲谷八十五畓六卜九夫一石落只、向邑百十二畓三十卜一夫二十斗落只、臨海二分畓十三卜二石落只、長刀山九十四畓六卜一夫一石落只、德方七十畓十二卜二夫二十五斗落只、同員九十六畓

四卜五斗落只、風井十五分畓十五卜三夫十斗落只、阿橋二十四畓九卜十九
斗落只、搶勿里四百四十畓九卜三夫、四百四十一畓四夫、四百四十二畓三卜
一夫二十四斗落只、德方百三十六分畓五卜八夫十三斗落只、德方百二十五
畓一卜七夫六斗落只、阿橋二百三十九畓三卜二夫二十斗落只、高靑九十八
畓九卜六夫、九十九畓六卜五夫二十斗落只、德方百七畓五卜一夫十三斗落
只、阿橋三百八十二分畓五卜五斗落只、於口呑二十一畓八卜一夫一石落只、
無多丁加畓二卜七夫八斗落只、新里二畓二卜一夫、三畓四卜八夫一石落只、
搶勿里四十三畓八卜六夫一石落只、東草六畓一卜八夫五斗落只、巨文百三
分畓三卜三夫三斗半落、德方百六田二卜九夫貴五斗落、百五十八分田六卜
牟十斗落、百六十三分田七卜八夫貴四十斗落、百六十四田四卜七夫貴一石
落、二百四十二田十一卜五夫貴二十斗落、二百四十一田七卜九夫貴二石落
只、伐谷百九十四田一卜八夫貴五斗落、北谷百七十二田一卜八夫牟五斗落、
聲谷百分田十二卜、三十三田四卜牟五斗落、用城里四田十三卜二夫牟一石
落、巨文里二分田八夫牟五斗落、府德方九十六分田七卜二夫、城岾四田七卜
四夫牟一石落、在正陳阿橋三十二田二卜九夫、德方百二十四分畓二卜、三十

畓一卜二夫、百三十一畓八夫、二百九十七田七卜八夫、二百九十八田二卜七
夫、二百九十四分田三卜八夫、阿橋三百三田二卜五夫、三百六十四分畓三卜
三夫、二百四十田三夫、北谷百五十七分田二卜五夫、德方百四十分田一卜九
夫、百四十一田三卜二夫、裳陳德方二百三十七田三卜八夫、九十四田一卜一
夫、百二十一田四夫、二百三十二分田六卜六夫、揄勿里二百十四畓三卜七夫
印、破鹽盆一坐、破足鼎四坐、鍮盆一坐、青銅火爐一坐印

末女祭條

婢德女二所生婢已春己丑、婢九還二所生奴業男戊子、無多四百十六畓七卜
一夫、四百十七畓一卜一夫十九斗落、新里百九十一畓十四卜一夫二十五斗
落等、乙洞印

末男祭條

草畓六十分畓八卜五夫一石落、亘無沙里印

別給

長孫男海雄衿、婢㐃今四所生婢奉女壬午印
長孫女辛唆衿、婢香分二所生奴承澤壬辰、阿橋二百八十六畓七卜二夫一石
落印

次孫女金以鳴衿、婢庚辰一所生婢眞生甲辰生印
次孫女、婢貴香三所生婢正女印
次孫女、婢奉女三所生婢應女印
外孫男始徽、香分三所生奴承天印

長孫男　崔　海　雄 花押
女壻前判官　金　世　行 花押
證同姓三寸姪幼學　崔　順　成 花押
證三寸叔進士　李　尙　馪 花押
筆執孫壻幼學　辛　　　晙 花押

乾隆三十五年庚寅正月初五日和會文記

右明文爲臥乎事段《スルコトハ》、惟我同生七男妹、父母生前一無零落、俱爲長成々婚、次々各居、歲在壬戌、同生等罪逆深重、禍延先妣、未閱三霜、甲子連遭先親罔極之變、纔過六年、庚午又値兩妹主與末弟之喪、只餘四兄弟、歲甲戌春三月雨落之辰、俱會大宅、閑談之際、伯兄主歎曰、人家田民皆成文記、而我家則尙未成文、今日

成文可也、使我執筆而有難處之意、我曰、父母主諸宅田民分給時、全未分三宅追分是遣《シテ》、各宅各居年多、其間或有田民間逃故斥賣、是《ケレドモ》乃斗數不均、是《ケレドモ》乃一從父母生時分給、而其餘田民、盡歸奉祀條、如何、俱曰可也、只以次男宅婢代奴莫孫甲子生身果《ト》、長妹宅龍淵男字百十八畓三十七斗落只果《ト》、次妹宅婢代、收甲才甲子生身乙遣《シ》、分外一從父母主分給、成草而藏之曰、與妹夫俱會正書矣、俱會未易、歲値丙子、慘遭伯兄主之喪、丁亥又遭仲兄主之喪、只餘兄弟、而語及前事、聲隨淚下、當此染疫凶歲、世事難測、故使甥姪李喆懋執筆、而依甲戌春四兄弟俱會成草正書、幸日後內外同生子孫中、如有雜談、是去等《ナレバ》、持此卞正者

奉祀條

古馬谷養字七畓八卜三夫十斗落只、六十一畓二卜七夫五斗落只、德方效字百五十五畓十五卜八夫、同第畓十八卜二夫三石十斗落只、百九十畓八卜七夫一石五斗落只、百九十五畓十八卜三夫一石五斗落只、二百十一畓三夫一斗落只、百二十田一卜六夫七斗落只、百二十五田五卜九夫一石落只、百七十田三卜九夫一石落只、百七十一田六卜九夫、家基百七十四分田八卜七夫一石落只、

百五十六分田十卜七夫一石五斗落只、百七十三田十三卜四夫二石落只、公
所乃知字百三十三畓二夫、百二十四畓七卜二夫、百三十五畓十四卜九夫二
石五斗落只、八十六田六夫二斗落只、新里過字六十四畓十卜七夫一石落只、
六十八畓二卜二夫五斗落只、必字百、十畓三卜七夫一石落只、阿橋烈字一田
一卜三斗落只、松林方字七十三畓三卜二夫十斗落只、德井稱字七十六田三
卜五夫七斗落只、公所乃知字二十四分畓五卜三石落只、奴汗奉、奴癸男、婢五
十丹、同婢一所生婢月點、二所生奴老味、四所生婢三先、婢尤禮一所生婢庚還、
同婢二所生奴還奉、五所生奴戊奉、婢惡眞、同婢二所生婢異丹、三所生婢卜德、
婢月点一所生婢鳳禮、奴厚石良產一所生婢癸月、同婢二所生婢甲丹、三所生
奴甲乭屎、四所生奴甲先印

長　男　衿

龍淵男字九十八畓五卜三夫十斗落只、德方效字二百二十畓三卜四夫十斗
落只、同員六十七田二卜八夫十斗落只、公所乃知字七十田四卜六夫十斗落
只、婢惡眞一所生婢世丹、婢尤禮三所生奴莫奉印

次　男　衿

浦郊立字二百畓十七卜六夫一石五斗落只、德方效字百十一田七夫、百十二
田一卜七夫、百十三田三卜七夫、百十四田七卜二夫二石落只、百二十二畓一
卜七夫五斗落只、婢分禮一所生奴癸龍甲子、一所生奴莫孫印

次 妹 衿

德方效字百七十四分田七卜十斗落只、龍淵男字百十八畓三卜七斗落只、婢
分禮三所生婢五十分印

次 男 衿

德方效字二百六畓四卜十斗落只、龍淵男字八十畓四卜七夫七斗落只、德方
效字百六十九田二卜五夫七斗落只、百十七田三卜一夫七斗落只、奴厚奉良
產二所生奴乙龍、婢五十丹五所生婢月仙印

次 妹 衿

樓橋劍字十四畓四卜九夫十斗落只、魯澗宿字三十六田二卜一夫、三十七田
一卜三夫十斗落只、婢癸月一所生奴甲才印

次 男 衿

德方效字二百四十畓十一卜五夫一石五斗落只、六十四田十四卜三夫二石

落只、婢分禮二所生奴夫億金、婢庚暹三所生婢暹丹印
山幕慕字三十六畓十三卜四夫、三十七畓二卜八夫一石五斗落只、德方效字
百八十四田五卜五夫一石落只、百九十四田一卜七夫二斗落只、婢庚暹一所
生奴貴奉、四所生婢暹梅印
次男　衿
宗孫　碩基　花押
幼學　達恒　花押
達星　花押
姪　東夏　花押
東周　花押
東漢　花押
外孫李　喆懋　花押

康熙十一年は顯宗十三年、乾隆三十五年は英祖四十六年に當る

白文を許す理由

傳繼文記に白文を許したのは、其の範圍に於ての財産の移動は一家の私事で

あつて、官の干渉を要せずとの考へから、爭の前に官が立入ることを差控へたのであらう。此の間に於ての奴婢の傳繼は、常に明確であつて、官司の關與を必要としないと認めたが爲めではない。寧ろ官署文記に依る他人間の傳繼が、より確實であると考へたことは、官署に當つて、前主の傳繼文記が白文なるときは、前前主の傳繼文記に泝遡つて考覈の要ありやを、問題としたことに依つても窺はれる。

傳于承政院曰、掌令閔瑊啓、大典內、父母・祖父母・外祖父母・妻父母・夫妻妾及同生和會分執外、用官署文記、而今掌隷院、凡贈給・買賣奴婢官署時、納白文、則必考上階、有違大典之意、掌隷院啓、官署時、若只考白文一張、則奸僞難防、故白文、則考二階、官署文記則考一階、其來已久云、將此二條、收議于領敦寧以上及議政府、盧思愼議、白文有可議處、則須考傳傳文記、若的實無可疑則不須考、從之(成宗實錄第二百五十四卷二十二年六月丁未條)

上階は前主の有する傳繼文記である。それが白文を許されたものであることもあり、官署文記であることもあらう。今官署を求めんとする文記を、新文記と稱するに對して、これを舊文記といふ。舊文記が白文文記なると官署文記なるとを問はず、考覈の程度は、官司の心證に任したのである。

第二　方　式

官署は經國大典刑典私賤條に

傳得奴婢者、期年內告レ官受二立案一、若財主、成二文契一而死者、召二侍病族親或奴婢一問レ實給二立案一、

其の註に

田宅同、各其所二居處一告レ官、有二相避者一移二他官一

とある。續大典刑典文記條にも

凡文記官署、非二財主所在處一、勿二受理一

とあつて、財主所在地の官廳が管轄を有し、回避の事由あるときは他の官廳に事件を移送する。同じく續大典刑典文記條に

傳得・買得奴婢、限內告狀者、雖レ在二期年後一、並給二立案一、期年後過二一年一、則勿レ聽

期年は一年の意味である。賣買に付ては

田地・家舍買賣、限二十五日一勿レ改、并於二百日內一告レ官受二立案一、奴婢同、牛馬則限二五日一勿レ改（經國大典戶典買賣限條）

の規定がある。

文記の方式

文記には證人・筆執の連署を要する。

筆執者、用二族親及隣里中有レ職者二三人以上一、成二給文契一、傳得者、不レ過二四年一呈レ狀、財主及證人・筆執准備答通憑考、立案成給、（下略）（太宗實錄第九卷五年四月乙亥條）

總ての文記を、官署文記とした當時の規定であるが、經國大典刑典私賤條の前記官署文記の註に

子之於レ親、亦不レ須二官署一〇須レ具二證・筆一（族親及顯官中二三人、田宅同）同生以上文記手書者、不レ必レ具、

と云へる同生以上文記は、卽ち白文文記の許されたる範圍のものを指すのであつて、族親及び顯官二三人の證・筆を具することを要し、手書なるときに限り之を必要としないのである。

無二子息一夫妻奴婢、雖レ無二文契一亦許三已身使用一、身後本孫許給、夫與二妻成文許給者、從レ許與・傳繼、妻爲レ夫許與者、但以二印信・手寸一、取レ信難レ便、必有二證筆的實一、然後方許二決給一云々
（太祖實錄第十二卷六年七月甲戌條）

婦人は手書せざるを例とするのである。

遺書との比較

同様の方式が、遺書に付ては別に規定せられてゐる。經國大典刑典私賤條の註に

用二祖父母以下遺書一

祖及父、則須二手書一、祖母及母、則須二族親中顯官證・筆一、衆共知レ未二手書一者、疾病者、並依二婦人例一

即ち祖父及び父は、文字を知るときは自筆たるべく、手書し得ざることの周知の者、及び疾病の時に限り、證・筆を具して他人をして執筆せしめることを得る。祖母及び母は常に證・筆を必要とする。證・筆は親族にして且顯官たることを要する。これに依れば手書の文記以外は證人・筆執の連署を要することは、遺書も白文文記も同様である。嘉靖甲寅の受敎には

遺、留也、遺書當レ出二於財主身後一、恐レ有二詐僞一、故祖及父、非二手書一者不レ用、衆所二共知一、未二手

書者、疾病者、與祖母及母、則必須族親之有顯官者證・筆、然後可用、無顯官族親證・筆者不可用也、與前文記證・筆不同(決訟類聚補聽理條)

とありその前文記といふのは、父母・祖父母・外祖父母云云和會分執の白文文記を指すのであつて、其の證・筆と遺書の證・筆とは同じからずとなし、遺書は財主の死後に現れるが故に、白文に比して其の方式を嚴にすべきを陳べてゐるが、證・筆に付て兩者異る處は、遺書では族親中顯官たるを要し、白文文記では族親及顯官中二三人を以て足るとなすに過ぎぬ。しかも詞訟類聚聽訟條に

凡文記、族親之無顯官者、顯官而非族親者、皆可爲證・筆

と云へるに依れば、右の差異も後には緩和せられたのである。故に殘る處の兩者の差異は、遺書に在りては祖父及び父にして手書し得る者は、必ず手書することを要する點に在るといふべきである。

遺書以外の死因處分

遺書と白文文記との方式の類似が、遺書の範圍を祖父母以下に、卽ち直系尊屬の直系卑屬に對するもののみに限定して、他に及ばないに拘らず、財産の死因處分が、一般に支障なく行はれた原因をなすのである。

命、收前同知敦寧府事李宏職牒、囚皇甫元于義禁府、宏、天祐之子也、初天祐、出宏母、娶皇甫氏、封爵以居、及病欲土田・臧獲・家財給皇甫氏、召宏爲證、宏以奴婢不分與其母、不署名(下略)(太宗實錄第三十三卷十七年六月戊子條)

李天祐は其の財產を、後妻の皇甫氏に遺贈せんとし、其の子の同知敦寧府事である宏を召して、證人として署名せしめんとした。病の爲めに手書し得なかつたが爲めであらう。然るに宏は天祐の先妻の子であり、先妻に對しては、財產の分與がないので、證人たるを拒み、文記の成立を妨げんと圖つたのである。これが子に對するものならば遺書である。妻に對するものなるが故に、方式に關しては、白文文記に依る傳繼の規定を適用することになるのではあるが、實際に於て殆ど異る處はないのであつて、强てこれを遺言の內に入れて、其の方式に關する規定を適用する必要もない。又官署文記を要する身分の者の間に在りては、臨終の處分には、

若財主成文契而死者、召侍病族親或奴婢、聞實給立案(經國大典刑典私賤條)

の適用を受くべきである。此の場合の文契中には遺言に相當するものもある

許與の取消

であらう。唯其の效力が官署に繫る點に於て遺書と差異あるに止り、死因處分の途がないのではない。生前の贈與と死因處分との間に、明な區別のなかつたことが、文記の形式を然らしめたのである。

第三　改給

刑曹都官、上奴婢事二條、一、凡奴婢役使者、於收養及有恩處、給奴婢、成契券之後、或有以其奴婢更給他人、以生爭端、今後如有不得已給他者、具錄辭緣告于官、收取前券勾銷、官給文案、如有不告官隱密改券者、並皆論罪（下略）（太宗實錄第十二卷六年八月丙申條）

是れ經國大典刑典私賤條に

欲改者、具由告官改給、受者身死勿改

と云へる前半に該當する。贈與の取消變更を一般に認めるのではなくして、例へば忘恩の如き、改給を是認するに足る相當の事由あることを必要とするのである。

既に古く

恭讓王四年都官上書曰、國家創制立法、設官分職、各有攸司、凡事之難者、當理處決、歷年既久、隨事弊生、弊之亘者、無若爭訟、以今日納司文契觀之、皆援引數百年間玄遠事迹、則知訴訟所由古矣、近來人不習法、先王法制懵然莫知、訟者由是而背理、聽者以之而致疑、若不更新條令、習人耳目、則爭訟之弊、未易遽革、今遵先王制旨內事意、附以二三淺見、條列于後、(中略)一、僞朝十六年間、大小人員、希望恩德、權奸所謂奴婢、其一族還受爲要、妄稱合執、亂雜呈省、今後告者、無傳繼明文、一皆禁斷、一、奴婢爭訟、所起多原於合執、願自今財主未分奴婢合執者、或分執而不均者、許人陳告、一、父祖奴婢、爲人所有、其子孫能爭訟得決者、理合全執、願自今其他使孫、不與同訟者、一禁爭望、一、無子息者、因一時喜怒、將自己奴婢、互相贈與、後日爭端由玆以興、願自今無子息人員、已許他人奴婢、更與他人者、具錄辭緣告官、然後方許成文、(中略)從之(高麗史第八五卷刑法志訴訟條)

の末段にも、無子息人員に付てではあるが、具錄辭緣告官のことが擧げられてゐる。遺贈をも含めての遺產の處分を、主として問題とするのであらう。

太宗受教の當時は、總ての傳繼文券に付て官署を要した。其の後父母・祖父母以下白文文記を用ふることを許すに至つた後でも改給には、之等の者の間に在りて尙ほ具由告官を要するやは、問題として殘るのであるが、それは後に讓つて、其の後段の受者身死勿改の制限は、生前に恩義を售つて、死後に之を奪ふことの、如何なる場合に於ても穩でないと考へたからである。此の後段の規定が、父母・祖父母の子又は孫に對するものに付ても適用があるかは、屢議論となつた。贈與を受けた子女の死亡後に於ける改給であるから、それを相續した孫と、祖父母との利害の對立となるのであるが、多くは死者から奪つて、他の子女に與へんとするときに爭となるのであつて、死亡せる子女と、生存せる子女との利害の對立とも見られる。

父母に付ては例外を認めんとするの議

勘校廳啓、大典私賤條、受者身死勿改之下、添錄父母文記、不在此限之語、何如、傳曰、大凡父母、未必皆先子女而死、父母分給子女奴婢、而子女若有先死者、他子女、或有誘說父母、還奪死者所得奴婢、甚未便、受者身死、雖其父母、勿許改何如、其更問之勘校廳、啓曰、如此、則父母不得專家政矣、其孫若不順、則不可不改也、傳曰、雖無父母文記、不在此限之註、其可以解見乎、其議于領敎寧以上、鄭昌孫議、收養・侍

受者身死勿改

既に古く
恭讓王四年都官上書曰、國家創制立法、設官分職、各有攸司、凡事之難者、當理處決、歷年既久、隨事弊生、弊之巨者、無若爭訟、以今日納司文契觀之、皆援引數百年間玄遠事迹、則知訴訟所由古矣、近來人不習法、先王法制懵然莫知、訟者由是而背理、聽者以之而致疑、若不更新條令、習人耳目、則爭訟之弊、未易遽革、今遵先王判旨內事意、附以二三淺見、條列于後、(中略)一、僞朝十六年間、大小人員、希望恩德、權奸所謂奴婢、其一族還受爲要、妄稱合執、亂雜呈省、今後告者、無傳繼明文、一皆禁斷、一、奴婢爭訟、所起多原於合執、願自今財主未分奴婢合執者、或分執而不均者、許人陳告、一、父祖奴婢、爲人所有、其子孫能爭訟得決者、理合全執、願自今其他使孫、不與同訟者、一禁爭望、一、無子息者、因一時喜怒、將自己奴婢、互相贈與、後日爭端由玆以興、願自今無子息人員、已許他人奴婢、更與他人者、具錄辭緣告官、然後方許成文、(中略)從之(高麗史第八五卷刑法志訴訟條)

の末段にも、無子息人員に付てではあるが、具錄辭緣告官のことが擧げられてゐる。遺贈をも含めての遺產の處分を、主として問題とするのであらう。

太宗受教の當時は、總ての傳繼文券に付て官署を要した。其の後父母・祖父母

父母に付ては例外を認めんとするの議

以下白文文記を用ふることを許すに至つた後でも改給には、之等の者の間に在りて尙ほ具由告官を要するやは、問題として殘るのであるが、それは後に讓つて、其の後段の受者身死勿ㇾ改の制限は、生前に恩義を售つて死後に之を奪ふことの、如何なる場合に於ても穩でないと考へたからである。此の後段の規定が、父母・祖父母の、子又は孫に對するものに付ても適用があるかは、屢議論となつた。贈與を受けた子女の死亡後に於ける改給であるから、それを相續した孫と、祖父母との利害の對立となるのであるが、多くは死者から奪つて、他の子女に與へんとするときに爭となるのであつて、死亡せる子女と、生存せる子女との利害の對立とも見られる。

勘校廳啓、大典私賤條、受者身死勿ㇾ改之下、添₌錄父母文記、不ㇾ在₌此限₋之語₊、何如、傳曰、大凡父母、未₌必皆先₌子女₋而死₊、父母分₌給子女奴婢₋、而子女若有₌先死者₋、他子女、或有下誘₌說父母₋、還₌奪死者所ㇾ得奴婢₋上、甚未ㇾ便、受者身死、雖₌其父母₋、勿ㇾ許ㇾ改何如、其更問₌之勘校廳₋、啓曰、如ㇾ此、則父母不ㇾ得₌專₌家政₋矣、其孫若不順、則不ㇾ可ㇾ不ㇾ改也、傳曰、雖ㇾ無₌父母文記、不ㇾ在₌此限₋之註₊、其可₌以解見₋乎、其議₌于領敦寧以上₋、鄭昌孫議、收養・侍養・族親文記、則皆告官吏改、父母之於子孫、雖無不在此限之文、官吏承用已久、仍舊何如、韓明澮・沈澮議、大典身死勿改之下、須添入父母文記不在此限之語、爲便、尹弼商議、一家之政、聽于父母、分給奴婢、終有不拘、於國家大體、有何所損、若使父母未得擅便、則子孫恐或有不順者矣、須聽父母之區處、庶合大體、李克培議、大典內、身死勿改之法、恐非指父母文記、依勘校廳所啓、傳于承政院曰、大典云、父母・祖父母・外祖父母・妻父母・夫妻・同生和會分執外、用官署文記、欲改者、具由告官改給、受者身死勿改、旣曰某某外用官署文記、又以父母文記不在此限、爲註添入、無可、不可乎、承旨等啓曰、上教允當、然此文字、京官猶且疑惑、未得分解、況外官守令、何以知之、今議諸大臣、尙未歸一、則羣疑益甚、父母文記、不在此限之語、不可不添註使人人曉然易知也、傳曰、父母之於子女、則當如此矣、奴婢之源、出於祖父母、脫有人、祖父母・父母俱存而死、父母則改之、祖父母則以元財主、不得擅改、無乃有妨乎、承旨等啓曰、以情理論之、則上教允當、然父母與祖父母、稍有間隔、以故父母之事、子不得告爭、而祖父母之事、則告爭、此亦祖父母・父母有間也、立法將通行萬世、不可以變論之也、傳曰、父母之於子、不無愛憎、於子女已歿之後、聽他子女誘說、奪此

與レ彼、甚不レ合レ義、仍ニ舊典ニ勿ニ添入一何如、其更問ニ勘校廳一(成宗實錄第百六十三卷十五年二月丁亥條)

諸臣の啓する處は、父母の文記に付ては、受者身死して後も、改給を許すべしとするに一致する。其の理由とする處は、受者身死勿レ改の制限は、收養子・侍養子又は族親に對して、分給が行はれた場合に關して主として適用のあるもので、父母と子との間の分給に關しては、官吏も亦其の改給を有效として、已に久しく認め來つたと云ふこと、及び一家の政は父母に委せて、國家が干涉せざるを可とする、若し改給を父母に許さざれば、不順の孫に對し父母の威信が行はれないといふことに在る。之に對して上の憂とする處は、父母の分給を受けたる子女が父母に先だつて死亡するときは、他の子女は、父母を誘說して、死者から奪て自己に改給せしめる弊がある。父母は死亡したる子女よりも、生存せる子女を偏愛するであらうといふに在る。假りに受者身死勿レ改の法が、父母の文記に適用なきものとしても、父母・祖父母・外祖父母・妻父母・夫妻・同生和會分執の外は、用ニ官署文記一と規定し、その「外は」を受けて、欲レ改者、具レ由告レ官改給、受者身死勿レ改と規定したのであるから、特に父母文記不在此限の註を添入せずとも、自ら除外せられたものと解釋し得るであらうとも云ひ、又は父母にのみ改給を許し、祖父母に許さざるも妨なきやと反問する等、言を他に託して、註記を避けんとする嫌はあるが、文理上此の制限が父母の文記に付て、適用なきや否やに、疑の餘地が十分に在り、却て父母の改給をも禁止せんとするのが、上の眞意であることは明白である。此の議論は更に數回繰り返へされて、容易に決しなかつた。

勘校廳啓曰、刑典私賤條、受者身死勿改之下、若不添註父母文記、不在此限之說、則權不在父母、而恐有橫逆之子矣、傳曰、子之不孝、豈在於身死之後乎、若生而不順、則當告官治罪、豈以奴婢與奪、而以爲權乎、今觀世人、於子死之後、偏愛生存之子、或有既與而復奪之者、況大典先王所定、不可改也(成宗實錄第百六十四卷十五年三月壬辰條)

勘校廳は重ねて、父母の文記を例外としなければ父母の權威なく、橫逆の子を生ぜんと啓した。それは橫逆之孫といふべきであつた。之に對し子の不孝は死後にはあり得ない。生前の不孝ならば罪に處すべし。奴婢の與奪を以て權威を保持すべきものではないと應酬したのは、揚足を取つた嫌があるがこゝでも、生存の子を偏愛し、既に與へて復之を奪ふの弊を指摘して、容易に添註を許さなかつた。更に月を越えて

傳于承政院曰、大典受者身死勿改條内、父母文記、不在此限之文、削之何如、其議諸宰相、昌孫・明澮・沈澮・洪應・尹壕・李世佐・李叔瑊議、受者身死勿改之條、爲收養・待養或有故給他人者而設、近來官吏、父母奴婢、亦據此斷之、非立法本意也、臣等謂、父母文記不在此限之文、不可削也、徐居正・許琮・韓致禮議、父母在而親子先亡、所給奴婢、不許父母擅便、則一家操縱之權、不在於父母、似乎未安、但父母於親子歿後、或牽於愛憎、或因讒間、非理還奪、是父母之非命、亦不可盡從、若有不得已更張之勢、則令告官施行何如、傳曰、二相等議、既言不許父母擅便、則一家操縱之權不在於父母、又言父母之非命、不可盡從、何其言之相錯也、居正等啓曰、操縱之權、雖在父母、然欲使父母不得輕易更改、故如是議啓、傳曰、予意謂、受者生存則已矣、身死後改之、則死者之子可矜矣、僉啓曰、上敎允當、傳曰、予非欲改大典、但削不在此限之文可也(成宗實錄第百六十五巻十五年四月辛巳條)

これに依れば一旦、不在此限の註添を施したのを、又削除させたやうである。こ

ゝでも諸臣一致して、父母の文記に付て例外を主張し、實の子(親子)が死亡したからこいつて、奴婢の改給が出來ないこすれば、一家操縦の權を失ふであらうここを理由こした。嚢に指摘せられた弊害に對しては、愛憎に引かれ又は讒言に惑はされて奪還するが如きは、父母の非命であつて、無視するも可なりこいひ、苦い處を見せたので直ぐに、何其言之相錯也こ突込まれた。父母こ雖輕々しく改給するこを得せしめてはならぬこ思つたまでだこ怪しい辯解はしたが、死後奪還を許せば死者の子女可矜矣こあつて採用にならなかつた。

問題となつた事案

此の問題は、鄭氏の其の子金仲廉に對する改給に關して起つたやうである。

その事案は

先是金顧妻鄭氏、以奴婢八百餘口、分給其子孟廉・仲廉等、仲廉以其奴婢、分給其女子及妾子金鉉等、仲廉死後、鄭氏惡鉉等、滅前給文記、而改區處焉、鄭氏死、鉉以改區處文記、爲不實、訟于官、命政丞等議、韓明澮・尹弼商議、鄭氏雖年老、其改區處、甚合情理、又告官斜給、朴氏雖不承服、辛永仁・芎藥等招辭明白、且理順之招、雖不承服、從正決給例也、一從財主願意、何如、傳曰、其取文記以來、予當更覽(成宗實錄

第百六十二巻十五年正月壬辰條）

金顧と妻鄭氏との間に、孟廉・仲廉の二子があつた。鄭氏は其の奴婢を之等に分給したのであつたが、仲廉は分給を受けた奴婢を、女子と妾子金鉉とに分給して死んだ。鄭氏は鉉を惡んで、仲廉の死後、其の分給したものを改めたのである。

傳于承政院曰、金鉉等奴婢事、鄭氏已亥年文記、則受者身死後改成、金仲廉丁丑年文記、則限外白文、並皆違法、官作財主、依大典平均分給可也、史臣曰、金鉉等奴婢之訟、朝議皆以爲、當從嫡祖母鄭氏區處文記、而上獨以受者身死勿改之法、强違衆論、或言、鉉依附奉保夫人故也（成宗實錄第百六十七巻十五年甲辰六月丁巳條）

鄭氏已亥年文記が、卽ち仲廉の死後に改成したもので、父母こ雖、受者の死後は改給を許さずこすれば、違法のものである。丁丑年文記は仲廉が、女子及び妾子金鉉等に分給した文記であらう。妾子こ雖も父の子である。官署文記を要しない筈である。丁丑は世祖二年に當り、大典以前ではあるが、何故に限外白文こいひ違法こいふのか明でない。が、それは兎に角、受者死後改成は無效こせられたのである。朝議を排し、上獨り自說を固執したのを、史臣は批難し、鉉は奉保夫人に依附したのだと疑つてゐる。此の事件の落着後、翌々年に至つて、諸臣の見解は納れられた。

御經筵講訖、(中略)掌令李誼啓曰、大典受者身死勿改、此法爲得他人田・民者設也、近者受教、父母田・民亦用此法、甚不可、若子女已死、子女之子婿存焉、其父母欲改子女生時所與文契、而其子婿諱而不出、則祖父母怒誣告他罪、辨之甚難、祖孫交訟、紊亂綱常、甚非美事、上問左右、領事盧思愼對曰、子女之物、皆父母所有、惟其意區處可也、身死勿改之法、其不用於父母乎、上曰、父母之於子女、隨其存亡、而厚薄之、人情所不免也、父母老耄、而生存子女愚弄之、或謀奪死者田・民、故使之身死而勿改、以杜其奸耳、然當更議、仍命領敦寧以上議之、〇沈澮・尹弼商・洪應・盧思愼・尹壕議、大典身死勿改之法、非謂父母・祖父母之於子孫也、凡人與人奴婢、輒以生死冷暖、而輕改文書、故爲此法也、若父母・祖父母、不能改於子孫、而子孫違逆父母・祖父母、則是彝倫紊矣、断不可用此法也、從之(成宗實錄第百八十九卷十七年三月庚午條)

議論は依然として、生存子女が父母を愚弄し、死者の田・民を謀奪するの弊を杜絶するには、勿改の法を、父母にも適用せねばならぬといふに對し、斯くては死者の子壻は、祖父母に違逆し、祖孫交訟して綱常を亂るといふ、兩說の間を往來するに過ぎぬ。

受者の死後に改給を許す範圍

しかし父母・祖父母・外祖父母の、子又は孫に對し、夫の、妻妾に對して爲す贈與は、他人に恩義を售るものと同一に論ずべきものではなく、寧ろ死後の相續を豫定しての事前の分割であつて、贈與者の生前に於ては、必ずしも確定的のものではない。相當の事由あるときは、改給することが、必然に條件となつてゐるのである。受贈者の生死は、之等の者の間に於ける贈與に在りては、問題でないと云ひ得るのであつて、諸臣が所說を固持した所以も之に在るのである。遂に採用せられて經國大典刑典私賤條の註に

父母・祖父母・外祖父母之於子孫、夫之於妻妾許改

となつて現れた。祖父母・外祖父母及び夫の許與に迄擴張して改給を許した。これが贈與と遺贈と相續財産の分割とを、極めて接近せしめたと云ふよりも、始めから此の三者の間の區別が、殆ど認められてゐなかつたことを示すものであ

る。嫡母と妾子女、繼母と義子女、及び養父母と侍養子との間には親子の關係はない。故にこゝには含まれない。他人と同様、生前に與へて死後に奪ふことは、恩義を僞る結果となるからであらう。夫の妻に於けると、妻の夫に於けるとの間にも區別を認めたのであるが、理由のないやうに思はれる。

子女の出生と改給

受者身死勿改の例外の今一つは、續大典刑典私賤條の註に

初無二子女一者、其奴婢田・宅、已區二處他人一、而元財主、後若有二子女一、則許二其刷還一、受者雖二已身死一、亦勿レ拘二身死勿レ改之法一許レ改、

と云へるがある。區處は贈與である。子女なきが故に贈與した後に、子女が生れたのである。之を改給の重要な事由と認めたのも、此の場合の贈與と、相續との間に、消極的な牽聯が考へられる。侍養子若くは本族に贈與した場合が想像せられてゐるからである。

改給の方式

殘る問題は、父母の改給には、受者の生前と死後とを問はず、具レ由告レ官を必要とするやの點である。

敬愼翁主、全義君李椋妻也、其母淑善翁主啓曰、奴婢已分二於子女一、然有二不レ均者一、故

更均分、又慮後有忿爭、告掌隷院税契、獨敬愼翁主憤怨、與其子信忠・禮忠等、飾詐强辯、母女相訟、於理大戾、而司評南泳、偏聽請辭、淹延不決、是以問之、命囚禮忠・信忠及其奴僕之事知者、淑善翁主、太宗後宮也(世祖實錄第四十六卷十三年五月乙亥條)

これに依れば、母が其の子女に分給したものを、子女生存中に變更するにも、官に告げて税契を受けたのである。

前記の成宗實錄百六十二卷十五年五月壬辰條の内にも、鄭氏雖老年、其改區處、甚合情理、又告官斜給とある。　成宗實錄百六十五卷十五年四月辛巳條の内にも、祖父母、於親子歿後、或牽於愛憎、或因讒間、非理還奪、是父母之非命、亦不可盡從、若有不得已更張之勢、則令告官施行、何如の議がある。　受者の死後に於て、父母の改給を許すとしても、由を具し官に告げ其の斜給を得ることを要することは、論者も亦之を前提としてゐるのである。　此のことに付て續大典は明に規定した。

欲改者、具由告官之法、見原典　並指白文與官署而言之白文文記、亦告官改給

第三章 遺書

第一 遺書の觀念

(用祖父母以下遺書の解)

外祖父母の遺書に關する論爭

遺言は書面に依る要式行爲である。故に遺書といふ。經國大典刑典私賤條に、

用二祖父母以下遺書一

の規定がある。祖父母及び父母の遺書のみが效力(用)を有する。この祖父母の內に、外祖父母を包含するや、少くとも外祖父母にこの規定を準用し得ざるやに付ての、當時の論爭は、遺言の觀念を明にする上に於て、重要である。同じく私賤條の

父母・祖父母・外祖父母・妻父母・夫・妻妾、及同生和會分執外、用二官署文記一

には、明に外祖父母の記載がある。そこで前記遺書の規定との對照上、外祖父母

は外孫に對し、卽ち妻の父母は妻の子に對して、遺書を用ふることを得ざるやの疑を生じたのである。

掌隷院啓、大典用文記條云、父母・祖父母・外祖父母・妻父母外、用官署文記、用遺書條云、用祖父母遺書、而外祖父母則不與焉、外祖父母遺書、行用與否、請取稟、命議于領敦寧以上及政府・六曹・漢城府、沈澮・尹弼商・尹壕・李鐵堅・韓致禮・李崇元・尹殷老・金悌臣議(1)、祖父母與外祖父母、均是祖父母、差有輕重耳、雖大典不錄外祖父母遺書、行用何如、洪應・李克培議(2)、大典內用文記、及用遺書、自不仝、遺書則以至子至孫傳守不失爲主而設、何論外祖父母、但據大典而已、許琮・李瓊仝・沈濬議(3)、祖父母、與外祖父母、雖若不同、其爲子孫則一也、當時祖業奴婢、爲其子孫者、勿論男女、例皆分得、今若不用外祖父母遺書、則女孫不得與焉、甚爲未穩、大典、用官署文記、與用遺書、異條文、不相因、不當通而觀之、其云用祖父母以下遺書者、只爲訟者用高・曾以上玄遠不可信之遺書、妄造訟端而設、非謂外祖父母・妻父母遺書不可用而有此條也、臣等意、外祖父母・妻父母遺書、皆當通用無疑、孫舜孝議(4)、緣大典之意、用文記、則稱父母・祖父母・外祖父母・妻父母、用遺書、則稱祖父母以下、而外祖父母・妻父母不與焉、豈非外親故略之乎、遺書子孫遵守、宜用內親之書、一依大典施行何如、愼承善・權健・成俶議、(5)祖父母遺書、行於繼姓子孫、而不行於外子孫、於義不通、大典不並錄、意必例而通用、然語意未瑩、添錄行用何如、鄭文烔議、(6)大抵遺書、財主論奴婢・財物、傳持節目、示子孫、勿令違忤也、然則其書、只行於直孫、而不行於女孫可乎、外祖父母、亦在其中、無疑矣、柳輕・朴楗・尹慜議、(7)凡遺書子孫者、或教誡之辭、或奴婢・田宅區處、一家之政也、設若有人有子有女、又有繼姓之孫、又有外孫、而作遺書、則其意豈區別子女與繼姓孫・外孫哉、以祖父母・父母之心視之、則初無內・外區別、而均是子孫者或遵守、或自外而不奉行、甚乖於事亡如事存之義、用法者、以義推之可也、盧公弼・柳洵議、(8)祖父母與外祖父母、以情言之、雖無差別、以義論之、實有輕重、大典內用白文條、祖父母・外祖父母、一例並稱之、用遺書條、只稱祖父母、而不及外祖父母、當初之法、必有取舍、其不可通而用之明矣、依大典、只用祖父母以下遺書、何如、金宗直・李枰議、(9)凡田・民・家財區處事、外祖父母與祖父母、不可異觀、而獨於用遺書不與焉、有乖情理、恐是大典缺文、今後比而用之、實爲便當、權健議、(10)祖父母・外祖父母、服雖有輕重、我國奴婢傳係之法、一樣用之、其來已久、肆於大典文記條、祖父母・外祖父母文記、雖不官署、一例施行、遺書亦是文記、獨何疑乎、上裁、傳曰、政院亦議啓、金克儉・韓健・曹克治・安瑚・洪興議(11)、以天倫論之、祖父母、不得無内外之別、以恩意言之、安有厚薄之殊、壬戌年文契官署事立法時、只稱祖父母以該之、故人不以内外區別、行之已久、自甲午年大典文契官署條、別稱外祖父母以後、人始追疑其已前法條、所指祖父母者、不兼言外祖父母也、此立法者、傷於太密故也、甲午年大典遺書條所云祖父母者、以上條文義觀之、則似不兼言外祖父母也、然此意太狹、有傷大體、雖於大典不得參錄、別命該司通用何如、傳曰、依大典施行(成宗實錄第二百二十八卷二十年五月癸未條)

質議者たる掌隷院は、遺書を財産の處分に關する文記に比較してゐるのであつて、遺産を中心として觀察し、第一說もまた祖父母と外祖父母とは、均しく祖父母であると云ひ、積極說を採る。然るに第二說は明瞭に、遺言は遺命であることを指摘し、子子孫孫傳守して失はざるを以て主となすと云ひ、財産の處分文記と、其の性質を異にすることを主張して之に反對してゐる。第三說は遺産の處分を重視し、祖父の子孫は男女を論ぜず遺産の分得に與るに拘らず、若し外祖父母の遺書を其の效なしとするときは、女の子孫が除外せられることとなると云ひ、祖父母以下と規定したのは、高・曾以上を除外する趣旨であつて、外祖父母以下を除外するものではないと解釋する。第四說は第二說と同じ立場に於て消極說を採り、大典が祖父母以下と規定したのは、外親を除外したのであつて、遺言は子孫の遵守すべきものなるが故に、內親の書のみに其の効力を認むべしと主張する。第五說は祖父母以下を例示なりと解し、第六說も亦遺言を以て遺產の傳承を定め、子孫をして違背することなからしめんとするを目的とするが故に、直孫にのみ行はれて、女孫に行はれないのは不當だと論ずる。獨り第七說は、凡そ子孫に遺書する者は、或は敎誡の辭を以てし、或は奴婢・田宅の處分を以てするも、共に一家之政であると云ひながら、祖父母の遺命のみが行はれて、外祖父母の遺命の行はれないのは、義に反すと難ずる。折衷說とも見るべきであらう。併し第八說は同じ立場からこれを駁して、祖父母と外祖父母とは、情を以て之を言へば差別なしと雖、義を以て之を論ずれば實に輕重ありと云つてゐる。其の所謂「以情」は遺產の分財を想像し、「以義」は遺命を想像するものであらう。而して後者を以て遺言の本質となすが故に、其の結論は消極說となるのである。　第九說は外祖父母に準用すべしと云ひ、第十說は祖父母と外祖父母とは、服に輕重はあるが、奴婢傳係の法は古來一樣であると陳べ、遺產を主としての觀察に立つて、生前の分財と遺書とに於て區別すべき理由なきことを、行爲の形式の方面から見て、遺書亦是文記と云つてゐる。　第十一說は立法の沿革を說き壬戌年(世祖二四年)の受敎が、一般の文記に關し、祖父母とのみ稱し其の內に外祖父母を包含せしめたことは、何人も疑はなかつた。　然るに甲午年(成宗五年)の大典に於て、文契官署の條に、外祖父母を列記したが爲めに疑を生じたと云ひ、其の規定との對照上、外祖父母を包含せしめることが出來ないとすれば、別に法を立てて、これを外祖父母に準用せよと主張する。　遺書と傳繼文記とを比較する以上、當然の結論であつて、其の議論の冒頭に於て、天倫を以て之を論ずれば、祖父母に內外の別なきを得ずと雖、恩意を以て之を言へば、安んぞ厚薄の殊あらんやと云へるは、遺言に對する二つの觀察點を示し、後者を以て其の本質なりとなすのであつて、恩意と云へる內に、遺產の承繼を想像したのである。

各說其の所見を異にするが如きも、遺言の

本質に對する二つの觀察が、說の岐れる根據となるのであつて、兩說相對峙して降らざるの慨がある　裁斷は大典に依つて施行すべしとあつて、積極說は破れたのであるが、此の論爭はこれで終つたのではない。

其の後同じ年の十一月に又同じ疑問が、積極說の論者から提出せられた。

御經筵講訖、(中略)佸又啓曰、前日傳敎、勿用外祖父母遺書、大典、外祖父母白文尙且用之、而獨不用遺書、深爲未便、大抵人有無子而有女者、亦皆勿用外祖父母遺書乎、且外祖父母、與祖父母何異乎、祖父母遺書則可用、而外祖父母遺書則不可用、尤爲未便、　上顧問左右、沈澮・金升卿啓曰、外祖父母、與祖父母本無異焉、祖父母遺書既可用、外祖父母遺書勿用甚未便、　上曰、大典所載者、只及祖父母遺書、而外祖父母遺書、則不及焉、然則外祖遺書、決不可用也、前日已與宰相議之、其議存焉、可觀之、(成宗實錄第二百三十四卷二十年十一月戊辰條)

この時はこれ以上問題とはならなかつた。

翌年正月三度これが論議せられた。

御經筵講訖、(中略)權侹又啓曰、今者外祖父母遺書、不許通用、大典、用祖父母遺書者、通子女・子孫而言、非只言子之子也、不可以一父母之孫、而分男女、或用或不用也　上曰、是事已議于大臣而定矣、特進官鄭文烱啓曰、前日議于大臣、而議者皆云、祖父母、泛指內外而言、通用爲便、惟李克培議云、大典本意、只言親孫、非合言外孫、其不用審矣、從克培議、其後廣川君李克增及朝議皆云、克培之議非是、用祖父母遺書云者、通內・外子孫而言、豈外孫不用外祖父遺書乎、臣意亦以爲內・外子孫通用、甚合法意、上曰、如此則祖父母遺書、內・外子孫通用可也、(下略)〇傳旨掌隷院曰、自今幷用外祖父母遺書、壬戌年以上白文亦行用、(成宗實錄第二百三十六卷二十一年正月丙寅條)

これに依つてさきの決議が變更せられたのである。特に新しい議論が出た爲めではない。法典が漠として祖父母と稱し、內・外を區別しなかつたのは(泛指)兩者を合せ言つたのだといふ解說も、無理である。前の第十一說が指摘する如く傳繼文記の條との對照に於て、祖父母以下は外祖父母及び妻の父母と對立せるもので、文字解釋としては、外祖を除外するのが正當である。それに李克培獨り消極說を採つたやうに陳べられてゐるが、李克培の說といふのは前記の第二說に當るのであつて、其の他にも同じ見解が、明快なる論據を以て主張せられてゐる。然るに三度問題となり、遂に前決議が覆へされたのは、畢竟分財が遺言の、より重要なる意義を有するものなることの、無視し得ないことを證明するものである。大典續錄、刑典私賤條には

外祖父母遺書、並皆通用

の一句が加へられた。

遺言の最も重要なるものは遺命と分財とである。分財は遺贈に、遺命は負擔付遺贈に於ける負擔に、相當するものではあるが、同一の觀念ではない。遺命は負擔の如く相續人の指定、若くは遺贈に伴ふ付款ではない。相續人又は受遺者を相手方とするものではなく、常に子及び孫に對するものであつて、その遺命が子及び孫を拘束するのは、遺產を承繼し、又は遺贈を受けたるが爲めではなく、父母の命であり、祖父母の命であるからである。このことは前記の諸說に照して明である。併し子及び孫と相續人とは、極めて連想の近い者であることは疑を容れぬ。一方に於て相續人の指定が繼後子の制度と結合してのみ考へられ、他

方に於て遺產相續は、諸子均分を原則とする。換言すれば、相續人であるが爲めには、子であることを要し、子は總て相續人であることを原則とする。子女に對する分財は、遺贈ではなく、相續人の指定でもない。相續分の指定、又は相續財產の分割に過ぎない。祖父が子と共に孫を、分財に加へることがあり得るとしても、多くは其の孫は、子に代襲して、相續人たる地位に在るのである。斯くして遺書の最も主要なる遺命と分財とが、子及び孫に對して行はれ、其の牽聯密なるが故に、議論は錯綜したのであつた。祖父母以下遺書を用ふの意義は、極めて明瞭であつて、遺命に付て之を考ふるならば、祖父母は外祖父母を包含しないものと謂はねばならぬ。婚家の子女を外親の遺命に依つて拘束することは、法的感情に副はないからである。故に祖父母の意義を擴張して、外祖父母に及ぼすことの當否は、主として、分財に關するものであつて、外孫も亦遺產相續人なりやの問題であり、外祖父母の遺命に付ては、分財の負擔としての範圍に於て行はれるものと謂はねばならぬ。外祖父母の遺命の顯著なるものは、分財したる遺產に付ての勿レ給ニ孫外ニの付款である（一四三頁參照）。

遺言が分財に關する限りに於て、而も分財が遺言の重要なる内容をなすものなることを否定し得ないとするならば、遺言の行はれる範圍は、更に擴張して、夫妻の間、及び兄弟・叔姪の間に迄も及ばねばならぬ。父が子女に分財するに當つて、同時に妻及び兄弟をも之に加へることの多かるべきは、想像に餘りある處である。而して此の場合に妻及び兄弟は、單に子女に對して、遺言の履行を求め得るに止るものではなく、遺言者の死亡に因つて、分給せられたるものは當然に、受遺者に移轉するものなることは、子女に於けると異る處はない。換言すれば、子女に對する負擔としての意義に於て、子女のみを相手方とする遺言とは解し得ないのである。然るを僅に外祖父母にのみ擴張するに止めたのは、擴張せざるに比して、一層觀念を不明瞭ならしめるものと謂はねばならぬ。しかし兎も角も、遺命と分財とが、遺言の觀念を理解するに付ての理論構成の上に、一つの目標を與へるものなることは明である。

> 隆慶元年丁卯九月初十日、子女四男妹等亦中《ニ》遺書爲臥乎事段《スルコトハ》、予《ガ》亦年纔六

歲、具喪父母、子無據、天地間罪人、以《トシテ》寄養於乳母、其間艱苦、口不形言、僅得成立、有子有女是《モ》沙余良、零丁孤弱之身、早嬰疾病、命在今明日、無望生全爲《ト》如《云フモ》乎、年過六旬、將至稀年、身雖無榮顯之事、於人事亦云足矣、予亦性道非《ガ》凡、不背遺意、故平日所懷、開陳于後爲去乎《スルモノナレバ》、勿以遺意忽之、一一施行爲乎矣《スルケレドモ》、今世之人、不計家産、誇張虛文、務悅人口者、比比有之、此乃非予所願、吾夫妻死後、送終・祭祀、務從簡略爲乎矣《スベキモ》、不顧遺意、强勉從俗、則於我不孝也、喪祭勿用油蜜果、以餠代用爲乎矣《スルケレドモ》、毋過三器、豐備除良《除キ》、一器良中《ニ》五升式使內矣《使用スルニ》、每物段置《モ》毋過三器爲齊《ベシ》、棺槨段《ハ》必《縱ヒ》于補孔用之、亦爲無妨、埋葬後不如速朽、勿以厚葬爲齊《ベシ》、子亦成婚後、今旣十五餘年、迨無子女、絕嗣丁寧爲昆《スルカラ》、萬一無後爲《ナ》去等《バ》、雖有妾子女爲良置《モ》、觀其人物、不能守業者、吾夫妻神主矣《我ガ》外孫中、可堪奉祀者、擇定收養、優給田民及大家、限二代奉祀爲齊《スベシ》、葬所乙良《ハ》楊州父墳近處、雖不吉地、不至凶惡、不動安葬爲齊《スベシ》、盧妻亦早年寡居、家契窮乏爲乎矣《スルケレドモ》、拘於家契不足、生前救急不得、常有憾嘆爲如乎《カ》、果川自己買得耕食爲如乎《シタル》、公稅畓十二斗落只、尹仁處買得田一日耕、牙山奴禮伊年等乙《ト》許給、以示平昔

遺言と死因贈與

不忘之意爲齊《スベシ》自備朱紅大雲足行果盤二竹内一竹乙良《ヲバ》徐生員又一竹豹皮方席一竹羊角鈒銀帶乙良《ヲバ》子給爲乎矣《スルケレドモ》奉祀家窮居則祭祀辦倶至爲可慮爲昆《カラ》楊州田畓全數祭祀條以各別許給爲去乎《スルカ》南原奴婢等幷以《徳ベテ》許給爲《ス》齊《ベシ》移入奴婢勿計許給爲齊《スベシ》祖上傳來田民乙《ヲ》至於子孫孫外放賣極爲不祥爲昆《カラ》子孫中許買爲齊《スベシ》計窮不得已放買爲去乙《スルノヲ》歇價買得爲要《セムトシ》以操弄不卽買得爲去等《スルナラバ》任意施行爲乎矣《スルケレドモ》不失遺意爲乎事《スルコト》

父自筆通訓大夫前行文義縣令　李　花押

更に又遺言は、分財に關する限り、之を死因贈與と區別することは困難である。それは生前に於ける相續財産の分割を意味し、贈與者の死亡に因つて、其の財産は當然に受贈者に移轉し、贈與者の死亡前に於ける受贈者の地位は、相續開始前に於ける相續人の地位に類似するからである。　又多くの場合受贈者は、相續人である。　之を遺贈と解し、遺贈に因つて受遺者は、相續人に對し履行を請求する債權を取得するに止るものと爲すことも、又は死因贈與の外に、其の意味での遺

遺言に依る立後

贈を認めることも、共に當らないであらう。此の場合に遺言は、一方的意思表示であるに反し、死因贈與は契約でなければならぬといふことも、重要なる區別の理由とはならぬ。却て贈與は、之に依つて拘束を受ける者の意思表示のみに依つて效力を生じ、受贈者の承諾を要件としなかつたのではないかを、寧ろ疑ふべきである。然らば遺書も亦是れ傳繼文記である。祖父母・外祖父母、服雖レ有二輕重一、我國奴婢傳繼之法、一樣用レ之、其來已久、肆二於大典文記條一、祖父母・外祖父母文記、雖レ不二官署一、一例施行、遺書亦是文記、獨何疑乎の曩の一説も理解し得る。元來死因贈與は財產の處分に關しては、遺言と其の目的を同じくする。極めて局限せられたる範圍に於てのみ、遺言を認める法制の下に於ては、死因贈與は遺言制の補充として、重要なる役割を演ずる。或は寧ろ死因贈與が、贈與と併せて傳繼として考へられたが爲めに、遺書が之との對立に於て、其の局限せられたる意義を保ち得るものと謂ふべきである。而して局限せられたる意義に於ての遺言は、遺命を以て其の主要なる內容となすものであると考へるのが正當であらう。

遺命と分財との何れにも牽聯して、立後が考へられる。遺言に依る立後は、遺

養父母と遺書

産の分給に影響する。結果に於ては財産相續人の指定ではあるが、同時に親子の關係を生ずる。これに依つて子となるが故に、遺命を奉ずべき地位に立つのである。

養父母も遺書を用ふることを得るであらう。前に擧げた睿宗實錄第六卷元年六月壬申條(五〇頁參照)は、傳繼文記に於て、白文を許した父母の內に、養父母を含めてゐる。

司經安漢英曰、臺諫以臣父潤德服養親喪中止云者不然、臣之從祖安彭壽、無後病革、謂臣之祖父曰、以君之次子潤德欲作侍養、祖父諾之、使人召臣父、未至而彭壽死、祖父謂臣父曰、死者有遺言、且無喪主、汝其服喪、時臣父年二十一、不識人事、錯料服喪、旣而除之、凡人非三歲前收養及繼後子、則不服喪禮也、其後彭壽妻傳係時、以侍養成文、此其明證也、李偉曰、君前豈可以父事啓達乎、自古未聞經筵官敢啓私事也、請治罪(中宗實錄第五卷三年三月戊戌朔條)

遺言を以て侍養子をなし得たとすれば、收養子に對しても遺書の行はれたことは勿論である。唯其の所謂遺言なるものが、眞の意味に於ての遺言なるか、單に死者の希望に過ぎないかは疑はしい。併し收養子・侍養子は其の相續法上の地位に於ては、實子及び繼後子と同一ではないにしても、養父母の遺命を奉ずべきは寧ろ當然であつて、其の關係に於ては、遺言に依る立後と同樣に考へることを得るであらう。

繼母嫡母と遺書

繼母と義子女、嫡母と妾子女、及び妾と嫡子女との間には姻族關係あるに止り親子關係はない。故に遺書を用ふることを得ない。續大典刑典文記條に

繼母傳繼文記用官署

其の註に

嫡母・庶母同

とあるに徵しても明である。

第一　要式行爲

遺書の方式

遺言は文書に依る要式行爲である。

按開元禮、有疾病遺言、則書之文、卽是遺書(常變通攷一卷)

其の文書は白文文記に依る。 經國大典には遺書の方式を、一般の傳繼文記と區別して規定するも、殆ど差異のなきことは旣に述べた(七三頁參照)。 分財が遺言の、重要なる內容をなすものなることを認めながらも、遺書の行はるゝ範圍を、外祖父母以外に擴張しなかつたのは、一般傳繼文記に依るを以て足るとなすが故である。 傳繼文記に官署を用ふる者の間に於ては、其の死因處分を遺言の觀念の內に加へて、方式を輕くする理由は、毫もないことは勿論である。

死者生前の願望が、內容に於て遺命に類似し、遺意として、子孫の行爲の動機となるが故に、屢遺言と混同せられる。 同樣に又事實若くは意見に關する文書が、作成者の死後は遺書と稱し、何等かの效果を持たんとする傾がある。 固より何れも遺言の觀念に加ふべきものではない。

金載瓚疏略、臣晩有二一子一、以二臣父遺意一、出爲二宗從兄嗣一、以承二臣祖之祀一、臣更無レ所レ育、無二後繼者一(下略)(純祖承政院日記嘉慶十一年丙寅九月初三日條)

又

初淸州人池若海、以二其同宗鳳翼一爲レ後、後得二族譜一、若海與二鳳翼一爲二族兄弟一、時若海已死、

鳳翼牽制於養母柳不得呈罷臨死遺命其子其子應九問於尹宣擧・宋時烈・宋浚吉
皆曰禮當罷繼歸宗遂請柳氏呈禮曹罷之(下略)(肅宗實錄第三卷元年四月乙卯條)

又

辛未德陽君岐上之庶兄也 啓曰妻父權纘嫡妾俱無子小臣子豊山正宗麟自其初生奉
巢長養倚托身後之事又於臨死撫而語之曰我之有汝情重親子吾死之後汝當服
喪無使我竟爲孤魂云非徒言甚哀惻宗麟亦念恩義深重哀傷號痛欲服衰絰以答
外祖平生顧意情甚哀切未忍禁止且於大典有三歲前養子卽同己子之法雖路人
之子若養在三歲前亦當服喪況宗麟以外孫收養於三歲之前恩義情法俱爲切迫
不得已使之服喪 上命議于三公領府事・三公等議當服喪 上從之
史臣曰以外孫養於外祖恩義雖切然鄙後外孫春秋譏之則爲禮官者因不可從
外祖之亂命循一家之私情以毁禮法而禮官順之大臣苟合可勝惜哉(明宗實錄
第二十六卷十五年庚申九月條)

又

掌令閔光㷜啓曰永平縣令權衍故庶尹澳之從子也澳之死妾子奉祀澳妻當家而
亦無他議及澳妻死衍也乃出其叔父數十年前片簡曰澳生時欲以渠之子爲侍養

封鎖澳家財産、使奉祀之子不得下手、信斯言也、澳之生也、何無呈禮曹之事、而澳妻亦何不遵其夫之遺意乎、父子之倫、豈容他人破壞、而其血屬奉祀、數十年之後、衍也、敢出不可信之文字、欲占不當得之財産、士夫所為、豈忍如是、請削去仕版、上命更加詳察處之、累啓後從之(顯宗改修實錄第十六卷七年十二月戊辰條)

は前者の例であつて、遺言の方式を具へたものではない。ここに

曹粘目云々、觀此幼學金重泰上言、則其矣《ツノ》次兄重元、娶妻未久、無後夭死、其矣《ツノ》兄臨死時、以立重元之後、丁寧遺言、而未幾重元之妻、又為身死、不得循例立後、願蒙繼絕之典、以第三兄重弘之第二子斗秋、為重元之後為白良結《シタク》、有此呼訴為白有臥乎所《リシトコロ》、一邊父母既已俱歿、則許以立後、有違法例、勿施何如、康熙三十六年五月十二日、右副承旨臣金盛迪次知啓、特為繼後為良如教《セト仰セラル》(法外繼後謄錄第六丁丑五月十二日)

は兄の弟に對するものであり、死者の希望に過ぎない。

議政府・禮曹同議啓曰、仁順府尹申自謹狀告云、父孝昌遺書曰、汝妻年過五十、至今無後、若改娶猶爾、則衆孫中擇賢承祀、到此不可以一毫憎愛介其間、今只有賤妾子介同、年九歲、未堪承重、母弟自守第三子允寬、生員出身、可堪奉祀、願以為後、臣等據此、參詳會降敎旨、二品以上賤妾子承重者、司律院等諸司入屬從仕、則賤妾子承重

之法已立、雖有遺書、不可以一家之私、毀國憲、況孝昌遺書、改娶猶無後、則擇賢承祀、非謂雖有妾子、必以弟之子立後也、遺書之後果得妾子、今捨其子而立弟之子、固無所據、命如所議(端宗實錄第三卷即位年壬申九月朔丁巳條)

又

初許惟禮子貴孫、在永安道吉城、(中略)又議、吳靖妾子繼孫事、昌孫・明澮・澮・士昕・弼商・應壕・任希孟・克增・繼孫・舜孝・佸議、吳靖以妾子繼孫、婚娶于宗親家、令屬忠贊衛、則以子待之矣、靖死後、甲申年、婢妾枯梢、與嫡妻同心、訴繼孫奸父妾、其時若有戊寅年所成論繼孫不孝遺書、則當出示辨之、而至十年癸巳、而乃出之、情狀可疑、黃元順則陪成氏、歸懷德本家、身死後、奴婢文記與遺書、送韓伯倫處、其情綢繆、吳繼孫則其父遺書、不告官自明、而擅自燒毀、亦必有情、然不歸一分揀而區處未穩、請顯推斷訟(下略)
成宗實錄第百四十四卷十三年八月庚子條)

は後者の例であつて、遺言の內容を有するものではない。

不幸無子女、偶然玩弄之人、皆有希望之心、非我骨肉、而渠自名之曰、某之子女云、痛憤痛憤、家內則允德之女、鄕家則論介之子、皆指謂我之子女、其辱如何、我則明知其他人之子女、故不子之、萬一我死之後、此輩來現、峻辭牢拒、毋使辱及於先祖也、爲父者、平日不子之、則雖有可疑、不可以他人之言、定其父子、今世之人、其父不子、父死之後、或以人言、定其父子、無倫甚矣、余嘗痛憤、故爲是書、以正後日之邪說也、

李 花押

遺書は秘密證書に依ることも行はれたが、自筆證書と別個の方式としてではない。

癸未受常參視事（中略）初迹父子失道、父行、每以書責詆之、子迹亦以書答諍之、交相投書、乃援引經傳、比擬古今人物、至於陰陽・術數、無不採錄、以明己意、其書浩煩、不可盡錄、大意父之責子、如吹毛覓疵、小不寬假、子之答書、如夫子未出於正、或累及於祖、辭甚悖慢、然而相遇、則無異他父子矣、一日行、見迹答書、乃於所居家之栗亭下、糊連數紙、手自作書、名曰栗亭記事、歷擧迹之往昔答書、逐條詰之、又數迹前行之愆、且曰、理宜告法司斬汝以謝我父母、但惡揚家醜、姑且隱忍止之、然祖上傳

來田・民、義不可傳給、以其家財・奴婢、分給他子孫及孽子蒙哥、書尾與背、皆著名封緘、授蒙哥、囑曰、汝微劣、宜堅藏此書、以爲後日相爭之助、如有欲見者、亦當傳書示之(下略)(世宗實錄第八十三卷二十年十一月條)

父の行と子の迹とが、相互に道を失せるを責めて、文書を以て應酬し、遂には父は怒つて、迹の答書を駁し、非行を數へた上、祖上傳來の田・民は汝に傳給するを得ず悉く他の子孫と妾子蒙哥とに分給すと遺書し、封緘して蒙哥に授け、堅く此の書を藏して後日相爭の助となせと云つた。

點抹挾字

遺書に挿入削除其他の變更あるものは、變造の疑を受けるが、それが變造でないことを明にする方式に付ては定めがなかつた。

掌隷院判決事李陌啓曰、寶城君容、分臧獲於諸子不均、臣欲改均給、既有父母文書、雖亂命不可擅改、故取稟耳、上曰、寶城君、於子息不均分與、今嫡子欲分、而庶子不欲、然嫡子多數、從衆當分、但父母文券、不可輕毀、其收議于政丞、朴元宗議、寶城君容、於子息分與文券內、或點抹或挾字、無數亂書、必有奸僞、訟官不敢取實宜也、且寶城君、論枰城正不孝遺書、朝廷已論破不用、一家之政大綱已毀、其奴婢等、宜官作財主均給、成希顏議、祖父母文券、子孫固不可改破、官亦不得論毀以廢一家之政、但寶城君文券、其子孫等、若果隨情擅改、而掌隷院既不取實、則自當分揀決折、不須收議、　上從元宗議(中宗實錄第十卷五年二月辛卯條)

寶城君容の分財が不公平であつたので、官に於て均分せんとしたが、亂命と雖尙ほ遺書を無視し得ないので躊躇した。然るに其の遺書は、或は點抹し或は挾字し、無數亂書の跡があるので、變造の疑を受け無效と決せられた。

遺言に方式を必要とする趣旨に鑑みるときは、方式を履踐して表示せられたる意思のみが效力を有するものと謂はねばならぬ。故に遺書の解釋に關しては、少くとも一般の意思表示に於ける以上に、遺言者の意思が、表示から離れて推斷せられてはならぬ。然るに遺言が、死者の最終の意思として尊重せられる結果、表示せられざる意思までもが、眞意の名の下に、遺言の內容を決定するものとして、探求されんとする傾向あるを免れない。今日の所謂表示說と意思說との對立である。それに付て一つの挿話を擧げやう。

孫抃、初名襲卿、樹州人、(中略)人有弟與姉相訟者、弟曰、旣爲同產、何姉獨得父母之財、弟無其分耶、姉曰、父臨絕舉家付我、汝所得者、緇衣一、緇冠一、繩鞋一、兩紙一卷而已、文契具存、胡可違也、訟之積年未決、抃召二人至前、問曰、若父歿時母安在、曰先亡、若等於時年各幾何、曰姉已有家、弟方髫齔、抃因諭之曰、父母之心、於子均也、豈厚於長年有家之女、而薄於無母髫齔之兒耶、顧兒之所賴者姉也、若遺財與姉等、恐其愛之或不至、養之或不專耳、兒既長、則用此紙作狀、服緇衣冠、穿繩鞋、以告於官、將有能辨之者、其獨遺四物意、蓋如此、弟與姉聞而感悟、相對而泣、抃遂中分家產與之、(下略)(高麗史第一百二卷列傳孫抃條)

遺書の文意からすれば、遺產の全部を姉に與へて、弟には黑色の衣冠と、草鞋の外に、紙一卷を遺したに過ぎないのであるが、孫抃は弟に遺されたる此の四物の內に、偶意のあるを發見したといふのである。それに依れば遺言者は、二子に對し、法定の均分相續と異つたる分財をなす意思はないのであるが、全財產を姉に與へて、專心幼弟の愛護を命じながら、弟に四物を遺して、眞意を寄せたと解釋したのである。卽ち長するに及んで其の衣を着、其の冠を付け、其の鞋を穿ち、其の紙を用ひて訴狀を作り、官に訴出たならば、恐らくは能く辨ずる者あつて、父の眞意を理解するであらうとの意味だといふのである。意思說の典型と謂ふべきであらう。しかし遺言者の顧慮したるべき事情、若くは遺言の目的の如きは、何れの說からするも、其の解釋の重要なる資料となるものである。何故に他に嫁したる姉にのみ厚くして、母なき髫齓の兒に薄きかは、遺言を解釋する手段として考ふべきことであり、理性ある人の行爲として、遺書の意味及び內容を判斷することが必要であつて、文字の末に拘泥すべからざるは勿論である。四物の偶意が、遺書から判讀し得るならば、孫抃の裁斷は、遺書の解釋として表示說からするも許されねばならぬ。此の記事は東史綱目三卷東國通鑑十七卷高麗史節要卷十六にも出てゐる。

遺言は終意行爲か

第三　遺書の取消

遺書は多くは臨終に當つて作成せられ、死後の處置を命ずることを目的とする。故に事實上は、最終の意思表示であらう。しかし之を終意行爲として認めたか否かは疑はしい。終意行爲は、行爲者の最後の意思表示として效力を認め

んとするものであつて、撤回の自由を本則とする。然るに傳繼の改給に關する經國大典刑典私賤條の

欲改者、具由告官改給、受者身死勿改

の法は、其の後段に對しては、註に於て

父母・祖父母・外祖父母之於子孫、夫之於妻妾許改

の特例を認めたが（八六頁參照）前段に付ては續大典刑典文記條に、

欲改者、具由告官之法、並指白文與官署而言之、白文文記亦告官改給

とあつて、白文の行はれる範圍に於ても、相當の理由を具して、官に告げねばならぬ。これが遺書にも、少くとも分財を內容とする限り、準用を免れないものとするならば、遺言は自由に撤回し得べきものではなく、後の遺言と前の遺言とが、內容に於て牴觸するときは、當然には、前の遺言が效力を有することとなつて、終意行爲としての特徵は認められないものと謂はねばならぬ。

甲午、召會經政丞・議政府・六曹堂上・臺諫、議申承閔奉祀事、鄭昌孫・韓明澮・尹士昕・韓繼禧・朴仲善・魚有沼・權瑊・李克增・李鐵堅・李承召・尹繼謙・李淑琦・李克墩・李克均・

呂自新・李陸・韓干孫・李吉甫・朴安性・裵孟厚議、立嫡以長古今通義、嫡子無後次子奉祀、亦是大典所載、申孝昌長子自謹、無嫡子只有妾子、次子自敬、有子有孫、宜繼孝昌之後、今承閱、據曾祖孝昌及四寸大父自謹遺書、欲繼孝昌之後、其孝昌遺書內、乙未、則令子自謹以末子自守爲收養繼後、甲寅年、則以次子自敬子允童爲後、及允童歿後、己未年、則擇衆孫之賢者爲後、由此觀之、孝昌初雖屬意於自守、其終則欲以子孫之賢者爲後、乃其本意也、(成宗實錄第一〇七卷十年己亥八月朔甲申條)

又

李迹、大提學行之之子也、孜、迹之同母兄遜之子、而蒙哥、迹之孽弟也、行嘗惡迹以書責之、迹亦以書答之、辭甚悖逆、行怒乃作書、述迹不孝之事、及不給田・民之意、以遺其孫孜及庶子蒙哥、厥後與迹復爲父子如初、及行卒、孜以祖遺書、欲全財產・田民、迹亦出父所書分給財產文券、欲與孜分之、孜以爲、非祖所成之書、乃僞書也、遂訟于憲司(世宗實錄第八十二卷二十年八月丙寅條)

之等の事例に依れば、前後牴觸する遺書あるときは、後の遺書に效力を認めんとするもののやうでもある。

しかし何れにしても、生前の許與と同じ範圍に於て、撤回の許されることは疑を容れぬ。從つて又、受者身死勿改に對する例外も、遺書に準用せられるものと解すべきであらう。分財に關する遺言を以て、死因贈與と區別し得ないものとするときは（一〇二頁參照）一般に死因贈與は、受贈者が贈與者より長生することを條件とし、受贈者が遺言者に先つて死亡するときは、死因贈與は效力を喪ふものと解せられるのではあるが、遺書の行はれる範圍に於ては、受贈者の子女又は其の遺妻の爲めに、死因贈與は其の效力を保持するものと認むべきである。受者身死勿改の適用を、祖父母・父母の子又は孫に對する贈與に付て排除せんとしたのは（七八頁參照）必ずしも生前處分にのみ限定しての議論ではないであらう。而もそれは、受贈者が贈與者に先つて死亡することを前提とする。之を遺書に關しても準用せんとするならば、受者の子女、又は其の遺妻の爲めに、遺書は其の效力を保有することを、半面に於て是認せねばならぬ。

受者の死亡と遺言の變更

遺言の取消の方式に付ても、遺言と同一の方式に依るべきものとするならば

遺言の取消の方式

夫妻の共同文記と其の改給

白文を以て足る。 然るに一般の傳繼文記に付ての改給の規定が、準用せられるものとするならば、官に告げて立案を受けることを必要とする。

遺言者の死後は、遺言を取消すことは出來ぬ。 生前の分財に付てではあるが、夫妻の共同文券に依るものを、夫の死後、妻に於て取消さんとして、問題となつたものがある。 夫妻の共同文券なるが故に問題となり得るのであつて、遺言の問題としても、同じことが云ひ得ると思ふ。 端宗の時であつて、經國大典以前ではあるが、改給に關する前記大典の原則が、前提として認められてゐる。 卽ち

癸亥、初李叔蕃妻鄭氏、上言曰、臣夫妻將奴婢・田地・家舍・財產、同署名立券分與長女壻前縣監姜順德、夫及女子俱死、女欲改前文案、令順德持來、順德不從、有乖母子之義、且姪子姜希孟、稱收養立後、又將奴婢、任意分與諸姪子、至於女之子孫、則不給一口、並非家翁願意、令六曹・臺省・集賢殿議之、工曹判書李思哲議曰、(一)妻之於夫、子之於父母一也、夫死之後、妻不得改夫所爲之書、猶子之不得改父母之書、今鄭氏、當叔蕃生存之時、既共置書、分田民・家財於諸子、叔蕃死而欲改之、苟聽其所爲、則非特以妻改夫之所爲、有悖於倫理、姦黠之子、利父之死、誘弄其母、侵奪同產、

傷風敗俗、將不勝其紛紜矣、然悉不聽之、則恐有逆子悖法慢母、以至於不順者、此實關於世教、不可一向輕處、乞叔蕃田・民、從叔蕃之書、鄭氏田・民、從鄭氏之願、庶幾兩便、戶曹判書尹炯、參判李師純等議曰、(2)大抵父母之於子孫、奴婢・田地・家舍・財物任意與奪、古今通典、子孫之於父母、安有不順之理、姜順德、鄭氏之女婿、姜希孟、順德之繼後、則俱爲鄭氏子孫、既爲鄭氏子孫、則凡所與奪、專在鄭氏、若使鄭氏將自家奴婢・田地・財物、不得擅便、則綱常倒置、情理不合、且古人云、天下無不是底父母、一從鄭氏情願、益篤綱常、以敦風化、禮曹判書李承孫・參判鄭陟・參議金有溫等議曰、(3)李叔蕃與妻鄭氏、去己未年、兩家奴婢分給子女、叔蕃於庚申年身死、而長女姜順德妻無後、順德與妻李氏同議、去辛酉年、以姪子姜希孟立後爲子、奴婢・田地・家財・家舍、並令傳持、李氏身死後、希孟服喪終制、至今奉祀、今鄭氏之告官還奪、專以長女無後身死、而夫妻奴婢與田莊、傳於孫外、不傳於子孫也、其謀計譎矣、然臣等竊謂、父母之於子、奴婢・財物任意與奪、古今皆然、母雖不給一口一物、爲子者、安有怨訴之理、若以鄭氏之告狀爲非、而順德之仍執爲是、則是母子傷恩、而有乖於綱常矣、其叔蕃生前曾給奴婢・田莊、及韓藏所給奴婢・田莊、則追奪未便、仍給順德、傳

之希孟、其鄭氏自己奴婢、許令鄭氏區處何如、吏曹判書閔伸・參議卞孝敬等議曰(4)、
李叔蕃與鄭氏同議、女子姜順德妻、成給奴婢文券內、無勿與孫外之辭、而夫死後、
乃欲還奪、未可也、且女子生時、立希孟爲後、幷叔蕃田・民還奪、尤爲不可、請鄭氏奴
婢・田地・家產、則從情願區處、李氏奴婢・田地家產、則仍給希孟、兼知事李蓄議曰(5)、鄭
氏當叔蕃生時、同議立券、且順德亦於李氏生時、同議立希孟爲後、今鄭氏、以女子
死且無後、謀欲還奪、不可更改、刑曹判書趙克寬・參議李仁孫等議曰(6)、大抵奴婢與
奪、一聽財主區處、今順德、以鄭氏女壻、欲專執亡妻奴婢・財產、不從妻母之令、雖不
干自己之書、亦皆隱藏不出、甚爲悖理、叔蕃奴婢・財物、已成文券而死、非鄭氏所得
擅改、死後當傳希孟、若鄭氏奴婢・財產、則不得擅便、不合情理、令任意區處、且順德
以女夫、徒欲專得、不順妻母之令、以啓爭端、甚爲不當、希孟旣立爲後、則鄭氏外孫
也、而未嘗進見、亦爲不順、事關綱常、宜令憲府推明科罪、兵曹判書鄭麟趾議曰(7)、姜
順德妻母鄭氏、狀告奴婢・田地區處、合於事理、許從所願、大司憲成奉祖・掌令李甫
欽・朴大孫・持平金國福等議曰(8)、鄭氏亦以姜順德之妻無後已死、欲將夫妻同給文
券、而改之、雖若不順、然、鄭氏貧不自存、其子楨及女金昡之妻、俱不聊生、不能救母

之貧窮、假使順德之妻生存、則其不從母之情乎、妻雖死、其田・民仍執驅使、產業既足、則順德之於鄭氏、母子之義、猶未絕也、若見鄭氏窮困、則固不待號訴、義當扶恤、今略無扶恤之意、若秦視越、以至號訴而不與、是與其妻母爭奪也、夫爲妻綱、雖天下之大防、子之於母、義果若是乎、風俗薄惡、莫此爲甚、假使叔蕃坐視今日之勢、則其忍愛既亡之女子、而不恤生存之妻子、且鄭氏非欲盡奪順德之田・民・財物也、仍給者固多、欲還者甚少、非他徒以愛憎、擅改夫命之比也、臣等竊謂、順德田・民、一從鄭氏區處、以存母子之大義、則於夫婦之綱、亦無所虧、集賢殿副提學辛碩祖・應教梁誠之・校理李芮・副校理柳誠源等議曰、(9)父母既相同議、分奴婢・土田、以給子壻、後自更改者、世多有之、而不以爲非者、此自一家事、聽財主區處、常例耳、以此論之、則鄭氏之事、處之不難、或曰、既與夫同作文券、夫死後、妻自擅改不可也、然作文券之時、夫獨爲之、妻不得與云、則猶有可議、既已夫婦同作財主、而分與、則其後更改、何不可之有、父母同一體也、同是財主也、豈於父母、輕重之哉、聽鄭氏區處、副提學崔恒・直提學朴彭年・直殿金禮蒙・應教李塏・校理李承召・副校理李克堪・副修撰韓繼喜・崔善復等議曰、(10)夫既與其妻、同分家產、以給子孫、則其妻不可於夫死後、有所變更、且父母之命、雖或悖理、子孫不可不曲爲順從、今鄭氏、於叔蕃死後、自以私意、欲改已成文券、是不從之婦也、鄭氏欲取文券、順德拒而不與、是不順之壻也、順德之罪、在所當治、而鄭氏亦不得無罪矣、或謂、順德不從姑命、固違母子之道、然、鄭氏欲改文券亦失、夫婦之綱、三綱一也、豈可重此而輕彼乎、官府不覺則已、覺則不可不治、若希孟、既爲順德之子、以鄭氏爲外祖母、則其不可不以外孫論明矣、鄭氏歸咎希孟之辭意、其出於私意耳、立後大法也、豈可因而遂開後日廢法之端乎、宜禁鄭氏、使不得擅更夫命、罪順德以懲不順、直提學申叔舟議曰、(11)李叔蕃生時、所置文券、叔蕃既死矣、固非鄭氏所得改也、然鄭氏身存、而自家田・民亦不得自便、是不合於情理、叔蕃田・民、從叔蕃舊券、鄭氏自家有傳繼田・民、許鄭氏任便、於人情大義、庶幾兩便、副修撰徐岡議曰、(12)夫妻共成文券、夫死後、許其妻使得更改、則無識婦人、於其夫生時、爲其所制、不得自異、及其死後、任情變更其所分給、率以愛憎多寡輕重、大相懸絶、爲其子者、雖或負屈、義不當自直、以此官府無從覺察、夫爲子壻者、既不得訟其親、又使母姑得改其文券、則是大啓無知婦人率意變更之端、其弊不少、今鄭氏、既與叔蕃共成文券、以給順德、叔蕃死後、又欲奪而改之、是其私意也、順德不納文券、雖或不順、然壻之於姑、亦不當直以母子例論也、乞禁鄭氏、不得改叔蕃書、左司諫大夫任孝仁・知司諫院事金吉通議曰、(13)夫婦一體、亡妻之物、夫可主之、亡夫之物、妻亦可主、況鄭氏、既與家翁李叔蕃同議作文、而自己奴婢亦幷載焉、豈可專以叔蕃之書目之、而以鄭氏外之乎、姜順德之於鄭氏、實有子道焉、今鄭氏責還元文、而順德違命不還、不順之至也、若曰妻不可改夫之書、使鄭氏更不得與奪、則世有夫亡後、一子獨富、餘子貧寒、其母雖欲改分奴婢、子必援引順德之例、拒而不從矣、其於子母之道何如、將恐由此父歿則子便有輕母之心、非細故也、或曰、父子・夫婦同爲三綱、而婦人之道、適人從夫、則妻而改夫之書可乎、臣等謂、夫婦有離合、父子無絶道、豈無輕重之分、況今鄭氏、亦非以夫書斥爲不義、歸咎而改之也、或又云、如是則誰肯爲人後哉、立後之法、因此自毁、臣等謂、立後之法、國家哀其無嗣者而已、其以兄弟族親之子、願立爲後者、自悶其無嗣而已、其以自己之子、許立爲後者、亦憐其兄弟族親之無嗣而已、豈爲奴婢・田莊之無其傳哉、爲之後者、亦豈慕此而稱子乎、順德夫妻奴婢・財物、今或被奪於他人、則姜希孟其亦以爲無所傳得、而罷不爲後乎、若如或者之說、今之爲人後者、皆是貪利忘親而降服親喪者矣、嗚呼鄙哉、安有是理、或又云、順德之妻既以希孟爲子、其奴婢必欲傳於希孟、豈欲傳於同產乎、有違人情、臣等謂、順德之妻奴婢、若出於他人、則宜爲所自區處、此則順德妻母、元是財主、而與奪在手、或又云、夫之生前所成之書、至爲公正、夫亡之後、婦人或以私情更改之、弊有可慮也、臣等謂、母之所爲、雖或不均、不敢開口爭者、誠以天下無不是底父母、故子不得非其母也、今只用父書、不用母書之法立、則父母之間、相去懸絕、與母爭差之子、接跡於世、可不懼哉、或又云、叔蕃奴婢、仍依舊書、鄭氏奴婢、許令任意區處、臣等謂、鄭氏若不依從、而叔蕃奴婢和會改分、則爲其子者、其可指母爲非、而告於官乎、官亦聽理乎、是故收養・侍養奴婢分給之法、改許與之式、備在六典、而父母奴婢分給之法、初不及之、意可見矣、一從鄭氏情願、人倫幸甚、左獻納宋仁昌・右獻納趙元禧等議(14)曰、李叔蕃既與鄭氏同議、奴婢・田地均分子息、以成文券、今叔蕃已歿、則鄭氏不得而擅改也、議者曰、使叔蕃在、亦必如鄭氏之意、臣等以爲不然、姜順德之妻無子、將以希孟爲後、養之於家、叔蕃於是目見而至于身歿、不敢有異議、鄭氏不於家翁生時同議改文、而乃至今日輒生他意、視希孟爲無與於己、欲改亡夫已成之書、其於婦人從夫之義何如、以立後之法言之、希孟既以順德之妻爲母、則叔蕃外祖也、鄭氏外祖母也、烏可以無與於己而視之乎、議者曰、國家立法之意、特哀其無嗣、而使之奉祀耳、豈計奴婢之傳否乎、臣等以謂、既設立後之法、而一應家事皆如己子、安有爲子而不傳父母之奴婢哉、以此觀之、則順德夫妻之臧獲、希孟固當傳之矣、從鄭氏之願、則臣等恐、姦惡之徒、以此藉口、乘其父歿之後、教誘其母、使其變亂家翁之成書、甚至同氣相戕、敗常亂俗者接踵而起矣、又恐立後者非一、而間有如鄭氏者、亦以此効倣、盡奪女子之奴婢、將不勝其紛紜矣、乞依叔蕃已成之書、以示婦人從夫之義、以重國家立後之法、至是鄭氏又上言、六曹臺省、擬議啓達後、至今未蒙區處、下議政府、議政府議之、啓曰、父母之於子孫、奴婢・田地・家財任意與奪、子孫則一從父母之命、古今常事、順德以鄭氏之壻、而不從鄭氏之命、分財文券藏匿不現、悖理莫甚、鄭氏奴婢・家財、一從鄭氏區處、叔蕃奴婢・農舍、鄭氏生前執持、身後依叔蕃文券傳給、其韓蔵奴婢・家財、依鄭氏情願區處、且順德不順之罪、干係綱常、不可不懲、請令司憲府推劾、從之（端宗實錄第四卷卽位年壬申十一月朔己未條）

事案は、李叔蕃と其妻鄭氏とが、共同して文券を作り、夫の財產と妻の財產とを併せて、諸子に分財した。當時長女は姜順徳に嫁し、他には一男一女があつた。叔蕃死し、次で長女亦死んだ。長女には子なく、叔蕃の生前に既に順徳は、從兄弟の子希孟を繼後子として家に養つてゐた。鄭氏は夫及び長女の死後、順徳に對して分財したるものの返還を求めたが、順徳は之に應じなかつたので官に訴へたのである。此の問題に付て説をなすもの十四の多きに及ぶ。しかし之を要するに(一)夫の死後は其の妻は、之を變更することを得ないと爲すもの、(二)夫の死後は妻に於て、變更することを得となすもの、及び(三)夫の財産に付ては妻の變更を許さず、妻の財産に付ては之を許さんとするものの三つの見解の外に出でない。

夫の死後は妻に其の變更を許さずとする見解は、崔恒等の第十説、徐岡の第十二説、及び宋仁昌の第十四説であつて、夫の死後、妻が私意を以て、已成の文券を改めんとするのは不從の婦である。夫の生時には制せられて之に同意したものを、死後擅に變更することを許すは當を得ないと云ひ、父の歿後母を教誘し、家翁の成書を變亂せんとする姦惡の子が、踵を接して起るであらうことを憂とする。李思哲の第一説も結論に差はあるが、姦黠の子父の死を利し、母を誘弄して、兄弟姉妹(同産)の旣に分給を得たるものを侵奪するの弊あるべきを指摘してゐる。之に反し、夫の死後は妻に其の變更を許すべしとする見解は、任孝仁等の第十三說に最も詳である。之に依れば、亡妻の遺產は夫管理し、亡夫の遺產は妻が之を管理するを原則とすることを根據とし、同時に又ここに問題の分財が、夫妻の共同行爲であることを理由とするものであつて、夫の單獨の處分であるならば、其の死後に妻に於て之を改廢することは許されないにしても、夫の財產と妻の財產とを併せて、共同して處分したものを、專ら夫の處分として、妻を度外視するのは不當であると云ひ、妻に變更の權能を認めないとすれば、父の死後子は母を輕んずるの心を生ずるであらうことを憂とする。此の點は前記李思哲の第一說も、逆子あつて法を恃み母を慢じ、不順なるあらば、實に世敎に關すと云つてゐる。そこで第一說は第三の見解を採り、夫の財產に對する夫の處分と、妻の財產に對する妻の處分とを分離し、夫の處分に付ては妻は之を變更することを得ず、妻の處分は自ら變更することを得るものと解するのである。以上の三つの見解の內で、第一の見解は、父母の子に對する處分は、變更することを得るを原則とすることと調和しない。第三の見解は、共同の分財を、夫の處分と妻の處分とに分離し、處分をなしたる者の死後は、何人も之を變更し得ざることを前提とする。之に反して第二の見解は、夫妻の財産を合併しての共同處分は、其の何れかの死亡後は、他の一人に於て改廢し得るものと解せんとするのであつて、單獨の處分に付ては、其の死後、他の配偶者に於て變更し得るかを疑問として殘してゐる。此の第三と第二の二つの見解が、多數の支持を得て對立してゐる。然るに此の兩説の折衷説とも見るべき第四の見解が、最後に議政府の意見として現れ、之が採用せられた。其の見解に依れば、夫の處分と妻の處分とを分離し、妻の處分に對しては改廢の自由を認め、夫の處分に付ても、妻をして夫の處分を取消し妻自ら之を管理することを許し(生前執持)妻の死後は、夫の處分が再び其の効力を生ずとなすのである。夫の處分に對する其の死後に於ける妻の變更權を、自己の生存中處分の効力を停止する程度に於て認めんとするのである。

これを假りに共同遺言の問題として稽へやう。

共同遺言は、夫婦即ち父母の共同分財に限つて認められたか否かは、之を明にすることを得ないが、少くとも夫婦の共同遺言の行はれたことは、此の事例から推測し得る。而して此の共同遺言は、夫婦の共同生活を、死後に於て律せんとすることを目的とし、單に遺言書を共通にしただけの意義ではないと解するを正當とする。各自の遺産を子に傳へるに當つて、其の處分を共同にせんとするものであつて、第二の見解を代表する任孝仁等の第十三說が「鄭氏既與二家翁李叔蕃一同議、作レ文而自己奴婢亦幷載焉、豈可下專以二叔蕃之書一目上レ之、而以二鄭氏一外レ之乎」と云つたのは、克く遺言者の意思に副ふものであらう。即ち遺言者の意思は、夫婦共に死亡したる時に於て、双方の遺産を併せて、之を指定したる子に傳へんとするものと推定すべきである。即ち共同遺言の効力は、遺言者の一人の死亡に因つて直ちに生ずるのではなく、他の一人の生存中は或狀態に於て、其の効力は停止せられねばならぬ。これを前記の最後の見解に對照して考ふるときは、遺言の目的となつた遺産の範圍に於ては、生存配偶者は、死亡したる配偶者の遺産を承繼し、指定せられたる子は、生存配偶者の死亡に因つて、兩者の遺産を併せて承繼する結果となるのである。何となれば共同遺言者の双方の死亡に依つて生ずる效果が、叔蕃夫妻の生前の分財と同一の狀態であるべきであつて、一方の尙ほ生存せる時に於ける效果が、鄭氏の取消に依つて認められたと、同一の狀態であるべきだからである。鄭氏の取消が、鄭氏の遺産に及ぼす效果は姑く措き、叔蕃の遺産を、鄭氏が承繼し、死後は長女の養子希孟が承繼するのは、之を共同遺言と假定するも、叔蕃の死亡に因り其の遺言は效力を生じ、旣に取消し得ざる狀態に在るからである。——當時長女は死亡してゐたが、繼後子希孟が代襲して其の地位に立つ。故に前記の訴に於て鄭氏は、希孟が繼後子なることを否認せんと試みた。

前記の受敎から推して、夫妻の共同遺贈は、叙上の如く、其の目的となつた財産を、一旦は生存配偶者に於て相續せしめ、其の死亡に因つて夫妻の遺産を、併せて受遺者に承繼せしめるものと解し得るものとするならば、亡配偶者の遺産に對する生存配偶者と受遺者との地位は、先位相續人と後位相續人との關係に類似する（三五頁參照）。亡配偶者の遺産に對する此の關係は、生存配偶者が共同遺言を取消したことに因つて變更を受けないことは明である。殘る處は生存配偶者は、

共同遺言と生存者の取消

自己の遺産に關する範圍に於ては、尙ほ遺言を取消すことを得るかに在る。之を事案に付て換言すれば、鄭氏の取消に拘らず希孟は、鄭氏の死後は、鄭氏の遺産をも承繼するや否やの問題である。前記の最後の見解は、鄭氏奴婢・家財、一從二鄭氏區處一といふに止り、此の點を明にしないが、其の意は、完全に取消を認め、鄭氏の遺産に付ては分財前の狀態に復せしめんとするのであらう。若し然りとするならば、其の當否に付ては疑の餘地がある。任孝仁等の說が論據とせる、夫婦一體、亡妻之物、夫可レ主レ之、亡夫之物、妻亦可レ主と云へる原則が、無條件に是認せられるならば、鄭氏の遺産に關しては、夫死亡後に於ても、共同遺言の取消を認め得るのみならず、更に一歩を進めて亡夫の遺産に關しても、其の取消を是認することは困難ではない。然るに一般に無二子女一夫妻奴婢、雖レ無二傳係一、生存者區處（經國大典私賤條）の適用を受けて、生存配偶者が亡配偶者の遺産を承繼するのは子女なきときに限る（二六四頁參照）。旣に子女あるときは、配偶者は互に其の遺産を承繼すべき地位に在るものではない。然るに共同分財の取消に依つて、又は共同遺贈に依つて、生存配偶者に中間の承繼者たる地位を與へる所以のものは、双方の遺産を併せて、指定したる子女に與へんが爲めである。生存配偶者が亡配偶者の遺產を承繼しながら、自己の遺產に付ては當初の指定を變更することを許すは穩當ではない。配偶者双方共に生存せる間は、各自隨意に、自己の財產に關する限りに於て、共同分財又は共同遺言を取消すことを得るは論を俟たない。一方の死亡後は、共同遺言は之が取消を許さざるものと解するを相當とする。生前の共同分財に付ても、同じ範圍に於てのみ取消を認むべきであつた。換言すれば第一の見解をも取入れて、折衷すべきであると思ふ。卽ち生存配偶者が生前に於ける共同分財を取消したるときは、生存配偶者を先位相續人の地位に置くだけの效果(生前執持)を生ぜしめるに止め、死後の承繼には、鄭氏の遺產に付ても、變更を加ふることを得ないものとするならば、婦人從夫之義にも悖らないであらう。

第四　遺　命

遺命は、遺贈に附隨せしめての負擔ではない。父母なるが故に、祖父母なるが故に、子に對し孫に對して遵守を要求するのである。故に子孫は遺書を重んじた。

問、置ニ立兩櫃一、西莊遺書衣物、東莊祭器云云、昌吳遂、南溪曰、不レ容ニ一櫃一故也、西重、東輕

（禮疑類輯第十卷）

遺命の內容

遺書を祭器と一櫃の內に藏することをすらも忌んだのである。

遺命に依つて、利益を受ける權利者あることは、其の要件ではない。故に單なる事實上の行爲と雖、遺命の內容たり得る。埋葬・祭祀に關するものの如き是である。

王薨、曰ニ孝成一、以ニ遺命一、燒ニ柩於法流寺南一、散ニ骨東海一（三國史記第九卷新羅本紀第九景德王條）

是恐らく群臣に對する遺命であらうが、君命と父命と相通ずるものがないではない。

金漢忠（中略）卒、年七十八、遺ニ命薄葬一、謚ニ元平一（高麗史九十五卷列傳）

の類は甚だ多い。

丙子正月十四日寄二萬模・萬楷等一書

予以二疾病之人一、毎レ逢二寒節一、痰塞二喉間一、達夜咳嗽、寢不レ能レ寐、坐以待レ明、常懷二悶慮一矣、以二此病狀一、今添二一齒一、乃是望八之年、死亡無レ日、作二此瞥一レ汝、吾東重二喪事一、而喪家之宸難者板材、故吾夫妻所レ入棺板、預爲二備置一、治喪之際、傍觀之議、若或未レ洽、毋レ得二改備一爲於《ベシ》、成服之奠、必用二造果一者、雖二是人家通行之規一、被髮徒跣之餘、甚不二清潔一、切勿レ造レ果、但葬期臨時各奠、只用二一器果一、毋レ過二四寸一、自二虞祭一以下、各樣祭祀、務從二簡約一、亦勿レ造レ果、一從二祖先遺意一爲於《ベシ》、男子生前出入、元無二女僕隨行之事一、則豈有二身後哭婢前導之理一乎、追後進去、以爲二朝夕祭奠之地一爲於《ベシ》、近來人家、惑二於風水一、夫妻各葬者比々有レ之、玄妙之理、既難二詳知一、汝以二獨身一、兩處行レ祀必難レ支、吾二處而生居二一室一、死則同穴、是人之常事、同穴合葬、以除二一分之弊一宜當《ベシ》、以上數件、事々甚便、宜レ行之不レ難、一々擧行、不レ至二違忤一也

自筆父通訓大夫前行豐德都護府使　某　（花押）

又繼續的に將來に向つて、一定の行爲をなし又はなさざることを命ずるもの

がある。此の場合に遺命は希望訓誨と混同する。

南藥泉九萬謂、末世庶孽輩、追二逐雜類一多不吉、遺レ言側室子、勿レ操レ弓、勿レ爲二人幕下一、只可二耕田食力一云、（朝野彙言四 隱晦集）

祖父母の遺命

遺命に依つて、子の相續する財産の一部を、他に分與すべきを命ずることがある。又財産の處置に關する遺命が遺贈と併せて存することが多い。

遺命は孫に迄及ぶ。遺書則以至レ子至レ孫、傳守不レ失爲レ主而設と云ひ、其云レ用二祖父母以下遺書一者、只爲二訟者、用二高・曾以上玄遠不レ可レ信之遺書、妄造二訟端一而設と說く者ある所以である（前揭成宗實錄第二百二十八卷二十年五月癸未條（九〇頁參照））。しかし直接に祖父から孫に對しての遺命は別として、祖父の遺命が孫に及ぶのは、多くは父に對する遺命の效力が、孫の利害に於て當然に生ずることを意味するに過ぎぬ。遺書の效力を祖父母以下に限つたのは、曾祖以上の遺書の、信憑力を疑つたのであると解するのは正當でないであらう。寧ろ父母の命最も重く、祖父母の命之に次ぐとでも謂ふべきか。然父母與二祖父母一、稍有二間隔一、以レ故父母之事、子不レ得レ告レ爭、而祖父母之事則告爭、此亦祖父母・父母有レ間也といふ心持が（前揭成宗實錄第百六十三巻十五年二月丁亥條)(七九頁参照)、曾祖父母以上にはより強く働くのであらう。

しかしそれは遺命から見たる遺書の限界である。財産の遺贈は、曾祖父母から曾孫へ、遺書に依つてはなし得ないとしても、傳係文記に依るを妨げない。

義禁府啓、閔冲源之父審言、以家舍・財産、與其孫亨之子孝孫、冲源親書契券、及父卒、冲源怒、孝孫專其家、凡家藏米布、托以葬祭費用已盡、强辨不服(端宗實錄第七巻元年八月壬子條)

審言は孝孫の曾祖父に當る。

生前の分給と遺贈

第五　遺書に依る分財

遺言は遺命から發達し、死因贈與を契機として傳係と結合する。故に傳係と結合するときでも、尚ほ一家の法として子孫を拘束せんとする傾向を持つ。然るに一方に於ては、血族間に於ける家産維持の思想に依つて、財産は之を祖先に承けて子孫に傳へるを本義とする。其の結果遺言の行はれる範圍に於て死因贈與は、――其の意味に於て之を遺贈といふならば遺贈は、生前に於ける分財に比敵する。父母・祖父母の生前の分財は、相續財産の分割の事前に於ける指定に等しいもので、其の效力が分財の時に生ずるか、死亡に因つて生ずるかに從つて、之を遺贈と觀念上區別し得る。又事實に於ても、婚嫁に當つて女子に分財し、衆子を別籍して異財する等、明に遺贈と區別し得るものも少くはないが、常に必ずしも明瞭ではない。兩者共に單なる財産法上の處分行爲としてよりも、親族法上の行爲として理解すべきであり、相續に近似する。未分奴婢が相續財産を意味し、相續は法定の分財である。分財又は遺贈と同時に、遺言の行はるる範圍外の者に對し、例へば妻に對し、兄弟に對して、贈與が行はれることあるは言ふ迄もない。其の範圍に於て遺書は、同時に傳係文記であると謂ふべきである。

遺贈の伴ふ第二の處分

遺贈の事例は特に掲げる迄もなく、他の機會に示した事例中に少くない。遺贈の效果が單に財産の移轉に盡きることなく、其の財産に關し子孫を拘束するものとしては、次の事例がある。

御二經筵一講訖(中略)、領事李克培、將二斷訟都監訟事一啓曰、此事有二二議一、而臣等莫二之能決、　上曰、其悉言之、克培曰、金紹者有一子二女、子名曰承緒、紹生時、成文數承緒曰、父母俱存、年未過四十、而收養他人之子、罪一也、守令赴任時、不爲造謁、罪二也、怒其奪所奸婢子、而不順於母、罪三也、予欲告官論罪、然父子之間、恐其傷恩、故隱忍不爲、至於奴婢亦不奪也、汝若終無嫡子、則勿許妾子、而傳二女子孫、及紹死、承緒收養李永蕃於三歲前、傳給奴婢、一議以爲、父命既曰、傳之二女子孫、決給女孫可也、一議以爲、其父遺書、無今後勿爲收養之言、收養之子即同己子、決給永蕃可也、二議皆不遠於理、　上曰、當從其父之命、決給女孫可也（成宗實錄第百二十六卷十二年二月甲子條）

金紹には一男二女があつた。男は金承緒と云ひ、父の生前に既に分財を得たもののやうである。紹は承緒の罪三つを數へ、且曰く、父子の恩愛を傷くるを惧れて、敢て分財したるものを、奪還することはしないが、汝若し嫡子なければ、其の財産を二女に傳へよと。然るに紹の死後承緒は、之を收養子永蕃に傳へたのを、女孫の訴へに依り、父の命に從つて之に決給したのである。此の事例に於ては、分財と遺言とが時を異にし、從つて遺命の效果として論ずべきであるが、遺命が遺贈と結合したとしても、結果は同一であらう。それは恰も後位相續人の指定に類似する(一三七頁參照)。二女は紹の相續人であつて、承緒の相續人たる地位に在るものではない。承緒の相續人は收養子永蕃である。女孫は祖父の意思に依つて、承緒の後位に於て、祖父の遺産を承繼したものと解すべきである。又

漢城府啓、懷義都正蕆、養母金氏、以衿川家舍・田地、傳于蕆之父瑞原君寀、而文記、有身後則專給養孫繼重之語、(繼重即蕆之兒名也) 瑞原君、不顧財主本意、分給他子女、而蕆發狀告爭、以子改父之命、於義不可、請依瑞原君區處施行、 命議于領敦寧以上、沈澮・尹弼商・尹殷老・申從濩・金悌臣議、依所啓施行、洪應議、金氏傳於瑞原君、以及繼重、其命雖嚴、父親瑞原君之書、亦如彼、各執耕作許多年紀、請從瑞原君之命、李克培議、瑞原君、雖違財主本意、今已經四十餘年、貫限耕作、不可追改、且大典田宅之限、已實行之、當如金石、依漢城府所啓決給、尹壕議、瑞原君不顧元財主本意、以私意分給諸子壻、懷義都正、據元財主本意、不從瑞原之命、兩皆未便、然本是金氏己物、宜從元財主之意、 命承政院議之、韓健・曹克治・洪興・李宗顥議、依所啓施行、又 命六曹・漢城府議之、韓致禮・鄭佸・宋瑛・韓堰・沈濣・宋鐵山・尹慜・尹坦議、瑞原君

違元財主本意、分給諸子女、雖不當理、然懷義都正、不從父意、死後爭奪、甚爲不可、以懷義都正觀之、父命爲重、況四十餘年久遠耕作、不可追改、依所啓施行、柳洵議、順敬翁主金氏、以田宅傳于養子瑞原君、而必欲傳給於懷義都正、此婦人偏愛之情也、瑞原君、忘養母之意、以其田分給子壻、此則富貴者無檢之過也、懷義爲之子、當敬遵父命、罔念翁主傳給於己之事也、今則不然、諸弟數十年以前分得不多田地、强欲歸己、以致訟官紛紛、至有議其父之愆者、宗室大家如此、民何望焉、其田依瑞原君區處、而懷義都正推鞫警俗、 傳曰、元財主金氏、傳田宅于養子瑞原君、而令全給養孫繼重、瑞原君、不與繼重、分于他子女、已爲不當、懷義都正葭、訴訟于官、無人子之意、田宅屬公、而葭推鞫科罪、以警其餘、則此事永爲常法、父雖欲不從元財主之本意、知屬公之法、而不敢爲、子雖欲訟其父過擧之事、畏科罪之法、而不敢訴、父子俱不失道矣、以此意、更議于前議宰相、沈澮議瑞原君、不從元財主願意、則不當、然父均分他子、非甚逆理也、父之於子、綱常重矣、葭毀父之志、而訟之、此甚逆理、罪之何如、尹弼商議、 傳教允當、如此則庶革父子相訟之風矣、洪應議、屬公之論不便也、瑞原君、違養母之指、不若葭之甚、於逆親父之命、當其初未發狀之前、瑞原君、爲無咎之考、及其旣狀、父之失乃著、於爲子之道得乎、若因子之訴、追改父之成命、以屬公、則是導民以非彝、不獨莪釋憾於父、將有難救之患、是不可訓也、以此防民、往往忽君親之所爲、終以爲懟者有之、此無他、不謹微於始、而爲大於終也、宜莫若恕瑞原之失、治莪之罪、庶乎事體得、而經世之法行乎、李克培·韓致禮·鄭佸·宋瑛·尹殷老·韓堰·金悌臣·尹慜·申從濩·尹坦議、 傳敎允當、尹壕議、一從元財主遺意、柳洵·沈瀞議、伏審 傳敎甚當、若有司謹於奉行、則父子失道者少、而爭端庶乎息矣、宋鐵山議、瑞原君、不顧願意、懷義都正、違父告爭、兩皆不當、似宜屬公、然瑞原君父子相傳已久、一朝屬公未便、元財主金氏限內族親分給、以鑑後來、 傳曰、召臺諫·弘文館議之、李枰·金悰·李湜議、 傳敎允當、如此則爲父者、不得不從財主之意、爲子者、不得訴父謬爲之事、庶絶父子相夷之弊、許琛·李承健·黃啓沃·許輯·金詮·金勿·成希顏·申用漑議、瑞原君、違養母遺意、懷義都正、欲奪父命、今依所啓、則是成瑞原之失、從元財主之意、則是中懷義之慾、誠如上敎、其所爭田屬公、懷義都正抵罪、則於重名敎息爭端幸甚、丘夙孫·崔浩·閔孝曾議、莪徒知有田、而不知有父、至擧父訟失、有關綱常、科罪警後、但案不從元財主之意、雖以違理、權宜均分於他子女、亦不甚悖、依稟區處施行、　傳曰、瑞原君、不從財主願意、任情區處、屬公可也、然過五年勿聽之法、載在大典、故今不屬公、以從瑞原之願意、懷義都正、則以子訟父、不可不懲、其令宗薄寺推鞫以啓、（成宗實錄第二百三十五卷二十年十二月丙申條）

祖母金氏は、其の養子瑞原君に遺産を傳へるに當り、瑞原君の死後は其の總てを、養孫繼重に傳ふべきを文劵に明記した。然るに瑞原君は金氏の遺意に反して、之を他の諸子女に分給した。そこで瑞原君の死亡後繼重は、諸弟の分得したものの返還を官に訴へたのである。繼重は罪を受け、財産は諸子に分給せられた儘となつて落着したが、諸子が分財を受けて四十年を經過し、出訴期限を超えて(貫限)耕作したことゝ、子として父の非行を訴へたことの許すべからざることゝが影響しなかつたならば、金氏の遺産は繼重が承繼すべきものであつて、元の財主の遺意に從はんとの尹壕の說もあり、係爭の財産を沒收(屬公)せんとする意見の多いのも、諸子女の分得を無效にせんと欲したからである。此の場合は先の事例と異り、繼重は金氏の孫であり、瑞原君は金氏の子である。繼重は瑞原君の相續人であつて、金氏の相續人ではない。故に相續の順序からすれば、普通の相續と異る處はない。唯祖母の遺命は、父に對する單純なる負擔ではなく、從つて父が子に對し、其の遺命の趣旨に從つて相續分の指定をなすことに依つて、始めて相續の效果を生ずるのではなくして、祖母の遺命の效果が孫に生じ、孫は子の相續人として、祖母の指定したる財產を當然に承繼する處に、此の遺命の特色があり、そこに後位相續との類似がある。前の事案も此の事案も、後位の相續人は遺言者の子又は孫である。父母・祖父母の遺命が子又は孫に、其の效力を及ぼすのである。又

傳于承政院曰、盧物載遺書內、有奴婢勿給妾子之語、若從父意、則懷愼妾子盧植等、不在分得之例、今依義禁府所啓而分給乎、抑從父命乎、其議于領敦寧以上及議政府、尹弼商・洪應議、臣意、祖父遺書、子孫所當遵守、但此奴婢、非盧氏家所傳、依義禁府所啓爲便、尹壕議、從父願何如、孫舜孝議、凡祖業田・民、唯傳得者主之、主者或傳於甲、或傳於乙、惟意所在、公家不得而奪之、金氏以己田・民、給其夫盧懷愼、則是乃懷愼己物、嫡子・妾子・收養・侍養、自當依法分得、唯盧物載所傳田・民、可從遺書區處、傳曰、依義禁府所啓分給、(成宗實錄第二百四十卷二十一年五月丁丑條)

盧物載の遺書のなかに、勿㆑給㆓妾子㆒の禁止があるので、盧懷愼の妻から傳はつた財産は別として、其の父盧物載から傳はつた財産に付ては、此の遺言の效力を認めて、妾子の相續を許さなかつたのである。父盧懷愼に對する祖父盧物載の遺言が、父の分財若くは遺贈の效力に優先して、孫の相續を規律する。唯消極的な制限である點に於て、前の事例と異る。同樣の制限の更に顯著なるものに勿㆑給㆓孫外㆒の遺命がある。

勿給孫外

父母が女子に財産を分給するに當つて、其の文記中に、勿㆑給㆓孫外㆒若くは勿㆑與㆑他の禁止文句を記入することが屢ある。生前の分給と遺贈とを問はない。此の禁止文句は、女孫の相續に當つて問題となり、問題となるのは多くは祖父母の歿後である。故に遺意又は遺書と稱し、一般に外祖父母の遺言として論ぜられるが、必ずしも遺言にのみ關するものではない。又固より外祖父母から女孫への直接の遺言ではない。此の禁止は、血族間に其の財産を維持せんとするのである。「孫外」と云ひ「他」と云ふも、同じ意味であつて、出嫁女の子女以外の者を指す。

孫外の範圍

子女なきときは本族に還給せしめんとするのである。故に繼後子・養子女・義子女及び妾子女に付て疑を生じた。

上曰、永樂三年九月受判、無子息人、全爲繼嗣、三歲前及遺棄小兒收養者、卽同己子、雖無傳繼、全給奴婢、洪熙元年十月受敎、一從祖上遺書、蓋三歲前收養、卽同己子、則全給奴婢、勿計祖宗遺書乎、雖三歲前收養、如其孫外、則從遺書、勿給奴婢乎、擬以啓(世宗實錄第六十一卷十五年七月乙丑條)

收養子女は遺書の孫外に當るものとして、勿給の適用を受くべきかを問題としたのである。侍養子女は問題とはならなかつた。これに對して、

刑曹啓、續典一款、無子息、文契未成身死者奴婢、三歲前及遺棄小兒收養者全給、又一款、祖業奴婢、其子孫不顧祖上遺書、擅自與他、未便、一從遺書決給、緣此決訟之際、官吏未知適從、昧於處決、雖三歲前收養、若是孫外人、則一從遺書決給、從之

(世宗實錄第六十一卷十五年閏八月壬子條)

とある。收養子女も孫外の人であるならば、祖業奴婢に付ては、遺書に從つて相續から除外せよといふに決した。故に出嫁女が弟の子を收養子としたときは、同じく孫であり、孫外勿給の適用を免れる。

然るにこれより以前に

刑曹啓、前此、傳給收養奴婢、本孫如將祖考勿給孫外遺書爭之、令從遺書決給、其立法前、已決給孫外者、處之如何、命政府・諸曹同議、僉曰、受敎前已決者、更改未便、命下詳定所(世宗實錄第四十八卷十二年五月甲子條)

已に孫外に決給したものは如何に處置すべきやとの伺ひに對し、受敎前の已決は變更すべからずと爲すのであるから始めは收養子女の傳給を許して居たのを受敎に依つて禁止したことがあつたやうである。それが更に疑を生じて重ねて前記の受敎を見るに至つたのであらう。尙ほ其の後も問題となつた。

次いで

議政府啓、續刑典節該、祖業奴婢、其子孫、不顧祖上遺書、擅自與他未便、一從遺書決給、乙卯年敎旨節該、無後婦人奴婢、分半給其奉祀義子、令官吏等不知立法之意、眩於處決、然出家女子、已去本宗、以夫家爲重、以義子爲己子、其自己所得奴婢、分半給其義子、不背於義、非擅自與他之比、當依乙卯年敎旨分半決給、其無弟子者、當依六典從遺書決給、且無繼嗣者、既以同宗支子立以爲後、一應家事、皆如己子、其奴婢・財產、泥於遺書、不傳於爲後者、而傳於族人、則尤乖於義、一如親子決給爲便、從之(世宗實錄第八十二卷二十年九月癸巳條)

これに依つて承重義子と繼後子とには、勿給孫外の適用なきことが明となつた。承重義子に限るのであつて、義衆子は孫外である。こゝに承重義子といふのは、先妻の子であつて、後妻の遺產に對する關係である。然るに反對に、後妻の子と先妻の遺產との關係がまた問題となり得る。後に述べる處の世宗實錄第九十六卷二十四年七月甲戌條に於て、前母の遺產に對する承重義子と、嫡母の遺產に對する承重妾子との相續を認め(三〇二頁參照)。

雖於祖上遺書、有非本孫母得與他之言、請依正統三年九月受教、勿論遺書有無、一依前項條件施行、從之

とある。

これに依つて、相續分の範圍に於ては、前母の遺產に對する關係に於ても、承重義子は孫外に當らないこと、並に嫡母の遺產に對する關係に於て承重妾子も亦孫外でないことが明となつた。承重子以外の妾子女は孫外である。正統三年

九月受敎といふのは、世宗二十年九月癸巳の前記受敎に當る(三〇三頁參照)。こゝでも收養子女は、繼後子と異り、養父母の喪に服せず、承重奉祀することなきを理由に、孫外を以て論じ、遺書の適用を認めんとするのである。然るに同じく世宗の三十年に於て、尙ほ收養子に付てこれが問題となつてゐる。世宗實錄第百二十卷三十年四月甲子條の一節に

(前略)臣生二歲、慈母見背、太宗哀臣孤弱、使盈德縣事崔一夫妻爲收養臣、自是長養此家、年及九歲、適養母大病、其侍養五寸姪女夫金晅等、巧說養母、盡傳其臧獲、臣則不給一口、歲癸丑、臣將此意啓達、命下刑曹劾之、金晅以養母祖上遺書力對、刑曹乃取見遺書、滿張亂草未成之書、難以取信、且聽承先王之命、曾爲收養、遺棄小兒、卽同己子、雖有遺書、不在此例、(下略)

とある權聽なる者の上書の一節で、臣といふのは聽のことである。二歲の時から養はれて收養子となつたが、侍養女の夫金晅が、病中の養母を籠絡して、養母の奴婢(臧獲)全部の傳給を得たので爭となつた際に、金晅は養母祖上遺書を以て力對したといふのであるから、其の遺書中に、勿給孫外の禁止があつて、收養子は孫

外だと主張したのであらう。權聰は其に對して、收養子は雖レ有二遺書一不レ在二此例一と云つてゐるのである。何れの主張が正しいのかは、全文からも明でないから、下略としたが、或は此の當時旣に收養子は、孫外の適用から免れてゐたのではなからうか。

經國大典刑典私賤條の用祖父母以下遺書の註には

三歲前養子女、承重義子、卽同二親子女一、雖レ遺書有レ勿レ與他之語一、勿レ用

とある。收養子女は孫外に當らないことを明にした。

嘉靖四十二年癸亥十月十一日子息等亦中、許與成給爲臥乎事段、矣徒、夫妻年皆八十、死亡無日爲乎等乙用良、四女息亦中、奴婢・田畓・家財等物乙、平均分衿爲去乎、子孫傳系鎭長耕食使用爲旀、末女段多產子女、生理無由乙仍于、慈意益增、各別家舍及常用雜物乙無遺許給爲去乎、長女段家計富裕、子息數少、次女段置家計亦豐、唯一獨子、三女段無子息、矣徒許給奴婢・田畓等乙、收養・繼後以許給爲在果、毋給孫外爲旀、矣徒百年後、時辛・四仲朔除良、

春秋輪回行祭爲乎矣《スルケレドモ》、自中相議設行爲遣《シ》、互相權誘安徐爲㫆《ス》、迷劣妾子乙、
物々《一々》贖身、七八年、至補充隊立役去宜、良役入屬爲行如可《シテガ今》、節改正案時別立
法爲乎矣《シタケレドモ》、贖身十年前代奴物故者乙《ヲ》、還賤亦《ト》新立科條是臥乎等用良《テアルヲ以テ》、還賤
爲沙餘良《シタケレドモ》、右者亦性行不順、不從家規、任意横行、不孝論斷爲乎喩在果《スベキデアルガ》、慈不
滅容忍、田畓・奴婢等許給爲去乎《スルモノナレバ》、矣徒《吾等》百年後不數年間、放賣丁寧爲《ナレバ》、毋賣他
人爲遣《シテ》、本孫買得爲乎矣《スベキモ》、吾亦《ガ》明年八十以《ニシテ》病勢又重、不能手書、乙仍于《ニ仍テ》養孫
崔雲遇乙用良《ヲ以テ》、筆執成文爲去乎《スルモノナレバ》、萬一不從願意爲去等《ナラバ》、此文記内意貌如《ノヨウニ》告
官辨正印
長女習讀金繼雲妻衿、婢訥非二所生奴訥叱失年癸酉生、婢春今二所生奴
桂守年癸酉生、奴粉山良妻幷産、婢粉非年丁丑生、奴末産金良妻幷生一所
生婢善之年癸巳生、奴粉山良妻幷産三所生奴粉松乙亥生、奴訥叱同良妻
幷産一所生婢只癸酉生、婢訥非二所生婢貴德癸未生、奴㫆叱金良妻幷産
一所生、奴分孫戊辰生、居扶餘、同奴二所生奴銀孫辛丑生、奴同良妻幷産一
所生奴金孫戊辰生、同奴良妻幷産二所生奴九月孫壬子生、婢貴德三所生

奴李萬乙卯生、奴竹山良妻幷產一所生婢銀之壬戌生、奴萬石良妻平丁幷
產一所生婢春伊丁巳生、池洞崑山畓二石落只、柳等員上畓二石落只、同員
下畓二十五斗落只、崔惠連家田皮麥二十五斗落只、家下金蕃田皮麥二十
斗落只、崔瑞㡚田貴麥三石落只、鍮東海二坐、火爐一坐、烽爐一坐印
次女參奉金諦妻衿、奴訥同良妻幷產二所生奴莫同甲申生、奴小訥同良妻
幷產二所生奴訥石只甲申生、奴加山良妻幷產二所生婢加金辛丑生、奴末
應金良妻幷產四所生婢金伊壬寅生、奴粉山良妻幷產三所生奴粉石只辛
巳生、婢透連二所生婢莫非年丙寅生、同婢一所生奴南山年庚寅生、同婢二
所生婢金庚臺庚子生、婢訥非三所生婢仲非乙酉生、奴權同良妻幷產二所
生奴太山壬寅生、同奴三所生奴莫山甲辰生、奴竹山良妻幷產二所生奴從
伊年丙子生、池同員金守龍畓二石落只、柳等員畓二石落只、樓橋員畓一石
落只、母山防築邊畓十斗落只、全好里中田皮麥二石落只、三永員田太九斗
落只、知品員畓十卜五夫、柄山員田六卜七夫、鍮盆二坐、火爐一坐印
三女成均進士崔浩妻衿、奴訥同良妻幷產一所生奴訥石伊辛巳生、婢合德

一所生奴內松甲戌生、奴末應金良妻幷產三所生婢合纔己亥生奴加山良妻幷產一所生婢古之戊戌生、奴粉山良妻並產四所生奴萬石伊甲申生、婢逸連一所生婢芿宗年辛丑生、同婢一所生奴種石乙酉生、奴末應金良妻幷產二所生奴善山丙申生、婢仲非一所生婢中今戊申生、奴芿叱石良妻幷產一所生婢九月己酉生、奴莫年癸巳生、居扶餘同奴良妻幷產一所生奴尹金伊丁巳生、婢合德二所生婢內德己卯生、知品員李賢達畓二十斗落只、同員畓十斗落只、外奉員畓一石落只、知品員尹琳畓一石落只、金好里金德均田皮麥二石落只、仍川員田太九斗落只、連谷崑同家垈田皮麥一石落只、赤谷畓十斗落只、方洞員乭屎畓一石落只、鍮蓋盆一坐、火爐一部印

四女崔雲遠妻衿、奴訥同良妻幷產二所生奴益石只丁亥生、婢訥非五所生奴貴同辛卯生、婢訥眞一所生婢叱今丙申生、婢戒金二所生婢金丁乙巳生、奴粉山良妻幷產六所生奴萬仇知己丑生、奴粉松良妻幷產一所生婢今德丁酉生、奴末應金良妻幷產六所生婢今之乙巳生、婢今德一所生婢今節乙卯生、奴芿叱石良妻幷產三所生奴九環乙卯生、奴竹山良妻幷產五所生婢

銀非乙酉生、奴小訥同良妻并産三所生奴乭屎戊戌生、婢加之一所生奴今
孫乙未生、海南員全禹勤畓二石落只、柳等員畓一石落只、知品員畓二石十
斗落只、造米山員畓七斗落只、門岩員畓三斗落只、家坐田皮麥二石落只、上
田粟二斗落只、鉅閑反田太四斗落只、鍮盖東海一坐、火爐一部印
妾子晩生衿、外奉員山同畓二十斗落只、方洞畓一石落只、造米山員於壽
英田粟一斗落只、海南員河連孫田皮麥五斗落只、婢貴德二所生婢權德
乙卯生、奴貴孫良妻并産一所生奴天音同丙子生印

財主父通善郎安邊敎授　崔　花押
母　恭人　鄭　印
長女婿習讀　金　繼　雲　花押
次女婿叅奉　金　諒　花押
末　女　婿　崔　雲　遠　花押
筆執三女繼後子成均生員　崔　雲　遇　花押

勿給の意義

四女息に分財したもので、其の文中に「三女は子息なし吾等の許給する奴婢・田畓は收養繼後に給するとも毋給孫外」の語がある。嘉靖四十二年は明宗十八年で經國大典頒行の後である。

これで孫外の範圍は明瞭となつたが、勿給の意味に付ては尙ほ疑の容地がある。此の點に關して、前記大典の註に付ての經國大典註解に依れば、

此指贈與而言、非指分數所得也、承重義子、則有所贈與、不拘遺書之意、若義衆子女有遺書、雖不得贈與、而其分數應得者、則亦爲祭祀而給之、此實國家公法、不可以私書而廢公法也、

謂ふ所は、勿與他の效力に關する經國大典の註は、專ら法定の相續分(分數所得)以外の贈與に關するものであつて、例へば承重義子は孫外に當らないから、遺書の禁止あるときでも、贈與を受けることを得べく、承重子以外の義子女は、之を受けることを得ないといふに止り、法定の相續に與ることを妨げるものではない。法定の相續は國家の公法である。私書を以て廢し得べき處ではないとの趣旨である。義衆子女の分數應得者とは經國大典刑典私賤條に

無二子女一前母・繼母奴婢、義子女五分之一、承重子則加二三分一、とある、五分之一を指すのである。此の相續分を、則亦爲二祭祀一而給レ之と云ふのは、牽强附會の嫌はあるが、要するに勿與他の效力を有することとなるのである。更に制限せんとするのである。其の所謂贈與は、分給又は遺贈を意味する。孫外に對する分財は、法定相續分の限度に於て效力を有することとなるのである。

第六　遺書に依る立後

立後に於ける遺書の地位

遺言に依る立後の事例は甚だ多い。併し遺言と云ひ遺意と云ふも、死者の願望を指すものが少くない。蓋し立後は、眞に遺書あるときでも、官に呈して禮斜を乞ふことを要し、原則としては兩家の父の同命して立てるのであるが、父の歿後は母が立後することを得る。所生父母又は所後父母の何れか一方が、倶に歿した後は、立後を許さないのが、原則ではあるが、情理矜むべきときは、兩邊の父母倶に歿した後でも、門長其の他の親族から上言して、特に立後の許を受ける途が開かれたが爲めに、亡父の遺言は、多くは單に情理を正當ならしめるに役立つに

事例

過ぎないからである（三五七頁参照）。

金致仁曰、今考公私文蹟、河緯地、欲以其弟紹地子爲後、至有署押付託之遺券、故重臣閔鎭厚、援據乙巳名臣金礎立後事、陳達先朝、請以河源爲緯地之嗣、則特命施之、河源卽上所云紹地之子、而頃年因嶺南道臣狀請、廟堂覆奏、錄用嗣孫矣、朝家既知其有後孫、則當施之典、何可仍以不施乎、令該曹別成論誥、依例宣下、恐不可已矣、上曰、令該曹卽爲成給、遣郞宣諭（承政院日記英祖乾隆三十五年四月二十三日條）

河緯地は弟紹地の子河源を以て後となさんことを遺書した。

曹粘目云々、觀此故忠義衛李商佑妻△氏上言、則其矣《ツノ》家翁、以大宗奉祀之人、無後早死、舅父生時、以家翁同生弟商民第二子鳴道、遺書定後、而未及斜出之前、商民夫妻相續俱歿、不得循例立後、特蒙天恩、以鳴道立爲家翁之後爲白良結《シタイノア》、有此呼訴爲白有臥乎所《タルトコロ》、一邊父母既已俱歿、則許以立後有違法例、勿施何如、康熙三十三年九月二十日、同副承旨臣韓聖佑次知　啓、雖是法外、特爲繼後爲良如敎《ト仰セラレタ》（法外繼後謄錄第六肅宗二十年甲戌九月十九日條）

これは亡舅父の遺書に依り、亡夫の弟の第二子を立てて亡夫の後としたのである。しかし此の場合は遺言に依る立後ではない。所後父たるべきものは亡夫であつて、亡舅父には立後する資格はないからである。遺書といふも亡夫に對する遺命か、然らざれば願望に過ぎぬ。

幼學朴世胄上言粘連云々、觀此上言、則其矣祖父狆衢、不幸無子、以其矣父元榮爲後之後、其矣伯父元享夫妻、早死無子是白乎等以、其矣生祖父狃衢年老之後、其矣同生弟聖胄、定爲元享之後、以爲還本宗之計、而聖胄時在襁褓、乙仍于、未及成出立案、而狃衢臨死之時、聚會門族、成置遺書是白乎矣、生父母相繼身死、祖父遺意尙未遵行是如、有此呼訴爲白有臥乎所、狃衢生時、欲以其孫、定爲亡子之後、以爲奉祀之地、則非但其矣情理之切迫、揆以國典、似當許給是白乎矣、即今、聖胄之父母既已俱歿、則有違於兩家父母同命立之之文、勿施行如何康熙二十六年九月初六日、同副承旨臣朴贊次知啓、雖是法外、特爲繼後爲良如敎（法外繼後謄錄第四、丁卯九月初六日條）

朴狃衢に元享・元榮の二人の子があつた。元榮は狆衢の後となつた。元榮には又世胄・聖胄の二子があつたが、元亨夫妻は無後にして死んだ。そこで狂衢は元榮の第二子聖胄を元亨の後となすことを遺書して死んだ。續て元榮夫妻も死んだ。故に世胄から上言したのである。雖是法外特爲繼後とあるのは、聖胄生家の父母倶に歿せるが故である。是亦父が子の爲めにする立後である。子の夫妻倶に歿し、從つて父に立後の權能があるとすれば、遺言の效力として考へられる。

又長子に立後せず、次子に承重せしめることを遺言を以て決定することがある。

問、有遺命、用兄亡弟紹之禮、厚齋曰、卽有遺命、而兄亡弟紹、又載於國典、則以次子奉祀、似無不可、第宗統甚嚴、長子立後、以承其統、此實禮正義至、愼獨齋曰、宗法立長、不易之禮、雖有遺言、決不可從、以此觀之、遺言雖重、或有所不可從處(禮疑類輯續編次子不當以遺命奉祀之義條)

其の遺言が有效なるや否やは、兄亡弟及が禮法に反するや否やの見解の相違に依りて岐れる(三二〇頁參照)。雖有遺書決不可從と云ふのは、無效の意味であらう。

しかし例へば

家兄以十九歲先死、其後孀嫂亦下從矣、先君平日、以兄亡弟及之意爲敎、故昨年當變、一遵遺訓、孤哀爲主喪、傍題亦以孤哀名書之矣、人或疑以奪宗、雖有遺命及此立後、則當爲遠嫌之義云、此等處、要之以十分道理、則遺命重耶、遠嫌重耶、或已爲殷及之禮、而每以遠嫌、後更有立後其兄者、如或以遺命爲重、則非他人所可强論而要之、遺命出於權宜、遠嫌繫是正當矣(錦谷集卷四答金錫正條)

といふが如き、遺命重きか遠嫌重きかの問に對して、他人の强て論ずべき所に非ずと爲し、遺言の效力に關する解答としては、甚だ曖昧なものもある。遺言を問題としたといふよりも、兄亡弟及の法の妥當に對して、懷疑の態度を示すものに外ならない。遠嫌して亡兄の爲めに立後することをも許さんとする處から見れば、遺言の效力を否定するものとも謂ひ得る。或は又之等の見解とは反對に、父在、長子無子而死、立次子、不爲長子立後、と云ふ說を取るならば父の遺言は當然のことを定めたものであつて、其の意味に於て效力なきものとも謂ひ得るであらう(三五一頁參照)。

遺言に依る廢嫡

立後の遺言とは反對に、遺言を以て廢嫡することもある（二五頁參照）。

尤庵曰、禮有嫡子癈疾、不得承重之文、今沈得祥之父、既以凶悖之人、得罪倫常、則其重於癈疾也懸矣、況其祖父判官公、及其祖母、前後有治命、至使得祥不得奉祀、則其絶之也嚴矣、今祖父母俱歿之後、乃敢違命奉祀、似無其理矣（或人答）（禮疑類輯附錄上宗法條）

ここに祖父母前後有治命と云へるは、恐くは生前に廢嫡したのであつて、遺言ではないであらう。しかしこれが遺言であつたとしても、結論は同一でなければならぬ。

禮曹啓、今承傳敎、輪對者有言、士夫家、有任情愛憎、廢嫡子而使支子主祀、綱常倒置、請今後、雖有父母遺書、勿聽許、依律論斷、臣等參詳大明律、凡立嫡子違法者、杖八十、其嫡妻年五十以上無子者、得立庶長子、不立長子者、罪亦同、今受父母亂命、而安然奪嫡者、亦以立嫡子違法律論斷改定、其或不堪承繼、出於不得已者、許從其父告官定奪、從之（成宗實錄第三十二卷癸巳七月庚寅條）

之に依つても、遺書に依る廢嫡のあることは明である。之を聽許する勿れと云ふのは、情の愛憎に任かせての廢嫡であり、亂命なるに依る。遺言に依る廢嫡を否定するものではない。

第七　遺言の無效

法規に反する遺言

刑曹據都官所啓、決訟條件、與議政府・諸曹同議啓、一、遺書雖一家之法、不可不從(中略)從之(世宗實錄第三十一卷八年正月丁巳條)

遺言は父母・祖父母の遺命であり一家の法として效力を認めねばならないのは勿論だが、國家の强行法規に違背し得ざることも亦言を俟たぬ。遺言が身分に關して法規に違背したものは、亂命と稱して其の效力を否定した。

大抵人家莫重於遺命、固當以此從事也、然繼曾之宗、一朝絕祀、其重比遺命尤甚、如有可爲之地、則唯當具由告祠堂立後、而不用遺命、方爲大正、然若無一家門長之可主此事者、亦難得成矣(南溪禮説卷七答李士粹書)

立後を禁じたる遺命に付てである。さきに擧げた任情愛憎、廢嫡子、而使支子主祀、綱常倒置、請今後雖有父母遺書、勿聽許も其の適例であつて、今受父母亂命、而安然奪嫡者、亦以立嫡子違法律論斷改定と云へる改定は、無效の結果を謂ふのである(成宗實錄第三十二卷癸巳七月庚寅條)。同樣に違法の廢嫡に付て

問、人有其父臨死遺命次子承重、不用長子之子、則且從父命耶、曰、其子雖欲從父命、若起相訟、則官豈有許從父命之理乎(鶴庵集卷三)

蓋無效の謂である。

鷄城君李來、嫡妻無子、妾劉氏有子、曰直生、來遺書、以劉氏爲嫡、又有一妾、系甚微賤、子曰善生、善生欲毀父遺書、而不以爲嫡、投狀憲府、爭訟有日、令議政府・諸曹同議、僉曰、嫡妾之分、天下之大義也、以劉氏爲嫡、一家之私意也、況尹氏之去就、劉氏之並畜、人所共知者乎、安可以一家之私意、廢天下之大義乎、然劉氏妾中之優者也、其功臣田、許於子孫科外相傳(世宗實錄第五十九卷十五年正月己亥條)

妾を以て嫡妻となし、妾子を嫡子となすことは、父の遺言を以てするも不可能である。

遺言自由の制限

遺言自由の原則は、遺産の處分に關する範圍に於て問題となり得るに止る。

然るに家產を血族の間に維持せんとする思想は、遺言の自由に大なる制限を加

へる。

家產は祖先より承けて、之を子孫に傳へねばならぬ。個々の權利の賣買若くは贈與を以て目すべきに非ざる限り家產を承くるものは、生前の分財に依ると遺贈に依るとを問はず、相續人たり得べき者の外に出づることを許さない。故に家產の處分は、多くは相續財產の分割の指定を意味する。遺言を以て他人を相續人に指定するには、遺言に依る立後又は養子に依らねばならぬ。これ分財を受くべき人の方面に於ての制限である。而も尙ほ其の分配が公平ならざることを理由に、其の效力を否定したものが少くない。＊分給の多少に關してまでも國家が干渉せんとするのは、そこに自ら存する倫理的な規範の制約の下に於てのみ、處分の自由を是認せんとするもので、其の意味に於てはこれ亦法律規範であり、法を超えての干渉ではない。

＊ 繼母擅權一家、亡夫己物、不給前妻之子女、或稱別給、或稱放賣、而易色給其己子女云々

(嘉靖甲寅九月十四日受教)

傳于政院曰、今觀掌隷院所啓公事、寡婦孫氏、既以其家翁三寸姪叔姜與、爲立後繼姓、則當視爲己子、土田・臧獲、例當全數傳係、而今反小給、而至於其家翁妾女子、則

殛反褒美多給、至百五十餘口、其情理似為錯矣、當依大典分數之法給之、其言于掌隷院(中宗實錄第八十六卷三十二年十二月庚戌條)

分配が繼後子に少く、妾子に過多なるを難じ、法定の相續分に依らしめんとするのである。

大司憲尹春年曰、臣之收養母、故經歴洪祉妻尹氏、而洪祉之母、郎卒政丞洪允成妻金氏也、洪允成傳係己物於金氏、使任意區處於己出、而金氏子女皆無後、則同生之子女、無可以收養者、且無同姓之親、可以為後者、故尹氏承金氏之命、取臣於己族、而收養矣、養父雖歿、其母尚存、夫命母命、似無輕重、此則以情而論也、以法論之、臣之養母、死於甲申、而庚寅年、洪允成妾子孫等、與臣爭訟而自退、非徒過呈狀不立訟之限、亦過三十年之大限、則大典註解、似無損益於臣矣、臣參拜本職、則前臺官、已接縣監黃湯卿妻吳氏之狀、吳氏收養之事、與臣收養同、故臣言於同僚曰、參議甚未安云、同僚曰、汝之收養、已過大限、不干於此、有何避嫌而不為乎、臣不能力止、終至於啓達、而入猶以不避嫌為非、發於章疏、鄭世虎上疏 在職未安、請遞臣職、答曰、卿之事、已過大限、不可以此至於避嫌、雖發於章疏、有何未安乎、勿辭(明宗實錄第二十一卷十一年八月

壬子條)

尹春年の主張する處に依れば、洪允成には嫡子洪祉の外に妾子もあつたが、財産の總てを妻金氏に傳係して、嫡室の子女に區處せしめたのである。斯る特別の傳係があつたとすれば、金氏の區處は、大典內無子女夫妻奴婢、生存者區處の適用ではないのであつて、妾子も不服は云へないであらう。併し金氏の區處に依つて、允成の遺產が洪祉の妻尹氏を經て、收養子たる尹春年に歸するに及んで、妾子孫との間に爭訟となつたのも、勢の免れざる處である。これは允成生前の處分であつて、遺言に依るものではないが、嫡子・庶子あるに拘らず、總てを妻に傳繼し、妻が收養孫に傳へた處に、妾子孫等の爭訟の理由がある。

憲府啓言、先正臣宋麟壽、有子應慶、無後、以從姪承祚爲後、而應慶之女、卽故參判李廷馨之前妻、而只有一女、應慶妻、偏愛其外孫女蘇賀震之妻、盡以先業付之、蘇妻無子、以廷馨後室所生孫慶榮爲侍養、慶榮於蘇妻、固非其族、況於麟壽、尤不相干也、其奉祀孫承祚之子孫、貧無事力、享祀幾廢、故往在仁祖朝、宋門族屬、申訴淸州、歸其臧獲矣、向日黨人用事時、慶榮之孫泰基、乘時攀緣、圖囑監司、勒令奪給、香火將廢、請令該道明查還給、且正李泰基非理冒占之罪、 上從之(肅宗實錄第十二卷七年八月

庚寅條)

宋應慶には男子なく、從姪承祚を立てて後となし、女子は李廷馨に嫁して一女を擧げた。應慶の妻は其の外孫女を偏愛して、夫の遺產を悉く之に與へたのを、承祚の子孫宋孫等が淸州に訴へて取戻したといふのである。既に繼後子のある以上、亡夫の遺產は繼後子が承繼する。妻が外孫女に與へたのは不當である。しかし遺妻の情として亡夫生前に立嗣せる場合に於ても、尙ほ且往々にして斯の如きものがある。

分財に關する遺言禁止の提議

遺產の不公平なる分配が、父母の死後に於て、兄弟・叔姪の間に爭の原因となるを理由として遺言の自由を否定し、常に法定相續に依らんとする提議があつた。

執義朴彭年啓、今本府、分揀妻妾父子之事甚多、其源乃因爭奴婢・田土・家舍・財物、而然也、以此骨肉相殘、風俗薄惡、誠非細故、臣以爲嫡室本息、及妾子息處奴婢分給之法、國有常典、其父以一時憎愛、不如國法、而失序分給、若有如此而文契不明者、請依成法、官作財主分給、上曰、不可率爾而答、予更商量、(中略)上謂承旨等曰、官作財主分給之言何如、都承旨李季甸等曰、天下無不是底父母、其奴婢分給、父母雖以一時之憎愛、多少不拘、豈違父母之命、而官作財主分給乎、宜從父母之命、而攸司詳辨曲直、分揀決給也、　上納之、仍謂曰、孝孫則宜改差（文宗實錄第九卷元年辛未八月甲午條）

又

惣制鄭招啓、父母於子、或因一時愛憎、不均分家財・奴婢者、官吏均給之法、曾命勿錄六典、臣意以爲、若無此法、則一父之子、一苦一樂、父不父、子不子矣、須有此法、然後父子兄弟相與和睦、而允合於天望矣、況官吏治民之私、古有其法也、　上曰、此是程子之言、古人云、從其治命、不從其亂命、雖君上之命、若不出於正、則不可從也、況以官吏而治民之私、有何不可、然如此則是輕改父命也、招對曰、其一苦之子、終必爲百姓矣、倘使已死父母、可作而問之、則父母之情、必不忍至是也、且爲子者、自非大舜、雖不揚言父母之過、於其心豈不潛有所憾乎、均之爲子、而一苦一樂、其可乎、　上曰、卿言然矣、然如此則、雖非父母老病所爲、而托辭訴訟、將有如前朝之意、決矣、官吏奉行之際、無乃有礙乎、對曰、群下獻策、上必審其可行而行之、然今見此敎旨、首曰、我今思之、又曰、痛心、太宗之敎、豈偶然乎、願與大臣廣議而行、　上曰、然、

仍命皇甫仁、曰、與政府・六曹詳議之(世宗實錄第四十九卷十二年九月丙辰條)

從其治命、不從其亂命の古語が遺言の自由に對する限界として一般に是認せられ、甚だ屢亂命を理由に遺言を無效としたに拘らず、此の種の提議は容れられなかつた。

不孝と遺贈の失效

亂命と並んで遺言の效力を否定するものに不孝又は恩義衰薄がある。前者が遺言者の失序分給の結果を緩和するに役立つたと同樣後者は、遺言者の死後に於ける受遺者の忘恩に對し、近親の憤慨を緩和するに役立つたであらう。遺言者に代つての分給の取消とも考へられる。

李迹、大提學行之子也、孜、迹之同母兄遜之子、而蒙哥、迹之孽弟也行嘗惡迹、以書責之、迹亦以書答之、辭甚悖逆、行怒乃作書、述迹不孝之事、及不給田・民之意、以遺其孫孜・庶子蒙哥、厥後行與迹復爲父子如初、及行卒、孜以祖遺書、欲全財産・田民、迹、亦出父所書分給財産文券、欲與孜分之、孜以爲、非祖所成之書、乃僞書也、遂訟于憲司、孜則據遺書、訟迹前日不孝之事、迹亦訟孜平日不祀祖父、及燒神主之事、憲司啓、請先治孜不睦燒主之罪、而正風俗、而後治此事、遂命義禁府、與三省同覈

李迹・李孜・蒙哥等(世宗實錄第八十二卷二十年八月丙寅條)

李行は次男迹が書を以て答へた言辭の悖逆であつたことを怒つて、迹の不孝を擧げ、遺產を分給せざる旨の遺書を認めて、長孫孜及び庶子蒙哥に授けたのであるが、其の後父子の仲は舊に復した。行は死んだ。遺產は本來ならば迹と孜とが同率を以て相續すべきであるが、孜は祖父の遺書に依つて迹を共同相續から排除せんとして官に訴へ、並せて迹の不孝を立證した。迹も亦父より受けた財產分給の文券を提出して、之に對抗したのみならず、孜は祖父を祀らず、其の神主を燒棄した不孝の事實を主張して爭つたのである。

前判承文院事成溥子孝源、繼母崔氏死、服喪百日、憲府請治孝源短喪之罪、成溥上言曰、崔本醜行之女、然臣年老、故以妾畜之、孝源服百日喪者、緣崔給蒼赤故耳、上曰、往者南季瑛丁母喪娶妻、予欲罪之、季瑛之父曰、臣不知事理、使之娶妻、是臣之過也、且有人啓曰、季瑛逼於父命、且有文學、予不治罪而用之、夫季瑛當娶妻之日、固非幼弱無知、猶可罪也、然以父命尙赦其罪、況成溥以醜行之妾而使孝源行百日喪、則孝源之罪、於義當赦、但崔之生時、孝源貪其蒼赤、以母事之、死則畏其罪責、播揚崔之過惡、則使喚崔之蒼赤、於義不合、奪其蒼赤、還崔本宗何如、其令議政府擬議以聞、僉議啓曰、成溥自言、崔有淫行、不曾成禮而娶、以妾畜之、及其死、令子孝源服喪百日、則孝源之於崔、不當論以繼母、況禮、親母爲父所出則降服、且父在則爲母服朞喪、今孝源從父之命、爲崔服百日喪、不可以短喪歸咎也、又以父之過、擧責子之罪、蔽塞前程、實爲未便、但奴婢傳得者、向本主恩義衰薄、則還奪例也、且崔之給孝源奴婢者、乃以義同親子、將爲奉祀之計也、成溥歷擧崔之過愆、絕不爲妻、則孝源之於崔義絕、使喚奴婢、不合於理、請以崔之奴婢、並還本宗、若無本孫、則依六典屬公爲便、從之、(世宗實錄第九十五卷二十五年二月己未條)

成溥の子孝源は繼母崔氏の死に當つて、百日の喪に服したに過ぎなかつたので、憲府は短喪の罪に問はんとして啓したのであつたが、成溥は崔氏を以て妾なりと辯解したので、其の罪は許された。しかし孝源は崔氏の生存中、其の有する奴婢(蒼赤)の贈與を受けて母として事へたに拘らず、死すれば則ち父の妾なりと云はんとするのは不當であつて、短喪の罪を許す以上は、孝源をして奴婢を所有(使喚)せしめるのは不合理であり、崔氏が孝源に奴婢を給したのは義親子に同じく其の奉祀を享けんが爲めであつたであらうから、母として奉祀しないならば、奴婢は崔氏の本孫に還給すべきだといふのである。　奴婢傳得者向二本主一恩義衰薄則還奪例也とある。　受贈者の忘恩行爲が贈與の取消の原因となると同じ理由によつて、贈與者の死後は官に於て之を取消さんとするのである。　世宗實錄第百二卷二十五年十一月乙亥條の内にも、收養子の相續分を主張せる内に臣妻生第七日、籌之夫妻、收而養レ之、以レ臣作レ壻、久爲二同居一、及二籌作一レ妾生レ子之後、暫不二衰薄一、待レ之如レ初、故及二籌之死後一、喪葬追薦、一依二親父母之例一、生前死後、恩義兼盡、と陳べてゐる（二三四頁參照）

第四章　子女の相續

第一　父の遺産に付ての嫡子女及び妾子女の相續分

父の遺産と母の遺産

父母の遺産は子女が相續する。子女には嫡子女あり、妾子女あり、妾子女はまた良妾子女と賤妾子女とに區別せられる。經國大典刑典私賤條に

父母奴婢、承重子加二五分之一、衆子平分、良妾子女七分之一、賤妾子女十分之一、

と規定し良妾子七分之一の次に

嫡母奴婢則否、賤妾子女同

と註記した。嫡母は妾子女の母でないことを意味する。嫡母と妾子女との間には親子關係なく、單に姻族關係を認めたに過ぎぬ。故に嫡子女と妾子女とに付て相續分を論ずるに當つては、父の遺産と母の遺産とを區別して考へねばな

らぬ。

嫡子女間

嫡子女には父の遺産を均分し承重子にはその上に祭祀條五分之一を加給する。故に承重子と衆子女の一人との相續分の比例は六對五となる。 朽淺集利之巻に國典以二五分之一一爲レ常、然田・民大小之家、恐不レ當下以レ是爲レ限、雖二分執之數、不上レ及二五分、而祭條不レ可レ不レ置也、と云へるは、此の比率を以て承重子の爲めに少きに失するといふのであるか、又は田・民の少き家でも祭條を置かざるべからずといふ處に意味があるのか明ではないが、何に基くものかを詳にし得ない。 經國大典刑典私賤條には

未分奴婢、勿レ論二子女存歿一分給、未レ滿二分數一者、均二給嫡子女一、若有二餘數一、先給二承重子一

とあり、嫡子女に均給して餘數あるときは、先づ承重子に給し、六對五の比率に止める趣旨と解さねばならぬ。

嫡子女と良妾子女

良妾子女の相續分は嫡子女の七分之一である。 一對六の比率を意味する。故に承重嫡子と衆子女と良妾子女との比例は

嫡子女と賤妾子女

承重嫡子		衆子女		良妾子女
1	:	$\frac{5}{6}$	:	1
36	:	30	:	5

となる。若しも嫡室に男子なく良妾子が承重するときは經國大典私賤條の

嫡無レ子有レ女者奴婢、良妾子承重、則其分加二二分一

に當り、此の時の祭祀條としては二分加給せられる。即ち一對六が三對六となるのである。詞訟類聚私賤條に謂下嫡女六口、承重良妾子、其分一口加二二分一、並三口、毎分加二二分上と云へるは其の意味である。

賤妾子女の相續分は嫡子女の十分之一である。一對九の比率を意味する。故に良妾子女と賤妾子女との比例は

良妾子女		嫡子女		賤妾子女
1	:	$\frac{6}{9}$	:	1
3	:	18	:	2

三對二となる。嫡室にも良妾にも男子なく、賤妾子が承重するときは、經國大典

刑典私賤條の

　嫡及良妾皆無ㇾ子有ㇾ女者奴婢、賤妾子承重、則其分加二二分一

に當り、祭祀條として二分加給せられる。故に嫡女と承重賤妾子との比率は本來九對一であるのが、九對三となる。從て良妾女と承重賤妾子との比例は

良妾女	嫡女	承重賤妾子
	9 :	3
1 :	6	
3 :	18 :	6

三對六となる。

妾子女間

　嫡室に全く子なきときは妾子女間に相續分が定る。

　嫡無ㇾ子女ㇾ者奴婢、良妾子女平分、承重子、則加二五分之一一、賤妾子女五分之一、

　卽ち良妾子女は均分し、承重良妾子には祭祀條五分之一が加給せられる。賤妾子女の相續分は良妾子女の五分之一、卽ち四對一で嫡子女と良妾子女との比率(六對一)よりは懸隔が少いが、嫡子女ある場合の良妾子女と賤妾子女との比例が三對二であつたのに比較すると、其の差が多いのは何の故であるか明でない。

嫡室には子女なく、良妾には女のみありて、男子なきときは、賤妾子が承重する。即ち

嫡無子女、而良妾無子有女者奴婢、賤妾子承重、則其分加二分

故に良妾女四に對し承重賤妾子三となる。嫡女あるときの良妾女と承重賤妾子との比率は三對六であつたのが、嫡女なきときは四對三となる理由も明でない。

嫡室に子女なく、良妾にも子女なきときは、

嫡及良妾無子女者奴婢、賤妾子女平分、承重子、則加五分之一。

これ等の分數を通じて、相續分の差等に付て稽ふるに、良妾子女と賤妾子女との比を五分之一即ち四對一とし、嫡子女と良妾子女との比を七分之一即ち六對一とするならば、嫡子女と賤妾子女との比は當然に二十四對一即ち二十五分之一であるべきに拘らず、之を十分之一即ち九對一と定めた。若も嫡子女と賤妾子女との比を十分之一即ち九對一とし、良妾子女と賤妾子女との比を五分之一とするならば、嫡子女と良妾子女との比は九對四であるべきに拘らず之を七分

一 比率の不統一

之一卽ち六對一とした。若も嫡子女と良妾子女との比を七分之一卽ち六對一とし、嫡子女と賤妾子女との比を十分之一とするならば良妾子女と賤妾子女との比は、當然に三對二であるべきに拘らず之を五分之一卽ち四對一とした。比率の統一は保たれて居ない。祭祀條に付ては平等者間では五分之一を加給し、相續分に差等ある者の間(嫡女と承重良妾子又は良妾女と承重賤妾子)では本來の比率に二分を加へたことが明である。

大典以前の妾子女の地位

以上は經國大典の規定であるが、賤妾子女の相續は、太祖の初めに於ては認められてゐない。

一、妾子無傳繼明文者、給七分之一、其賤妾所生、無明文而爭望者禁止、(太祖實錄第十二卷六年七月甲戌條)

卽ち父の生前に分給を受くるは格別、相續には與ることを得なかつたのである。それが間もなく

奴婢辨定都監上言、歷考古典、大小宗、嫡妾之法、全以承家繼嗣爲重、其有嫡室無後者、妾子固當繼嗣、乞於良妾子孫、專給奴婢、若良妾亦無子、而自己婢妾有子者、

雖無傳繼明文、宜減半給之、一半屬公、其娶他人之婢爲妾有子者、只給七分之一、餘並屬公、上允之（太祖實錄第十二卷六年七月辛卯條）

となつた。嫡室に男子なく、良妾にも男子なきときに限り、賤妾子の承重を認めると同時に、自己の婢妾の子なるときは遺産の半分を之に相續せしめ、殘半分は國家に歸屬せしめる。他人の婢を娶て妾とした者の生んだ子なるときは、遺産の七分の一を相續せしめ殘七分の六は屬公としたのである。婢妾は即ち賤妾である。この太祖六年の受教は、太宗五年乙酉の受教に依つて改正せられた。

一、嫡室無子息者、良妾子息奴婢全給、良妾亦無子息者、賤妾子息、給七分之一、良妾有子息者、賤妾子息、給十分之一、只有賤妾子息者、計給外奴婢、及全無子息者奴婢、同腹中存歿勿論分給、無同腹、則限使孫四寸分給、其中生前死後恩義現著者加給、嫡室有子息者、良妾子息、給七分之一、賤妾子息、給十分之一、嫡室只有女子、良妾有男子者、給三分之一、良妾子承重者、爲半分給、一、無子息人、專爲繼嗣三歲前節付、及遺棄小兒收養者、奴婢專給、侍養者同姓、給三分之一、異姓者、給四分之一、其餘奴婢、以上項例限使孫四寸分給、無四寸者屬公、有傳係者、不在此限（太

宗實錄第十卷五年九月戊戌條）

これを前に述べた經國大典の規定と比較するに、(1)嫡室無子息、良妾亦無子息ときは賤妾子息に七分之一を給する。太祖六年の受教に自己の婢を妾とし子あるときは減半し、一半は屬公、他人の婢を娶つて妾となし子あるときは七分之一を給し、餘は屬公とあつたのを、一律に七分之一とし、而も餘は屬公となすことなく、之を本族に給することに改めた。只有賤妾子息者、計給外奴婢、（中略）同腹中存歿勿論分給、無同腹則限使孫四寸分給と云へるがそれである。賤妾子息は父の本族と共同相續を爲すのであつて、從て此の場合の七分之一は遺産の七分之一ではなくして、本族六に對する賤妾子息一の割合を意味するものと謂はねばならぬ。之を經國大典に照すときは嫡及良妾無子女者奴婢、賤妾子女平分、承重子、則加五分之一に當る。賤妾子息の地位は、經國大典に於て更に高められ、同じく父の子として、本族の先順位に於て相續するのである。＊(2)良妾有子息者、賤妾子息給十分之一は、經國大典の嫡無子女者奴婢、良妾子女平分、賤妾子女五分之一に當る。經國大典に於ける賤妾子女の地位は、こゝでも高められてゐるのを見る。(3)本族中被相續人の生前死後に恩義顯着なるものに對して加給することは、經國大典では認めてゐない。(4)嫡室有二子息一良妾子息給二七分之一一賤妾子息給二十分之一一は、經國大典も同一である。(5)嫡室只有二女子一良妾有二男子一者、給二三分之一一、良妾子承重者爲レ半分給は、其の後段は、經國大典の嫡無レ子有レ女者奴婢、良妾子承重、則其分加二二分一に當り、六對一に二分を加ふれば六對三となつて、爲レ半分給に符合する。 其の前段の嫡女子と良妾男子との比率三分之一は、經國大典に於ては認めてゐない。 嫡女は衆子女として併せて規定し、男女均分主義を徹底させたのである。 尙は嫡室只有二女子一場合に、承重子が賤妾子なるときは、經國大典では十分之一に二分を加へ、九對三とするのであるが、これに付ては言及してゐない。其の外嫡妾共に子なきとき、及び收養子又は侍養子あるときに付ての定めに關しては、後に讓る(二四一頁、二五一頁參照)。 **

* 嫡妾共に子女なく、只賤妾子女のみある場合に、此の受數に於ては、僅に父の本族との共同相續を認め、而も其の率は本族の六に對して一である。 經國大典が賤妾子女に遺産の全部を給し、父の本族をして相續に與らしめないのに比較するときは、遙かに低位にあるに拘らず、當時は尙ほ之を以て多きに過ぐるものありとし、奴婢十口に限らんと

する意見があつた。

受常參視事、詳定所啓、大小人員嫡妻無子、賤妾有子者、請給其子奴婢、不過十口、其餘限使孫四寸分給。上曰、正嫡及良妾無子、則雖賤妾之子亦是承重、父母奴婢、何可減給、況本朝賤人、有奴婢百餘口者、尙不能禁、更議以啓(世宗實錄第四十八卷十二年四月乙亥條)

** 又太祖六年の受教に於て屬公としたのを、此の受教で限四寸分給、無四寸則屬公と改めたので、屬公せられた奴婢の還給を願ひ出る者が多かつた。

申、無傳繼奴婢、限四寸分給之法、議政府上言、據刑曹都官狀申、去乙酉年九月判旨內一款、無子息無傳繼奴婢、限四寸分給、無四寸者屬公、今以判前屬公奴婢、訟于官者頗多、乞受判前已曾屬公者、勿擧論、受判以後、無子息、無傳繼者、方許限四寸決給、無四寸者、乃屬公、從之(太宗實錄第十一卷六年二月戊辰條)

乙酉年は太宗五年に當る。

比率と端數

前記私賤條の

未分奴婢、勿論子女存歿分給、未滿分數者、均給嫡子女、若有餘數、先給承重子、又有餘、則以長幼次序給之、嫡無子女、則良妾子女、無良妾子女、則賤妾子女同、

の前段は、子女均分の原則を掲げ、餘數を以て承重子の祭祀條に充て、端數あるときは子・女を論せず、長幼の序に從つて順次配給することを定めたのであるが、其

の後段に於て、嫡無子女則良妾子女と云ひ、又無良妾子女則賤妾子女と云ふのは、嫡子女と妾子女とは、相續順位を異にすることを意味するものでないことは、嫡子女と妾子女との間に相續分を規定せるに依つて明である。相續分は同順位に於ける相續人の間に於てのみ意味をなすからである。故に同じく未滿分數に關する規定であつて、端數は嫡子女に給し、妾子女間に在りては良妾子女に給する趣旨と解する外はない。

第二　繼後子及び次養子

一　繼後子

同宗と同姓

經國大典禮典立後條に

嫡妾俱無子者、告官立同宗支子爲後

立後は、始めは制限せられたる範圍に於てのみ認められた。

大宗者收族者也、不可以絕、故族人以支子後大宗也(儀禮)

其の大宗と云ひ、同宗と云ふは、同姓と同じ意味ではない。

(小記)曰、別子爲祖、繼別爲宗、繼禰者爲小宗、有五世而遷之宗、其繼高祖也、是故祖遷於上、宗易於下、尊祖故敬宗、敬宗所以尊祖禰(中略)○鏞案、繼別爲宗者、公族之宗也、繼高爲宗者、庶姓之宗及公族之貳宗也、庶宗・貳宗、皆於其族得爲大宗也、繼禰之爲小宗、公族庶姓之通例也、宗之遠促、惟視所戴之祖、或尊或卑、故經文雙擧爲說(中略)

(大傳)別子爲祖、繼別爲宗、繼禰者爲小宗、有百世不遷之宗、有五世則遷之宗、百世不遷者、別子之後也、宗其繼別子之所自出者、百世不遷者也、宗其繼高祖者、五世則遷者也、尊祖故敬宗、敬宗尊祖之義也(與猶堂集三十四卷出後二)

長子の長子は祖父を繼ぎ、次子の長子は父を繼ぐ、父を繼ぐ者は小宗である。祖父を繼ぐ者を以て大宗となす。曾祖を繼ぐ者は、祖父を繼ぐ者に對しても大宗であり、高祖を繼ぐ者は曾祖を繼ぐ者に對しても大宗である。高祖を同じくする者を族人と云ふ。五世にして親盡き、神主は廟より移して墓に埋める。故に代を經る毎に宗は下に易る。尤庵集答宋道源(奎濂)の内に神主祧遷、則其宗毀、而族人不復相宗矣、又安有宗子之名乎と云へるも亦其の意である。獨り諸侯の衆子は、別子と稱し、別子の長子は別子の後裔を族人として、所謂百世不遷之宗となるのである。故に又繼別之宗と云ふ。

鏞案、古禮、非同宗不得立後、故雖天子諸侯之別子、若無繼別之子、則不得立後、是何故也、我爲人祖、上無所繼、雖昆弟之子、非我同宗、何以立後、(中略)瓊山所記大明之制、乃周漢相傳之大典、親王若此、況於士庶之家乎、今支子之支子、上無所繼、下無所傳、而取人爲後、視爲天經、甚則遠取遐族之子、以奉己祀、經所云同宗可也者、已空言無用矣、經所云同宗者何也、繼禰者、以昆弟爲同宗、繼祖者、以從父昆弟爲同宗、溯而上之、其例皆然、今人鹵莽、以同姓爲同宗、甚者譜系不明、昭穆不辨、而取之爲子、以奉先祀、春秋傳所云、神不歆非其類者、亦空言無用矣○又按瓊山之論、上不問所繼、惟以親屬之遠近、欲定所取之先後、此不易之倫也、百世不遷之宗、雖九十九世之族、可取爲後、繼禰之宗、非昆弟之子、不可取也、溯而上之、其例皆然、雖繼別大宗、若於別子血裔、都無可取之子、則統絕家除、不得有繼、豈可取別宗之子

以爲吾後乎、此義明而後斬於所後、降其本親、方有倫理、不可不深究也(下略)(與猶堂集三十五卷出後四)

古禮では、同宗でなければ立後するを得ない。天子諸侯の別子でも、無後であれば立後しなかつた。上に繼ぐ所がないからである。父を繼いで始めて兄弟は同宗であり、兄弟のみが同宗である。祖父を繼ぐものは兄弟及び從兄弟が同宗である。繼ぐ處上に遡るに從つて同宗の範圍は廣くなるが、繼別の宗を除いては、五代にして止る。然るに今は支子の支子が、上に繼ぐ所なきに拘らず立後して己の祀を奉せしめ、又遠族の子を取つて後となす。同宗は同姓に變り、神不歆非其類といふことも空言となつた。繼く所に血脈の相通するものあるが故に後たるを得るのであつて、所後の父母に對し、斬衰の喪に服するのも、其の故であると云ふ。本來の立後の意義はさうであつたであらう。併し三代又は五代で宗を斷つことが、人爲的であり、又自己の祀を繼がしめんとする思想も加はつて同宗は同姓に變ずる傾向を示すのは寧ろ自然であらう。續大典立後條にも

凡嫡長子無後者、以同宗近屬、許令立後

とはあるが、恐らく嚴格には行はれなかつたであらうことは後に述べる（三七一頁參照）

林滌上書曰、承重之後者、法當以次長子之子爲後、而今則不然、擇其人賢否愛憎、越等而立後者有之、傷倫敗紀之風、由此而起、宜並禁斷、以杜紛紜、從之（增補文獻備考卷八十六私祭禮條）

賢否愛憎を擇で後となすことも、之亦人情の趨く處、禁斷は困難である。

按、南溪曰、禮大宗及貴爲大夫者外、不可立後、而今世雖支子遠族、皆爲繼絕、使班祔一路遂廢、誠足慨然、然程・朱諸賢、既不能正而反助之、至張子則曰、今律五服內、方許爲後、若五服內無人、使後絕可乎、須以疏屬爲後、其視程・朱之論、不翅加增、又曰、家禮固有班祔一節、而又立爲人後之文、不分宗・支、其意可知也（四禮按）

貴賤を問はず又五服內に限らず、汎く取つて後となすことを認めんとする先儒の意も亦、立後を認むる以上、勢已むを得ざるが故である。

立後の要件

異姓の者を立つることを許さず、外孫を取つて後となすを得ない。原則として立後の家には、嫡妾倶に子なきを要し、所生の家と所後の家と、兩家の父の同命に依つて立て、官に告げて禮斜を受ける。所後の父既に歿して後は、母から立後を願ふことも許された。所謂死後養子である。繼後子と所後の父母及び其の親族との間の關係は、嫡長子と同じく、所生父母及び私親(實家の親族)との關係は、喪一等を降した。言ひ換へれば、實父母は伯叔父母の地位に立つのである。

議政府啓、古人無繼祀者、以族人之子立後、其法尙矣、稽諸古典、儀禮喪服傳曰、何如而可爲之後、同宗可也、何如而可以爲人後、支子可也、疏曰、嫡子當家自爲小宗、不可後於他、故取支子、支子則第二以下庶子也、喪服通禮、士之子爲大夫、無子爲之置後、疏、若無嫡子、則以庶子、無庶子、則以族人之子當適處、其爲所後父母及內外親、服皆如親子、爲所生父母及私親、服皆降一等、杜氏通典、晋何琦議以爲、卿士之家、別宗無後、以孫若曾孫後之、賀循曰、兄弟不相爲後、不得以承代爲世禮也、性理大全、陳氏曰、神不歆非類、古人無子以族人續之、取其一氣相感、後世理義不明、多潛養異姓之兒、陽若有繼、陰已絕矣、又多有以女子之子爲後、氣類雖近、姓氏亦異、斷不可行、觀此則聖人制爲繼續之道、誠大公至正、有關於人倫世道、爲甚大、而歷代之制、亦可槩見、我朝自來立後之意不明、繼嗣不正、世臣舊義、漸就衰微、實爲弊法、自今依古制、大夫・士之家無嗣者、以同宗適子外支子、立以爲後、諸支子中、許從所欲立者、且於諸族孫中擇而立之亦可、其爲人後者、須兩家父皆在同命之、然後方可出後、立後之家、雖無父、若其母願之、則許告於國而立之、其有功德及大臣・宗室・賢者之後、特命立嗣者、雖兩家皆無主者、不在此例、凡立後者、一應家事、皆如己子、爲後者、亦如親子、爲所後者、及爲私親喪制、一從古法、其兄弟及屬尊者、雖同宗不得爲後、異姓雖有作子者、不得立祠堂、其爲所生父母及本宗服皆無降以此定爲永制何如、從之(世宗實錄第七十七卷十九年六月辛酉條)

古くは外孫を後としたこともあつた。

門下侍郎平章事皇甫穎上言、臣無嗣、乞以外孫金祿崇爲後、從之(高麗史節要卷四)

又異姓を後とした例もないではない。

徐居甫所問異姓立後、西山家亦有此事、蓋當時俗例也、朱子既以爲今人之失、則雖曰今雖追正、固不謂仍爲後人之法也、今不可據以爲說矣(南塘集卷二十一)

右の內、且於諸族孫中擇而立之亦可とあるが、孫の列に在る者を繼後子とすることは、次の受教に依つて明に禁ぜられた。

先是金孝之、以四寸孫孝盧、爲繼後子、至是禮曹啓、昭常爲昭、穆常爲穆、昭穆不可紊亂、孝盧以孫繼祖、昭穆紊矣、宜勿聽、然前此如此立後者多、不可一々追改、請自立法後一皆禁斷、且於大典添錄、傳曰、如知其非、則雖已前立後者、皆當改正、其以此議于領敦寧以上、鄭昌孫・韓明澮・沈澮・尹壕議、祖孫・兄弟不相爲後、已有古法、本朝亦依此、已有受教・立法、則非但金孝盧、在前祖孫爲後亦違禮制、不可垂示後世、並改正何如、尹弼商議、支子別作一宗、則衆子孫不與焉、何有紊亂昭穆之序、若以爲非、則李德根・烈山正之事、亦當追改、自今爲限何如、洪應議、在祖宗朝、如廣平大君、爲懋安君後之類、豈能盡追改也、以當代立後者更議何如、傳于承政院曰、予之初意、已前立後者、並欲追改、今更思之、幽明無異、若奪而不祀、則已享之神、終無血食之處、主祭之人、無復有奉祀之心、情理乖戾、無乃不可乎、依禮曹所啓何如、僉曰、上教允當(成宗實錄第百六十六卷十五年六月壬子條)

經國大典禮典立後の條にも

尊屬與兄弟及孫、不相爲後

未婚の者は立後するを得ない。

義安君卒逝、雖已授職、而未行婚禮、立後前例有無、令禮曹考啓、禮曹啓、以文宗朝、潭陽君未婚而卒、其時論議不一而謄錄散失、相考無據矣、傳曰、立後無例、托食於同生可矣(宣祖實錄第二十二卷二十一年戊子三月己酉條)

又

世豈有無母之子、不當立後、當以次子爲嗣、古禮、既冠不爲殤、則只謂治喪與服制一用成人之禮、非謂立其後也、家禮、則既娶方不爲殤、冠而未娶者、不立後何疑(近齋禮說卷八答洪直弼)

支子

立同宗支子爲後即ち長子は人の後となることを得ないのが原則である。

金黃岡、幼時伯父庶尹公取養之、擬以爲後、公曰、禮爲人後、必以支子、國法亦然、吾是吾家之長子、不宜出後、庶尹公憮而聽之、然公猶服喪三年、以報養育之恩(聞見劄記・國朝典故考)

唯本宗は絕つべからざるが故に、已むを得ざれば支宗の獨子を取つて後となすことが、例外として許された。

郡守尹應之、以元勳海平府院君尹根壽之嫡長孫無子、欲以從弟之第一子鎡爲後陳疏、大臣崔鳴吉・申景禛以爲、必取同宗之支子爲後、乃周公定制、尹挺之既有

二子、則次子出繼、爲合於禮(增補文獻備考卷八十六立後條)

尹應之は本宗である。從弟尹挺之の長子を後となすことを得なかつたのは尹挺之には二子あり、次子を取るのが本則だからである。若し次子がなかつたならば、長子の出繼が許されたであらう。但し春官志二、繼後條には前記の文を掲げ

獨子の出繼と所生父の祭祀

是後第一子出繼之命亦多〇仁祖朝

と註記してゐる。

喪禮備要の獨子爲大宗後の條に

(通典)漢石渠議、大宗無後、族無庶子、已有一嫡子、當絕父祀、以後大宗否、戴聖云、大宗不可絕、言嫡子不爲後者、不得先庶耳、族無庶子、則當絕父以後大宗、(程叔子)曰、禮長子、雖不得爲人後、若無兄弟、又繼祖之宗、絕、亦當繼祖爲後、禮雖不言、可以義起、(沙溪)曰、長子無後、則儀禮及國典(按大典通編立後節續條云、以同宗之長子爲後者勿聽)皆以同宗支子爲後、故自前必以支子爲後、曾有一宰臣、引通典說陳訴、以其弟獨子爲後、因成規例焉(宰臣卽黃秋浦、餘詳類輯立後諸節々)(南塘)曰、大宗

不可絶、獨子出繼、其父班祔、義亦當然、然有他子可立後者、則亦不可取其獨子而使之立後也、獨子出繼、其父更爲立後、情理亦不順、無後而立後、本不得已之事、何必兩家皆立後乎(詳見本集答金常夫書)

通典の庶子は衆子である。嫡子は適子であつて長子をいふ。其の意は、大宗は絶つことを得ない。長子は人の後とならずとは、衆子あるに拘らず長子が出繼することは出來ないといふに過ぎぬ。衆子なければ獨子と雖も出でて大宗を繼がねばならぬと云ふのである。獨子が出でて大宗を繼ぐとすれば、父の祀を絶たねばならぬ。故に其の父の祭は班祔することになる。南塘は、此の場合に父は立後することを得ないと解するのである。そこで出繼した獨子に二子あるときは、次子を還へして、父卽ち次子から見れば祖を繼がしめることを得ないかが問題となる。曾て一宰相ありと云つた黃秋浦に付て、既にそれが問題となつた。

尤庵曰、黃秋浦、以其弟惕之獨子爲後、是義州公也、義州次子璡、將還後其所生祖、其時愚與春兄、稟於愼老、愼老亦以爲難處、謂姑以其所生祖、班祔於宗家、似無大

段過誤矣(肅齋集三別紙條)

義州公は獨子の身を以て、父の兄黃秋浦の後となつたが爲めに、自己の次子璡を還して、實家の後となさんとしたのであるが、其の當否が疑はれた。 蓋し孫を以て祖を繼ぐからである。

これに付て與猶堂集三十六卷出後十五に

(通典)魏劉德問曰、同宗無支子、唯有長子、長子不後人、則大宗絕、後則違禮、如之何、田瓊答曰、以長子後大宗、則成宗子、禮、諸父無後、祭於宗家、後以其庶子還承其父、○鏞案、禮、殤與無後者、從祖祔食、故祭於宗子之家、(曾子問)田瓊蓋據是也、然苟非繼別大宗、祖有遷矣、祖遷宗易、而出後於疏遠之貳宗者、猶奉兩家之祭、則大不通矣、鬼非其祖、不應祔食、一門二廟、是樹有二本、衣有二領、傷天地之正理、而可爲禮乎、如孝寧大君、百世不遷、若其宗無子、則凡爲孝寧之裔者、雖與宗子疏遠、猶當以獨子入承大統、暫奉兩家之祭、以俟其產子、如田瓊之說可也、其祖既遷、(庶宗過五世)猶云吾宗、猥用田瓊之法、則竊禮之不中者也、且古者大夫之祭、不過三世、若據古禮、則凡非同曾祖之孫者、不可用田瓊之禮、何者、高祖無廟、不得祔食也、○又按、今人或以獨子入爲宗後、別取疏遠之昆弟、使承吾父、此又大非禮也、吾父明有血胤、今令越人爲後可乎、俗論嫌昭穆缺落、不肯用田瓊之禮、不知昭穆雖缺血脈未斷、則合天理而順人情、未若田瓊之爲愈也、

これに依れば、獨子が出でて大宗の後となつた場合に、共同の祖が未だ其の廟に在るときは、暫く父を其の祖に祔食して、兩家の祭を奉じ、次子の產れるを俟つて、之を父の後となすべきであつて、此の場合に孫を以て祖を承けることゝなり、昭穆缺落するが故に、俗論は之を嫌ひ、疏遠の昆弟を取つて父の後となすのであるが、昭穆を缺ぐも、血脈の通ずるを以て寧ろ優れりとすると云ふのである。

又曰ふ

鏞案、范氏父子異論、各有所據、然譬之草木、枝葉可剪、大幹難伐、未有幹亡而枝存者也、小宗雖絕、大宗宜繼、若然、不惟繼別者宜然、凡繼祖繼曾之宗、皆當絕小而續大、無差等也、〇又案、范氏亦以五世而遷者爲小宗、其義非也、苟如是也、凡繼禰繼祖繼曾者、雖絕其祀、不得立後、安在知尊祖敬宗也(與猶堂集三十五卷出後三)

之に依れば、百世不遷之宗のみならず、五世而遷る庶宗に於ても支宗の獨子が出繼することを認める代りに、庶宗に在りては本宗・支宗の關係を、高祖以下を共同

祖先とする者の間に限らんとするのである。しかし一般に立後に於て、同宗を同姓と同意義に擴張するならば、疏遠之貳宗と雖も本・支の關係を認め、所生父を班祔して、兩家の祭を行ふことをも許すべきであらう。鬼不歆非其類といふことが空言となつたと同樣、鬼非其祖不應祔食と云ふことも、五世を限りて嚴格に解することは出來ないと思はれる。

繼後子の地位

繼後子は、相續に關しては、承重子に同じ。續大典刑典私賤條に

嫡無子女者奴婢、如有繼後子、則不可謂嫡無子、其分數、以嫡子承重者論

又曰

嫡有女、又有繼後子、又有養子女者奴婢、嫡女與繼後子平分、而繼後子、則加給奉祀條、養子女只依分數

ここに養子女と云ふは、收養子及び侍養子である。嫡有子女養父母奴婢、養子女十分之一、三歲前則七分之一に依るのである。

繼後子は嫡長子に同じ。故に後に實子が生れたときは、實子は次子であり、衆子であるべきである。然るに初めは却て實子を嫡長子とし、繼後子を衆子の地

位に下した。

受教輯錄禮典立後條に

立嗣後、却生親子、則親子當奉祀、而繼後子、論以衆子、毋得紛紜罷養（嘉靖癸丑承傳）

子なきが故に他人の子を養ふて繼後としたのである。實子が生れたならば罷養することが、以前には行はれたのであらう。此の受敎に依つて、實子が後を繼ぐにしても、繼後子は衆子として、財産の相續に與ることとなつた。それだけは繼養子の地位が、保證せられたのである。然るに後に生れた實子が、妾子であつたが爲めに、玆に繼後子の相續法上の地位が問題となつた。

故政丞柳溥之子師商無子、取從弟師琦之子和爲後、既而師商生妾子、上言請罷繼後、命收議、大臣援大明令繼後々却生子、則令親子奉祀、而繼後子爲衆子、若兄弟然之文、使師商妾子奉柳溥之祀、和仍爲師商子、此在明廟朝事也、厥後師商、妾子與和爭其嫡母財物、以和爲侍養而非繼後、該掌官、請議于大臣、定之、而或以爲、和既已爲師商子、服喪三年、今不可破、或以爲、若從大明令之文、以和爲衆子、則嫡子不得奉祀、而妾子奉祀、爲妨碍、請論以侍養、上從侍養之議○憲府論啓、師商生存之時既爲父子、而今日爭財之日、論以侍養、極爲無理、請依明朝朝已定之議施行、答曰、不允、後令三公正二品以上會議、或以爲和既爲師商之子、不可謂無妾子奉祀、而嫡爲衆子不可、或以爲親子奉祀、而繼後爲衆子事可、上皆以爲不可、以和依大明令家產均分之例、及木具設前收養即同己子之法論斷（宣祖實錄第十四卷十三年庚辰九月壬子條）

事案は、立後の後に妾子が生れたのである。祭祀の承繼に關しては、大明令の規定が援用せられて、實子祭を奉じ、繼後子は退て衆子の地位に卽くこととなりて、一旦は解決したのであつたが、其後嫡母死んで、其の遺產の相續に付き再び爭が起つた。此の場合に想像し得べき三つの見解が總てここに主張せられてゐる。卽ち一は、繼後子は嫡子に同じといふことを前提とし、妾子に先つて承重せしむべしと爲す說。二は、妾子と雖實子をして奉祀せしむべしとし、繼後子を侍養子を以て遇せんとする說。是蓋し繼後子を嫡子と看做すときは、妾子をして承重せしむることを得ないからである。三は、侍養子に代ふるに收養子を以て待遇せんとする說である。立後の後に嫡子が生れた場合ならば、大明令に從つて繼後子を衆子となすことは、一方實子を奉祀者たらしめることを得ると同時に、他方繼後子も亦遺産の均分に與ることを得て、兩者共に穩當なる結果を得るのであるが、後に生れた者が妾子であるが爲めに、之に奉祀せしめんとするならば、繼後子の地位を妾子の下に落さねばならぬこととなつたのである。幸に收養子なる制度があつて、奉祀者たる資格はないが、嫡母の遺産の承繼に付ては、妾子の上に在る。本問の解決の爲めには、第三説が最も妥當である。

しかし實子が生れたからとて、輙ち繼後子の地位を奪ふことの當否が根本に於て疑はれた。右の嘉靖癸丑の受敎に付ては、夙に儒者の間に異論があつた。

栗谷立後議曰、父之於子、子之於父、其恩情一也、子既捨生父而父其所後、則父獨不能捨親子、而以繼後子爲嫡乎、若父捨親子爲無理、則子捨生父無理尤甚矣、故禮無罷繼之文、而其論爲人後、女適人者、皆降一等、而女被出、則有還服之文、子無還服之議、其不許罷繼、灼然明矣、癸丑年受敎所謂、論以衆子者、雖引大明令、而今所云々者、只論義同兄弟、均分財物耳、非謂論以衆也、此敎雖立而不久旋罷、禮官誤置于新立科條之故、至今猶存、兄爲衆子、弟爲嫡子、甚乖情理、此受敎不可擧行也、自今以後、立爲不罷之法、永成金石之典、則綱常倫紀、庶得其正、而天下後世之

爲父子者定矣、(禮疑類輯附錄上)

栗谷は李珥、宣宗朝の人である。諸大臣も亦改正を獻議した。

以有繼後子、而以親子奉祀者改定事、諸大臣獻議、領府事李景奭以爲、臣竊聞、國朝嘉靖癸丑受敎、立嗣後、生親子、親子奉祀、繼後子論以衆子、毋得亂繼、又於仁祖朝、故相臣崔鳴吉、繼後後生子、請從胡文定公故事、以繼後子爲長子、蒙允、前後分甲如此、然天倫一定、序不可易、求諸古人、則諸葛武侯無子、取兄瑾子喬爲後、及後生子瞻、而以喬爲嫡、胡文定公安國、養其兄子寅、後生二子寧・宏、而以寅爲後、此實可法者也、今若依臺啓、自仁祖朝受敎後、有違者一切釐正、則年所已多、久近不齊、恐不免叅差異同之舛錯、臣之愚意、自今日申明、布告中外、反正後受敎永以爲式、則上不廢嘉靖時受敎、下不違仁祖朝成憲、似爲便順、左議政元斗杓以爲、爲人後者、爲之子、禮經明訓、或以己出爲承重、殊非明倫序、重嫡嗣之意、今此諫官據經爲證、又有仁祖朝受敎、臣何敢異同、右議政鄭維城以爲、旣已立後之後、則父子之倫、嫡庶之序已定矣、禮經之意至嚴、豈可以己出有所紊亂於其間、況仁祖朝明有受敎、朝臣亦多遵行、臣何敢更容別議、上答曰、依嘉靖癸丑受敎施行、其後司諫李敏

廼啓、請還寢依受敎施行之命、而上竟不從（顯宗實錄第六卷三年壬寅九月丁亥條）

既に立後して嫡嗣定つた後は、實子が生れても、これに承重せしめることは不當なりとし、諸葛武侯及び胡安國の故事を引き、嘉靖の受敎を廢し、仁祖朝の受敎に依らんことを議し、左右相の意見も一致したのであつたが、允されなかつた。然るに其の後も、屢諸大臣より仁祖朝の受敎に依らんことを啓したので、遂に釐正の受敎があつた。

既有繼後子而使己出主祀、大有乖於禮制、更爲定制釐正（康熙己酉承傳）（受敎輯錄禮典立後條）

康熙己酉は顯宗十年に當る。 顯宗改修實錄第二十卷十年正月戊戌條に

上御養心閣、召對講心經（中略）時烈又曰、故相沈之源、有繼後子益善、而使其己出益相主祀、大有乖於禮制、當初臺官啓請改定、則不許、頃日以奪嫡論劾則從之、聖上擧措何其前後之異也、臣意則自朝廷釐正、而仍以爲定制得宜矣、朱子曰、宗法先就世族家行之、倣箇樣子、方可使以下士夫行之、之源以大臣、連姻宮禁、豈非小民之所取法乎、上曰、奉行之間、得無窒碍之事乎、時烈曰、長子奉祀、其在天理人倫、

豈有不順乎、浚吉及戶曹判書閔鼎重相繼申請、上命更爲定制釐正

とあるのがそれである。

忠簡公（俞椳 號鳳洲）無子、以堂從子命賚爲子而生公（俞命賚 慈敎堂）焉、國典、立後後生親子、親子奉祀、所後子爲衆子、忠簡公遺命從國典、公既長、知此事非禮經之意、引胡康侯故事、將讓于命賚、以告宋文正公、文正公歎其合於禮、白上許令移宗、因並及大臣韓興一、沈之源及諸大夫、士家皆視公歸正、著爲令（著庵文集中慈敎堂傳）

是亦其の當時のことであらう。

續大典禮典奉祀條に

凡無子立後者、既已呈出立案、雖或生子、當爲第二子、以立後者奉祀

となつて揭げられた。

文獻備考卷八十六立後條に

系後子及所生子、定嫡支、宣祖癸未、判書李珥、論立後事啓曰、爲人後者爲之子、是常經通義、無子而有子、父子之倫已定、反以所生父母爲伯叔父母、則與親子無異、當以兄弟之序定其奉祀、故宋賢胡安國有親子、乃以繼後子奉祀、既如此、則祖孫之倫亦定矣、（中略）若世俗常情、歸重於親子、則先王立後之本意不明、而父子爲假合之親、倫紀紊錯、所係非輕、司諫院啓曰、爲人後者爲之子、乃常經通義、無子而有子、父子之倫已定、雖或有立後之後、又生親子者、亦常

以兄弟之序、定其嫡支、而世俗常情、歸重於親子、遂以親子奉祀、而令所後子爲衆庶、曾在仁祖朝、禮官引胡安國故事、請以所後子奉祀、已成受教、請命禮曹更加申明、自仁祖以後、有違者一一改定、大臣李景奭・元斗杓・鄭維城等議曰、諸葛武侯、取兄瑾子喬爲後、及亮生子瞻、而喬爲嫡、文定公胡安國、以兄子寅爲後、後生二子寧・宏、而以寅爲後、此實可法者也、國朝嘉靖癸丑明宗朝受教、立嗣後生子、親子奉祀、繼後子論以衆子、毋得能繼、又於仁祖朝、相臣崔鳴吉繼後後生子、請從胡文定故事、以繼子爲長子、蒙允、前後令甲如此、若依啓辭有違者、一切釐正、則恐不免參差異同、上命依嘉靖癸丑受教施行、諫院又請反汗、判中樞宋時烈亦以此陳奏、於是命依仁祖朝受教、更作新事目、告知中外、

前掲受教の釐正に至る經緯を叙したのである。

二 次養子

次養の濫觴

兄弟の列に在る者を立てて後となすことを得ない處から、次養子なる變則が行はれるに至つた。卽ち長子に子なきときは、孫の列の者を選んで、長子の繼後子とするのが本則であるのを、同じく子の列に在る者を立てて、次養子となし、其の子の生れるのを待つて、亡長子の繼後者とし、祭祀を之に傳へんとするのである。故に事實に於ては、宗祧は、從て又承重子としての相續分は、次養子を介して

次養子の子に傳はるのである。

増補文獻備考卷八十六立後條に

長子無子、立系後子、又取其子爲長子後。〇寅平尉鄭齊賢之子台一、歿而無子、立姪健一爲後、及健一之子志式年滿九歲、健一呈狀、乞依前約立爲台一後爲宗孫、許之

次養子の制は、此の寅平尉の家の事に始り、次に述べる權是經の家の事と共に、事例として屢援用せられる。

又以禮曹言啓曰、今正月十五日、大臣備局堂上引見入侍時、司諫李觀命所啓、繼後人倫之大、而喪紀禮制之重也、於此一有所乖、則人道亂而風俗壞、可不懼哉、故判敦寧權是經、在世之時、爲其無子、取族人子爲子、未幾而死、則取孫行以爲繼子之後、而又取繼子之弟、爲第二養子、及是經喪出之後、繼孫及養子皆服衰服、倫禮之乖悖、莫此爲甚、請令禮官稟旨釐改、以正風化、上曰、令該曹稟處事、命下矣、凡人無後、則以同宗近屬、許立其後、而立後之法、只繼絶而已、一人之繼子、至於二人、有違常例、而今此權是經家事、則以其前後呈本曹立案文書見之、則其所立後、蓋

有委折、其立子立孫之先後、與臺啓差異、壬子年、以相華爲其養子、無後身死之後、遠近族人中、無他行序之可以爲孫者、不得已、以兄亡弟及之例、庚申又取相華之弟相勛、立爲第二養子、而其後相勛又無嗣續、宗祀將絶、年久後、始得族中一人、立後繼絶、而揆諸先後次序、宜先立長子之後、故先繼相華之後者、亦其事勢人情之不得已者也、既已爲相華繼絶傳重、則第二養子相勛、自不得爲繼絶之人、而本生父母已死之後、不得歸宗、禮意有在、且於受敎、有立嗣後生親子、則繼後子奉祀、而毋得紛紜罷繼之文、雖以情理言之、稱父稱子三十年之久、而再服三年之喪、則遽罷其養、亦甚難處、且有鄭台一・健一近事之可據、而父子定倫所關甚重、且係變禮、以臣等孤陋之見、不敢斷定、議大臣稟處如何、傳曰允(承政院日記康熙四十八年己丑四月初十日辛亥條)

事案は、權是經なる者、族人相華を立てて後としたが、子なくして死んだ。孫の行列に適當の者がないので、兄亡弟及の例に倣つて、相華の弟相勛を立てて第二養子とした。然るに相勛にも子がなかつた。宗祀將に絶えんとして、年久しくして後に、始めて族人中孫の列の者を選んで立後した。そこで是經の死んだときに、其の繼後孫と、相勛との二人が斬衰の喪に服した、爲めに奇異の觀を呈し、倫禮之乖悖莫此爲甚として、司諫の啓する所となつたのではあるが、問題は其の繼後孫の爲めに相勛は如何なる地位に置かれるかに在る。之に對する禮曹の見解は、長子の爲めに立後するのが順序であるから、此の場合立後者は相華の繼後となるべきであつて、相勛は祭祀を承繼し得べき者ではないが、さりとて生家の父母は既に死亡し、復歸(歸宗)するを得ないのみならず、是經とは父と呼び子と呼ばれて、三十年を暮らし、三年の喪にも服したのであるから、今更罷養して父子の緣を絕つに忍びないといふのである。然るに反對の見解は、

(上略)行判中樞府事徐宗泰以爲、今權相勛、既無繼絕之重、而仍爲支子、爲人後而爲支子、考諸禮律而無據、揆以道理而甚乖、然此則有不可以常制論之者、相勛後權是經、爲父子三十年、再行三年之喪、而到今所生・所後父母俱亡、在禮又不可以歸宗、父子之倫一定之後、誠有不可遽然還罷者、該曹啓辭參酌明查、恐無容別議、第權是經家、繼相勛在先、繼孫而爲第一繼子之後在後、其事出於情勢之不得已、而有違常例、末終致此難處、自今明爲定制、繼後子雖無子而死、必待當有其子之

後者、而毋得立他子、以明繼絕不可貳之義、恐當事係變禮、所關重大、以臣淺見何敢質定、伏惟　上裁、傳曰、更爲問議(承政院日記康熙四十八年四月十三日甲寅條)

又

禮曹以權是經家繼後一款、稟旨、收議于大臣、判府事李濡議曰、先正臣金長生所撰疑禮問解中、答人兄亡弟及後、兄妻立後奉祀當否之問、有曰、長子妻無子而有子、當奉祀也、又更思之、長子妻無子、已移宗於次子、到今立後、必有辨爭之端、未知國典如何也、此雖歸重於古禮、而亦以移宗一節爲難之意也、權是經、旣取相勖立後、相華之移宗已在於此、而其繼後子到今承重、禮典無所據、若使相勖仍主宗祀、而相華之繼後者、爲其衆孫、則父子・祖孫亦失其倫矣、徐宗泰議曰、相勖爲人後而爲別子、禮律無據、道理甚乖、第父子之倫一定之後、誠有不可還罷者、自今明爲定制、繼後子、雖無子而死、必待當爲其子之後者、毋得立他子爲當、　上命依宗泰議施行(肅宗實錄第四十七卷三十五年四月壬子條)

即ち相勖も繼後の爲めの第二養子である。承重の資格なしといふのが抑も不穩當である。人の後となつて而も支子たることは、禮律に根據がない。相勛が是經の家を繼いだのは、繼孫が第一繼子の後となつたよりも先であるから、依然として相勛が繼後子でなければならぬといふのである。何れにするも第一繼子に子がないからと云つて、直に第二繼子を立てたから、斯る困難な問題に逢着するのである。繼子の疊立を禁止せよと建議してゐる。此の第二養子が次養子の制度に迄發展したのは、昭穆の重複に對する口實を得んが爲めの必要に基くのである。

上御熙政堂(中略)、蔡成胤曰、昨日當直、有一諺書上言者、乃沈廷輔妻李氏繼後事也、上曰、幾寸耶、壽賢曰、昨夜李氏上言於當直、臣方帶金吾之任、故卽爲來告、而李氏係是故宰臣之妻、況是當直上言、不宜退却、故卽使呈于政院、而政院想亦未詳其實狀、故臣敢達矣、雖是公主奉祀繼後一事、只在於事之當否而已、沈廷輔與臣爲同宗、而分派已遠、與近宗有異、以沈泰賢、繼廷輔後、誠是意外矣、　上曰、與卿分派幾代乎、壽賢曰、臣之十三代祖青城伯沈德符、十二代祖國舅青川府院君溫、而青川之兄、仁壽府尹沈澄、乃廷輔之先祖也、兩家子孫、今至二十四五寸、各有宗黨、彼此只以同姓待之、謂之仁壽府尹派、靑川府院君派云、而未曾有取而繼後之事、蓋以派分遙遠之故、也、今此李氏、不問于本家、猝有此上言之擧、婦人不識事理、乃以法外事、上徹　天聽、竊恐、自上或未洞燭事狀、故如是煩達矣、　上曰、沈泰賢、與卿近族乎、壽賢曰、泰賢卽臣八寸弟、而宅賢之同生弟也、曾經三司、且有八十老母、豈可許其出繼遠宗乎、援以法典禮制、俱爲不當、而泰賢之母、猝聞有此事、號慟罔措云、泰賢決不忍舍其老母、往服廷輔之喪、若有不承命之擧、則亦難加罪、且父子天倫何等重事、予授自有國法、朝家亦不可强定、而廷輔之養子師淳、今雖早歿、其妻尙在、當爲師淳立後、何可復定廷輔之次養子乎、　上曰、再次養子亦有之乎、壽賢曰、故判書權是經、養子死後復定養子、而養長子之妻、立後爲長孫、第二養子爲次子、不得奉祀、次養子非法意、故其後有申禁之令、其後則士夫家、無次養子之義矣、至於鄭健一、則鄭台一身死後、公主無侍奉之人、故特命以健一爲公主次子、使之奉養、而以健一之子、繼台一後、爲奉祀孫、此則公主在時、朝家特命、而今廷輔家、雖曰公主奉祀、與奉養有異、不可援以爲例矣、　上曰、公主家奉祀、豈可不繼乎、寸內無之乎、靑平尉兄弟幾人乎、壽賢曰、靑平尉之父、故相臣之源、以沈益善爲養子之後娶之子、靑平尉同母兄弟四人、則其子孫豈無可以立後者、而仁壽府尹諸子孫亦多有之、擇其近族中、以定沈師淳之後、以爲合宜矣、

（下略）（承政院日記雍正五年丁未十月初五日丁未條）

沈廷輔には養子師淳があつたが、夭死し。廷輔亦死んだ。廷輔の妻李氏は遠宗の沈泰賢を立てて、廷輔の後となさんとして、上言をなしたので、泰賢の八寸の兄壽賢は、泰賢及び其の老母の爲めに頻りに其の不當なることを說いて、允許を阻止せんとしたのである。其の內に次養子のことがある。廷輔の養子師淳は今は歿したが、妻は尙ほ生存してゐる。師淳の爲めに立後をなすのが順當であつて、廷輔の次養子をなすべきでないと云ひ、再次の養子も亦これ有るかとの下問に答へて、判書權是經の例を擧げ、法の精神に反するもので、禁令出て後は之に倣ふ者はないと云ひ、又鄭健一の例を擧げ、台一死して公主に奉侍する子がなかつたので、特命に依つて健一を次子となし、其の子を以て台一の後を繼がしめ、奉祀孫としたことがあるが、廷輔の死後に奉侍の要はないと辯解してゐる。だが事の當否は別として、權是經の例と鄭健一の例とを結合した處に、次養子の制度は胚胎するものと考へられる。それにしても此の當時に於て、尙ほ次養子はまだ一般には行はれてゐなかつたことが窺はれる。雍正丁未は英祖三年に當る。

儒家も亦次養子の制度を批難し、禮の正しきに非ずと云ふ。

次養於古無稽、肇自寅平尉家、而士夫家、或有援以爲例者、然非禮之正也、尊門宗孫、既爲長子堯臣立後、而堯臣繼子勉中、又無子死、則當爲勉中立嗣、而不此之爲、更取勉中本生弟大中、立爲堯臣後、名以次養者、是爲可已不已也、縱不獲已、當待大中生子、爲其兄繼絕、而大中又不幸死而無子、則當此擇定宗嗣之日、恐當立勉中之後、尸大宗之祀、已矣勉中既服堯臣內喪、又降服私親、而不傳重、不立後、則是無罪而見黜、其可乎(梅山集卷十三答金氏門中)

次養子をせずに濟む間は、禮の正しきに從ひもしやうが、昭穆の序に制限せられて、適當の繼後を得難い事情の下に於ては、次養子の名の下に、其の束縛から免れんとするのも已を得ないことであらう。

上御熙政堂、(中略)金在魯曰、右相卽今情事、實爲可愍矣、右相自前連喪長成之子、至今衰境、子然爲無子之人、亦無立後可合處云、朝家宜有別樣軫念之道矣、自前士夫家、或有長成子喪亡、則取他兄弟之子爲繼子、待其繼子生男、立爲亡子之子者、其例非一、而皆因特命、如寅平尉家、及故判書權是經等諸家、皆是也、且大臣顧遇有別許、令勿拘常法、自擇其子行、啓達立後、似宜矣、　上曰、待大臣之道自異、依爲之(下略)(承政院日記乾隆五年九月初九日條)

乾隆五年は英祖六年に當る。特に次養子を許されたのは、大臣の殊遇に依つたのではあるが、老境に在つて子を喪ひ、兄弟の子を立てて次養子となさんと欲する者は、獨り大臣に限らないであらう。大臣より漸次下に及んで、遂に常法となつたのである。

曹申目粘連達下《セラレタノデ》、是白有亦向前《先般》故忠臣尹集奉祀孫定給事、議大臣稟處如何、達依準敎是乎《ト仰セラレタカラ》等以議于大臣、則領敦寧趙顯命以謂、故縣監尹瀗獨子天柱、無後夭死之後、瀗以昭穆之差池、不能爲天柱立後、取其弟溭之子大柱、收養膝下、欲待其娶妻生子、取爲天柱後、以奉先祀、明有可據文字垂後者、而瀗死後、一家公議、又以大柱出禮斜、定爲喪人、則大柱既是瀗之介子、而大柱之子、但當依瀗之遺意、立爲天柱之後、以奉故忠臣尹集之祀而已、大柱雖死、瀗之遺書則自在、宜無異論於其間、臣意、則以大柱之子頊、繼天柱之後、大柱取宗人可合者、立爲其後、如無可合立後者、則依禮文班祔、似爲允當云、行判府事金若魯以爲、臣素昧禮學、惰勢難安、不敢以大臣自處、不得

次養子の性質

獻議、無任惶悚云、行判府事鄭羽良以爲、故縣監尹濂、其長子天柱夭死之後、無立後之人、取其弟復之子收養、其意出於大柱生子後、取其子爲天柱之後、以奉先祀、文字分明、則今當取大柱之子、爲天柱之後、以成其遺意、以奉其先祀而已、無容更議、至於大柱之或立後・班祔、非朝家所知、區々微見如此、伏惟　上裁云、領議政金在魯以爲、病狀方重、叫痛昏瞀、不能詳考細思、而兩大臣獻議之外、別無他見云、領府事兪拓基在外、不得收議云、大臣之意如此、　徽裁何如、乾隆十六年九月二十四日右副承旨臣申晦次知、　達依大臣議施行(法外繼後謄錄第十三乾隆十六年乙亥四月二十一日條)

尹濂の獨子天柱は、子なくして夭死した。濂は弟復の子大柱を膝下に收養し、妻を迎へ子を產むを待つて天柱の後こなさんこしたのである。其のここは遺書に明白である。今大柱は子項を殘して死んだ。大臣收議して大柱の子項は、天柱の後こなつて先祀を奉ずべきであり、大柱の爲めには、別に宗人を立てて後こなすか、然らざれば祖廟に班祔すべきであるこなし、其の議が採用せられた。此の場合大柱は卽ち次養子に當る。

次養子の名は權是經の第二養子から出で、再次の養子の意味であらう。併し既に鄭健一の例も、鄭台一は實子である。　右相の場合も、連喪長成之子とある。
此の天柱も實子である。　次養子の特徴は、次養子の子を以て、長子又は先繼の後を繼いで奉祀孫たらしめ、自らは退いて別宗となるに在る。

問、庚寅年儒臣筵奏、以族叔三嘉公錫長子道濟、立爲其兄鎬之後、戊戌年道濟夭死、姪行無可繼者、故鎬之妻、欲援引寅平尉家例、更立次子、以待其子之生長、而復繼道濟之後、因遂庵言不果、三嘉公姑爲權攝、丙辰相臣奏、以錫之次子夏濟、更立鎬之後、而道濟則罷還本家矣、不幸夏濟又夭逝而無嗣、一家方議定其後、而曰、夏濟承祀七年、降服私親、又爲所後祖母服喪三年、而道濟則雖主祀十年、無此二者之重云云、鄭觀濟　陶庵曰、檀弓孔子曰、立孫一句、即禮之大經、亙萬世而不可易者、若夫帝王家、則當別論、有非匹庶所敢僭引、近世寅平都尉家、謬例一出、而士大夫行之者衆、其害理也大矣、錫之第一子道濟、爲宗子鎬之後、主祀既十年、而不幸無子而死、禮當爲道濟立後、而乃改立錫之第二子夏濟、爲宗嗣、是則寅平家例也、以道濟而言、則是宗子而無罪見廢也、以夏濟而言、則是支子而殆近奪宗也、死者固寃甚、而生者其得自安於心乎、今夏濟又不幸死而無子、當此擇定宗嗣之日、似若爲夏濟立後、而此則實有大不可者、夫父子天屬也、倫紀一定、本無可絕之義、況道濟已死矣、死後何罪而見絕、已死之人、又安有能絕之可言哉、所謂還歸本宗者、爲本宗無後、歸奉其祀也、已死之道濟、雖曰還本、亦豈有奉祀之實乎、道濟與夏濟、死則同、而其無後亦等耳、欲立宗子、則不可不乘此機會、以正其失、今當爲道濟立後、俾主先祀、至於所以處夏濟者、則雖或以爲、當如道濟罷繼還本之例、而一之已大謬、其可再乎、宜仍以夏濟爲鎬之次子、錫則更求宗族中可繼者爲後、如此則揆以禮法與情理、似可兩得而無憾矣、或曰、夏濟既爲其本生親服朞矣、又爲承重祖母服、則是宗子也、道濟則雖曰十年主祀、既無此二事、且罷繼至於七年之久、今乃捨宗子、而反爲已罷繼者立後、豈有是理、曰、夏濟之代其兄、正所謂不當立而立者、頭腦既不是、中間二事、何足論也、道濟則所謂不當廢而廢者、既知其失、則雖累十年之久、安得不爲之釐正乎、或曰、以宗子而無罪見廢、今而得伸、則於道濟固幸矣、夏濟亦是宗子、既服承重之喪、而不得爲繼統之人、亦不冤乎、曰、自夏濟而言之、則始以朝命黽勉代其兄、而其心則固不安、生前雖不得讓位、而猶足爲死叔齊、斯豈非順天理而協人心者乎、或曰、錫有二子、而渠則不免絕嗣、得一他人子、豈不冤悶乎、夏濟則其將讓統於兄、而亦爲無後之人耶、曰、世之只有一子、而出後於大宗者亦多、以所重有在故也、今錫之二子、雖盡歸大宗、此於孝子慈孫之心、焉有寃悶之理、且寧已之絕嗣、而不忍父兄之無後者、人之至情也、錫與夏濟之心、亦奚間於生死、況錫之後、雖非己出、自可不絕、夏濟既爲鎬之次子、則亦可立後自爲別宗、如此則宗統既得正、而二人俱各有後、使死者有知、必甘心而無所恨也、或曰、義理則固然矣、而此非自本家所可變通之事、始也道濟之罷繼歸宗、夏濟之代爲宗嗣、皆出於君命、今欲捨夏濟而立道濟之後、則必須更煩陳稟而後方可爲也、而朝議未必其如此、爲夏濟立後則易、爲道濟立後則難奈何、曰、天下事只有是非兩端、是則從之、非則改之、小事猶然、況倫紀之大者乎、尋常士夫家猶然、況大賢之後事乎、圃隱先生、我東方道學之所從出、於宗統之重、尤當一以禮律、不敢少忽、何可從俗苟且而爲之也、往年陳白、不過權宜之策、既知其苟且、則所當釐正之不暇、況往年則道濟子行未有生者、今則多有之、前後事勢亦有不同矣、此事體重、固不可不復經稟裁、苟能據實陳奏、而得請則所以改之者、是亦　君命也、何疑之有(禮疑類輯附錄上)

權是經が第一養子の死亡後、其の弟を第二養子に立てたのは、兄亡弟及の例に倣つたのであつた。兄亡弟及の例からすれば、第二養子の子は其の儘で奉祀孫である。然るに鄭健一は其の子を、前約に依つて鄭台一の後とした。次養子は其の子を以て先繼の後となし、自らは別宗を爲すことが、此の制度の特徴となつたのは斯くするに非ざれば、祭祀に關する社會的感情が、此の制度を正當付けることを阻んだが爲めであらうことは、右の陶庵の所論を通じて推察し得るのである。嗣子死して後がなければ、嗣子の爲めに立後すべきである。次養子に依つて先繼は、死後に宗子たることを廢せられ、次養子は支子たるべくして、先繼の宗を奪ふといふことが、甚だしく不當に感ぜられたのである。之を先繼は實家に罷還したものと解することは、陶庵の指摘する如く牽强附會の說である。死後に於ては罷養も歸宗もあり得ないからである。故に先繼に子なく、次養子にも子なきときは、先繼の爲めに立後することが始めから確定せるものとすれば、此の不當の感は、著しく緩和せられる。但し次養子も亦人の後となつた者で、宗子であることは、先繼と異る處はない。然るに何が故に之が爲めに立後し得ざるや。之を說明するに當つて陶庵の答ふる處は、一に次養子を以て謬例とし、次養子の死んだ機會に於て、其の失を正さざるべからずと爲すのである。新しい慣習を、其の生成前の立場に於て辯護すると、生成後の立場に於て理解するとの態度の相違に外ならないのであつて、如レ此則揆以二禮法一與二情理一似レ可二兩得而無一レ憾矣と云へるは、反面に於て次養子を是認する爲めの條件を示したものと謂ひ得る。然らば同樣に、次養子に子あるときでも、之を先繼の後として自らは退いて別宗を立つべきである。之に依つて次子奪宗の非難を償ひ得るのである。生前雖レ不レ得レ讓レ位、而猶足三爲二死叔一齊二といふのは、次養子の心事を忖度し得たものと云はんよりは、一般の法的感情との妥協である。これに依つて、此の制度が、始めて順二天理一而協二人心一となるのである。鄭健一は其の子志式が滿九歲となつたときに、之を台一の後とした。次養子の制度が一般に認められるに及んでは、次養子の子は當然に先繼の繼後子として奉祀孫となり、次養子は同時に別宗をなすものとなつた。次養子に次子なければ、他人を立てて自己の後となさねばならぬ。

次養子も亦無後にして死すれば、宗家の祭祀は最初の繼後子に立後して、之に傳ふべきであつて、次養子の爲めに後となつた者は、唯次養子の祭を奉ずるに止る。

禮曹啓言、因正言金羽休、上疏先正臣文正公金麟厚宗孫立後事、問議時原任大臣後、稟處事覆啓蒙允矣、問議于時原任大臣、則領府事趙寅永病未獻議、左議政鄭元容以爲、文正公金麟厚祀孫立後事、非已出之子、而援弟及之禮、非古也、以經常言之、則當立勉中之後、然其祖生時、勉中夫妻俱歿、復以大中爲繼、而告廟移宗、勉中則使之班祔、大中則旁題主祀、其祖之傳重、既在大中、而大中之妻、今欲爲夫立後、以承其宗、亦倫與義之不容已者也、臣既昧禮說、未敢質對、惟在博詢而裁處云、右議政權敦仁以爲、殷及亦禮也、苟使金大中而爲殷及焉、則勉中繼宗未幾無子而死、大中既承祖命、服喪旁題、援照於先儒長子班祔、次子之子承重之論、立大中之後、因奉其宗、固可謂有援、而今此大中、謂之堯臣之次養、則可於勉中、不可謂弟及、近俗所謂次養、即禮經之所未有也、不可與殷及之禮比而言者、則以次養而移宗統、實未知其可也、若曰、勉中序居長也、立勉中之後、乃爲重宗統之義云爾、則此固合於先儒當立長子後之論、而第聞、勉中・大中、雖以次爲堯臣之後、並無該曹成給之立案云、臣之先祖臣尙夏、每誦文正公臣宋時烈之言曰、未告君成斜、則不可用繼後之禮、先儒之論又曰、不告官成斜、則不成爲子、天倫繼絕、其本已亂、則曰適曰支、無足强分、今立勉中之後、而曰重宗者、又未知其可也、律以國典、恭以禮經、繼後也、不成繼後、支適也、不成支適、已案之宗統、今不可釐正、則所以臺臣之疏、歸重於祖命、八年主祭、三年服喪、其視勉中之既無嘗於正名、又無與於傳宗者、猶或有說、而先賢宗嗣、愼重自別、朝家處置事體、尤異彼此之際、俱不免爲苟且之歸、則無寧使其門長更立堯臣之後、官給立案、以正宗事、此或於禮法之間、兩得其當、而名正言順歟、臣於禮學、素甚蒙昧、顧何敢强、亦不知梗斷於此也、惟在博詢而處之耳矣、大臣之議如此、請上裁、敎以、其祖在時、既定宗統、至於承重傍題、而大臣之議、亦皆以次子立後歸重、依此施行(憲宗日省錄第百二十七冊九年癸卯二月十四日丁亥條)

憲宗日省錄八年壬寅十二月十六日庚寅條に依れば、金麟厚の宗孫章煥には、長子堯臣、次子堯錫があつた。堯臣は無後にして死んだので、章煥は、次子の子勉中を立てて堯臣の後とした。が、勉中夫妻は倶に夭死したので、更に勉中の弟大中を堯臣の後とした。章煥死して大中は其の喪に服した。祭祀を奉ずること八年にして大中も亦子なくして歿したが爲めに、大中の妻は大中の三從兄の子義柱なる者を、亡夫の後とし、其の宗を繼がしめんとした。然るに門長は慶祿なる者を立てて、勉中の後となし、官に呈して禮斜を得たので、爭となつたのである。大中の後を以て、祖先の祭を奉ぜしむべしとなすものは、兄亡弟及の原則をここにも適用せんとするのであつた。　左議政も右議政も、共に大中に立後して先祀を奉ぜしむべしと獻議し、之に決したのである。　而して左議政の見解に依れば、此の場合已出之子ではないのに、弟及之禮を援くことの當らないことは是認するのであつて、普通ならば勉中に立後して、宗を奉ぜしむべきではあるが、其の祖(章煥)の生時、勉中夫妻倶に歿し、復大中を以て繼となし、廟に告げ宗を移し、勉中は則ち之に班祔せしめ、大中は則ち主祀(堯臣の神主)に旁題したといふことを理由に、大中の後を以て宗統を繼がしむべしといふのである。　しかし大中が、次養子ではなくして、堯臣の眞の繼後子なりとするには、何等かの理由で、勉中は繼後子でなかつたと解さねばならぬ。　右議政も、大中にして次養なりとせば、之に弟及(殷及)の禮を適用することは出來ないが、それならば祖父が大中に宗統を移したのが既に不當であるとなし、勉中を立てるに當つて、告君成斜の手續を缺いだことを擧げて、勉中の繼後を無效なりと云はんとするのである。　何れにしても次養子に立後して、宗を繼がしむべきでないことは明である。＊

＊茲に尙ほ少しく調和を失すると思はれるのは、獨子の出繼は、本宗の繼絕にのみ許さるるに拘らず、次養子に付ては、本宗・支宗の關係を問はないことである。　若も次養子たら

んとする者に、既に長子あるときは、其の長子を取つて先繼の後となすには、本宗たるを要するに拘らず、未だ子なきに先つて次養子となすときは、後に生れる長子は、先繼の後たるべきことが豫定せられながらも、本宗たるを要しないからである。或は次養子たるべき者は既に支子であり、父を繼ぐべきものではなく、其の子生れて先繼の後となり、自らは退いても別宗をなすに過ぎないが故に、後絶するも可なりと云ふのであらうか。若しも然りとせば獨子の出繼に當つても汎く支子の獨子には、出繼を認めることが許されねばならぬ。だが元來が昭穆の嚴なるを緩和する爲めの口實である。次養子となる者に付て、一般の立後の法則を準ずれば足ると爲したのであらう。故に獨子を次養子となすときに限り、本宗たることを要件とするのであらう。

相續に於ける地位

次養子は先繼の養子ではなくして、先繼に代つて父の養子となるのである。長子死して次養子をなすときでも異る處はない。固より收養・侍養の類ではない。之を繼後子と云はずして養子と稱するのは、其の子を立てて前繼又は長子の嗣を繼がしめ、自らは別に一支をなすことが始めから豫定せられてゐるからである。故に先繼又は長子の遺産は、承繼しないであらうが、宗子の地位は、次養子に移り、其の子生るるに先つて養父死するときは、一旦は承重子として遺産を相續する。其の子生れて、前繼又は亡長子の後を繼ぐときは、其の承繼したるものは悉く之を子に讓らねばならぬ。故に相續の方面からすれば次養子は、未だ生れざる子を後位相續人としての先位相續人の指定である(七頁參照)。

白骨養子

次養子とは反對に、俗に白骨養子と呼ぶものがある。神主出後とも謂ふ。次養子は孫列に立つべき者がないから、姑く子列の者を取つて後となし、其の子の生れるのを待つのである。白骨養子は子列の者を立つべきに當つて、孫列を取つて後となさんとし、其の爲めに死者を繼後子に擬するのである。昭穆の缺落に對する口實である。

(今補)乙問、今俗、屬尊而無子者、察其族人、有孫列而無子列、則取既死之子爲後、而其孫隨至、此所謂神主出後也、其亦無害於禮法否、若然、出後於持喪之家者、司馬操謂當追服、取死者以爲子、而喪期未過者、其所後父母亦當爲此子追服否、○甲答曰、蓋袝事已、幽明路絕、取鬼爲子、豈有是法、非禮之言、君子所訒、追服有無、非所當問、○鏞案、衰亂之俗、一至是矣、周禮禁嫁殤者、既死而夫婦者、先王猶禁之、況既死而父子乎、宜嚴法以繩之也(與猶堂集三十六卷出後二十五條)

相續に關する限り、昭穆を亂る點を除いては、普通の立後と異る處はない。今は之を省く。

第三　妾　子

（祭祀承繼に關して）

妾子女の父の遺産に對する相續分に付ては既に述べた。母の遺産に對する相續法上の地位に付ては後に述べる（三〇九頁參照）。玆では祭祀承繼に關して、衆子に對する妾子の地位を一言して、父の遺産に對する相續との關係を示すに止める。

妾子と立後との關係は死後養子の條に讓る（三五八頁參照）。

妾之言接也、聞彼有禮走而往焉、以得接見於君子也（說文）。又は妾接也、言得接見於君子而不得伉儷也（彙苑）といひ、妻妾の間には貴賤の分亂るべからざるものがあるにしても、尙は嫡子は父の妾を庶母と呼び、大明律刑律親屬相姦條に依れば、父祖の妾を姦する者は斬に處せられた。夫妾の間は單なる私通ではない。

衆子無後則妾子奉祀の解

問、庶母之死、子當祀於私堂、所謂子者、指言妾母所生者、則妾母若無子、廢而不祀耶、先生曰、子祀於私室之子恐指言其妾母所生之子、爲父後者也、雖嫡子而奉其父祀者、亦可祀其庶母於別廟也、未知如何（鶴庵集第三卷）

未だ如何を知らずと云ひ、嫡子は庶母を祀らずと斷言しない程度の關係が、兩者の間には認められるのである。同樣に其の子女は孽產と稱し、親族法上及び相續法上の地位に於て、嫡子女と同一ではないが、父を祭るに止らず、祖上の祭祀を奉承する資格のあることは經國大典禮典奉祀條に

若嫡長子無後則衆子、衆子無後則妾子奉祀

とあるに依つて明である。此の規定はこれを其の儘に讀むときは、其の前半は、長子承重を規定し、後半は嫡妾の間に順位を定めたものとしか考へられない。故に嫡長子には嫡子なく、妾子のみあるときでも、弟も亦妾子(孽弟)なるときは、嫡長子の妾子か孽弟に先つて奉祀孫となるのは勿論、弟が嫡子であつても、嫡長子の妾子が承重するものと解せられる。況や父既に歿し、嫡長子既に承重した後を稽へるならば、嫡弟も支子(衆子)として別宗をなせるものであつて、假令兄に嫡子がなくとも、自ら祭祀を繼ぐべき地位に在るものではなく、兄の妾子が承重するのは當然のやうに思はれる。然るに祖父の立場から見るときは、長子も次子も同じく自己の嫡子である。嫡に次子あるに拘らず、妾孫をして奉祀者たらし

めねばならぬといふのは、嫡を重んじ孽子を卑しむ思想からすれば、穩當でないのである。即ち妾孫の外に嫡子嫡孫があれば、之をして承重せしめんとする見解が、思想の上に強い根據を以て對立するのである。

先是禮曹啓、參判趙邦霖無嫡子、以妾子福海爲後、及邦霖死、弟傳霖以爲、大典奉祀條、嫡長子無後則衆子、衆子無後則妾子奉祀、吾以衆子禮當奉祀、奪福海奉祀田宅・奴婢、福海訟之、臣等按大典所謂嫡子無後者、指嫡妾俱無後者也、福海雖妾子、不可謂邦霖無後也、請依大典、令福梅奉祀、命議于院相、鄭麟趾・鄭昌孫・崔恒・金礩・成奉祖議、嫡妾之分、天尊地卑、不可亂也、大典之意、以嫡子無後、則衆子奉祀、衆子無後、則不得已令妾子奉祀耳、法原天理、禮緣人情、有衆子而先令妾子主祀、於情理甚未安、陵嫡陵貴陵長之風、由此而起、亦未便、嫡長子無後、則衆子奉祀者、已多前例、忠勳府立嫡長之法、亦嫡長子無後則衆子、衆子無後然後、方許妾子入屬、豈宜一代之制、有此兩法之行、大典仍舊毋改、衆子奉祀、而嫡長子有妾子者、自可祭其考妣、嫡長子雖出祠堂、亦不絕祀矣、或以爲、大典所謂後字、兼嫡妾而言、所謂妾子指孽弟而言、若然則大典、何以曰嫡長子無後則衆子、衆子無後則妾子、至衆子然後方言妾子、又不稱孽弟、而稱妾子乎、立法本意恐不如是、韓明澮・洪允成・曹錫文・尹子雲議、依禮曹所啓何如、傳曰、上黨・仁山・昌寧・茂松及議政府・六曹判書、吏議之、申叔舟・韓明澮・曹錫文・尹子雲・尹弼商・李克培・咸禹治・成任・李鐵堅・韓繼純議、大典只議子行耳、不及於孫行、故曰嫡長子無後則衆子、衆子無後則妾子奉祀、長子有妾子、則豈可謂之無後也、故有妾子者、不許立後、是謂妾子亦可奉祀、此立法本意也、假令長子奉祀有年、或無嫡子、或有而先死、只有妾子、乃奪而與其弟或弟之子、長子死而不得入廟、奴婢・田宅亦幷見奪、紛紜起訟、實非法意、法原天理、禮緣人情、豈可奪人所有、以起爭論乎、況宗支之分、有君臣之義、其不可亂也、豈止嫡妾而已哉、朱子家禮所謂宗子、只得立嫡、雖庶長立不得、是亦大典之意、只論子行而已、又況長・衆子・皆無後、則不得不至於妾子、可獨於長子之家、不得以妾子奉祀乎、忠勳府、以官錄爲主、故或有衆子嗣者、是官爲立後也、豈宜以是遂及私家、擅亂宗支乎、假如長子只有妾子、衆子有嫡子、而先長子而死、假如衆子之嫡子有嫡子、而亦先長叔而死則棄長子之妾子、而及孫曾孫可乎、其變無窮、處之尤難、一依大典施行、如有長子自願以衆子之次子立後者、依今受敎、告官定奪何如、盧思愼議、承重者、承祖上之祭祀、重莫重焉、古之所謂宗子是也、一族宗之、有若道焉、豈可以妾子爲之乎、故古有宗子、只有立嫡之文、則妾子之不得爲宗子尙矣、假令長子無嫡子、或畜婢生子而身死、其祖與父尙在、則將家廟之重、付之妾孫乎、付之衆子乎、付之妾孫、則身且未免爲賤、安能承三代祭祀之重、爲一族之所宗乎一朝擧累世相傳之家業、委之於卑賤之人、豈尊祖敬宗之義、豈乃祖乃父之意乎、禮緣人情、法遵先王、我朝自 祖宗以來、長子無嫡子、則雖有妾子、不得承其祖、詎宜輕變、臣愚以謂、依鄭麟趾等議施行爲宜、儻曰、長子例作宗子、以無嫡子之故、不得入父祖之廟、爲不可也、則古有立後之法、以兄弟之子、從願繼後庶祖上之廟、不辱於賤人、而長子之祀、亦有所歸、其於情義亦爲得宜、姜希孟議、依鄭麟趾等議何如、李克增議、若嫡長子、以衆子之子、自願立後、則可矣、然有妾子、而欲附祖廟、捨妾子而謂他人子、於情理未穩、依鄭麟趾等議何如、傳于叔舟等曰、長子無嫡子而只有妾子、次子則顯達而又有嫡子、使妾子得承大統、於義未安、使長子立弟之子爲後何如、若長子不欲立後、而使妾子自作一支、次子得承大宗、無乃不妨乎、明澮・弼商・繼純・鐵堅・皆曰、上敎允當、叔舟・錫文・子雲・克培議曰、其長子已承重、則亦已爲長子家之事、諸弟之所不得與焉、此自古立宗之意、雖千言萬語無以易、又立後之事、皆從其所願、不宜以法駈之、爲人父子、今於立宗之法、若有不得已之故、則許告官定奪、若有嫌其妾子之卑賤、欲立其弟之子者、亦自告官而立之、法所不禁、或無可立後者、而絕嗣者亦多、以妾子爲後不猶愈乎、若令立弟之子爲後、則爭奪大起、將毀風俗、從古法何如、禹治議、請依前啓、至是又召院相・議政府・六曹判書、 命從一議定以啓、麟趾・昌孫・明澮・恒・錫文・礩・子雲・奉祖・任・鐵堅・繼純・克增皆以爲、次子奉祀爲便、叔舟・允成・克培・禹治啓、可令妾子奉祀、 上竟從麟趾議(成宗實錄第三十五卷四年十月己未條)

事案は、趙邦霖に嫡子なく、邦霖が死んで妾子の福海が後を繼いだ。然るに邦霖の弟傳霖が思ふには、大典奉祀條に、嫡長子無後なれば則ち衆子、衆子無後なれば則ち妾子祀を奉ずとある。自分は衆子である。福海は妾子である。祀を奉ずべきものは自分であると。そこで福海から奉祀田宅・奴婢を奪つた。仍て福海は官に訟へたのである。妾子の承重を否定する議論は嫡妾の分亂るべからずといふ處から出發する。即ち嫡長子に嫡子がなければ衆子が祀を奉ずる。嫡長子の妾子は祠堂から出て、其の父母を祭れば絶祀の惧はない。唯祖上の祭祀を承ぐ者は、一族之を宗とする。賤妾の子を以てすべきではないといふのである。而して前記規定の解釋に付て、妾子は孽弟を指すのではない。其の無後といふのは嫡子嫡孫なきを意味すると説明する。之に對して、妾子の承重を認める論者は、法規の正面から立論し、嫡長子と云ひ衆子と云ひ妾子と云ふのは、何れも父から見て子の列の者を指すのであつて、孫行を包まない。嫡長子に妾子があれば無後ではない。大典立後條に、嫡妾俱無子ば、同宗支子を立てて後と爲すとあるのは、妾子あれば無後でないことを意味する。長子奉祀して年を經たものを、妾腹とは云へ、子あるに拘らず、奪て之を弟又は弟の子に與へ、長子をして廟に入ること能はざらしめるのは人情に悖ると主張し、宗・支の分亂るべからずと應酬する。茲に折衷的妥協案として、嫡長子は嫡弟の嫡子を後とすることが考へられる。之に依つて嫡長子は祠堂に於て祭を享けることが出來、而も祖上の祭祀を嫡孫に傳へることが出來るからである。若も嫡長子にして、强て妾子に繼がしめんと欲するならば、其の地位を嫡弟に讓つて、妾子と共に別宗を立つる

嫡長子妾子と別宗を爲す

ことも亦之を許せといふのである。　前記經國大典禮典奉祀條の註に

良妾子無後、則賤妾子承重、凡妾子承重者、祭其母於私室、止其身。

とある。　良妾子と賤妾子との間に、承重の順位を規定し、並せて妾母不世祭を明にしたものである。* 之に次で

嫡長子只有妾子、願以弟之子爲後者聽、欲自與妾子別爲一支、則亦聽、

とあるのが卽ち前記の妥協案である(三六一頁參照)。

* 妾母之祭、只終其子之身而止、尤翁之說甚嚴、肅廟朝、晦谷李相公亦引此獻議、其說在集中甚詳(渼湖集卷四答尹汝五條)

長子が弟の子を立てて後となすときは、相續に關して特別な問題は起らぬ。妾子と共に別に一支をなす場合を考へるときは、問題は妾孫と次子との對立に於て生ずる。　故に長子が妾子のみを殘して、父に先つて歿した場合には、比較的に簡單であつて、長子無後なるが故に次子が承重するときと同樣に、續大典禮典奉祀條の

長子死無後、更立他子奉祀、則長子之婦、毋得以家婦論。

及び其の註の

田・民依衆子例分給、立廟家舍、傳給於主祭子孫、而擅賣者禁斷、

が準則となり、次子は承重子として、妾孫は衆子の地位に於て父に代襲して、相續すれば足る。然るに父先づ歿し、嫡長子は只妾子のみを有する場合に在りては、一旦は長子が承重する。長子に子女あると否とは承重に關係はない。故に問題は長子の死後に生ずる。然るに長子の妻が生存するときは、後に詳說する如く、家婦として祭祀を行ふのであつて、前記の長子之婦、毋得以家婦論は、長子が父に先つて歿したときの規定である。從て次子の承重は、家婦の死亡のとき迄延期せられねばならぬ。而して一方亡父の財產は、父の死亡に當り、長子と次子とが之を相續し、承重子加五分之一の例に依つて、長子は六口、次子は五口の割合であつた。次で長子が死亡したときには、其の妾子が――假りに他に女子がないとすれば――總てを相續したのである。唯立廟家舍及び祭田・墓田は家婦に歸する。其の後に家婦が死亡するときは、家婦の遺產の相續には、勿論次子は關係はないが、次子は此の時に、祭祀を承繼するのであつて、立廟家舍と祭田・墓田とは次子に

收養子と繼後

歸する。其の外に尙ほ、亡長子は祭祀條の加給を受け、それは妾子が相續したのであるから、之を次子に還給すべきか否かが問題となり得る。しかし旣に亡長子及び其の妻に於て奉祀し來つた後のことであり、旣に妾孫の相續せるものである。これを次子に還給せしめることは、恐らく行はれなかつたであらう。之等の點に付て明確なる資料はない。尙ほ家婦の條下で陳べる。

第四　收養子女及び侍養子女

一　收養子女

文宗二十二年制、凡人無後者、無兄弟之子、則收他人三歲前棄兒、養以爲子、卽從其姓、繼後付籍、已有成法、其有子孫及兄弟之子、而收養異姓者一禁、(高麗史八十四卷刑法戶婚條)

又

仁宗十四年二月制、同宗支子、及遺棄小兒三歲前節付收養者、爲收養父母、並服三年喪、遺棄小兒、仍繼其姓、同宗支子、爲親父母期年、異姓族人之子收養者服喪之制、禮雖無據、恩義俱重、不可無服云云(高麗史六十四卷禮五服制度條)

又

恭讓王三年五月庚子、更定服制、一遵大明律服制式、唯外祖父母・妻父母服、與伯叔同、無後人、以三歲前遺棄小兒、冒姓付籍者、即同己子(高麗史六十四卷禮五服制度條)

子孫なく且兄弟にも子なき者に限り、三歲前の棄兒を收養して子となすことを許し、其の姓を名乘り、收養父母の爲めに三年の喪に服せしめたのである。　收養子は大明律戶律立嫡子違法條の

其遺棄小兒年三歲以下、雖異姓、仍聽收養、即從其姓

に於て認むる處であるが、服喪の制は前記仁宗の受敎に始る。　之に付て梅山集三與老洲吳丈條は

收養之服、不見于儀禮者何哉、古者、無異姓相養之理、而然歟、養母之名、肇見於開寶禮、而服以齊衰三年、然家禮則不載、載諸家禮圖者、非朱子之筆也、既有養母、宜

「有養父而開寶之只與養母者亦何義、抑以乳哺拊育恩參造化、存乎養母、而父不得而與焉耶、至國制、始幷服養父母、是爲可從耶、收養非繼後也、雖遵大典、服三年、無降服父母之義、而收養者、侍之尸祀、則當祭幾代耶、既服養父母三年、則服收養子以朞、收養子之子、以大功耶、」

と云ひ其の當否を疑つてゐるが、高麗仁宗の朝に、收養子の服喪の制を定めたのは、收養子も亦繼後の人なるが故であらう。兄弟に子あるときは收養を許さなかつたのも、兄弟の子を以て繼後となすことを得るからであらう。前記文宗の敎書中には、明に繼後付籍の文字がある。然るに後に至つて收養子の繼後たる地位は、非族の故を以て否定せられた。それが爲めに却て、服喪の制の當否を疑はしむるに至つたのであらうことは、禮書劄記卷之二宗法條の

經禮　皇祖立制、遺棄小兒三歲以下、雖異姓仍聽收養、卽從其姓、又曰、三歲前收養、卽同己子、然此指喪服而言、不必使之奉祀、若是異姓、則非族之祀、朱子明言其不享、

に依つても窺はれる。之と同時に又一方に於ては、有子孫及兄弟之子、而收養異

姓者一禁の制が弛んで、遺棄兒救濟の爲めに收養が奬勵せられるに及んでは、奴婢となす目的を以てする收養すらもが許された。

立收養遺棄兒法、時飢民迫於窮急、不能保其骨肉、棄道路、納溝渠者滔滔、一日於前席、有以此爲言者、上聞之惻愴久之、遂下是令、呈漢城府受公文、爲子爲奴任其所處(顯宗實錄第二十三卷十二年三月己巳條)

續大典禮典惠恤條には

凶歲遺棄小兒、許人收養救活爲子、爲奴、而小兒年歲限、及收養月日限、一從臨時事目

と一般的に規定を揭げ

收養遺棄兒、以三歲以前爲限、而若値連凶大無、則或限八九歲、或限十五歲、聽、其兩邊情願一體聽許、或幷後所生、永作奴婢、或限己身使役、或限年數使役、隨其凶荒淺深收養久近、一以臨時事目爲準、其在事目以外者、及收養未滿六十日、有始無終者、並勿施○願收養者、具小兒年歲容貌告官、京則當部、外則各其官、小兒父母及里任切隣、詳査捧招、報賑恤廳、成給立案、兒衣踏印、以防奸僞、其收養滿限者、勿論良人・公

私賤、幷許收養人執持、公私賤、則官主無得推尋、其父母族親等、三朔前推尋者、倍償收養穀物、許令還推、過限者勿聽云々

と詳細に註記してゐる。同樣の受敎は既に明宗のときにある。

遺棄小兒願育者、具小兒容貌年歲、告官明立文案、收養本主・父母・親族等、三朔前推尋、則所養穀、令賠償還給、不償價物、三朔後推尋者勿聽、永給願育人使役(典錄通考嘉靖丁未承傳)

嘉靖丁未は明宗二年である。此の頃に於て既に、奴婢とする目的を以て遺棄兒を收養することが許されてゐたのである。

收養子をなす者は、無後の人に限らないこととなつてからは、收養子と繼後子との區別は明瞭となつた。收養子には繼嗣の資格はない。

德陽君岐 上之庶兄也 啓曰、妻父權纘嫡妾俱無子、小臣子豐山正宗麟、自其初生奉巢長養、倚托身後之事、又於臨死、撫而語之曰、我之有汝、情重親子、吾死之後、汝當服喪、無使我竟爲孤魂云、非徒言甚哀惻、宗麟亦念恩義深重、哀傷號痛、欲服衰經、以答外祖平生願意、情甚哀切、未忍禁止、且於大典、有三歲前養子、卽同己子之法、雖

路人之子、若養在三歲前、亦當服喪、況宗麟以外孫、收養於三歲之前、恩義情法俱爲切迫、不得已、使之服喪、　上命議于三公・領府事、三公等議、當服喪、　上從之

史臣曰、以外孫養於外祖、恩義雖切、然爵後外孫、春秋譏之、則爲禮官者、固不可從外祖之亂命、循一家之私情、以毀禮法、而禮官順之、大臣苟合、可勝惜哉(明宗實錄第二十六卷十五年庚申九月辛未條)

宗麟の外祖父權纉は、嫡妾ともに子なく、宗麟を收養子としたのであつて、宗麟が纉の爲めに三年の喪に服することは、高麗文宗の受敎からすれば當然であるに拘らず、史臣が之を不當なりと評するのは、惟ふに祖上の祭祀を廢して、財を女子の子に傳へんとする風あるを慨したのであらうか。　或は梅山集に、至國制、始幷服養父母、是爲可從耶と云へるが如く、收養子の服喪の制を疑つてのことであらうか。　兎に角も之に對して、

憲府啓曰、豐山正宗麟、自三歲前、寄養於外祖權纉之家、以纉遺命、許服其喪、以外孫爲嗣、非徒在禮無可據之文、考諸史籍、其是非之詳、俱着於賈充之論議、況宗麟、以德陽君岐之長子、捨其父而稱其外祖、行斬衰之服、豈可循一家之亂命、以亂人

倫之大經乎、假使受恩深重、情理迫切、外孫非路人之比、亦當自有其服、猶以爲未至也、則揆之法典、亦無善處之道、自　上既難其事、答訪大臣、大臣只從一家私情、爲苟且之議、爲禮官者、亦順成其非、至爲未便、請還收成命、該曹堂上・郎廳並推考、答曰、宗麟服喪、於法似爲不當、故下議于大臣禮官也、常時或以收養、情義重大者、則服喪、又以衆子例爲之者、此亦非如繼嗣之例、故大臣禮官之意、如此也、不須改之、而禮官亦不須推考、故不允(明宗實錄第二十六卷十五年九月壬辰條)

司憲府は、宗麟が長子の身を以て、其の父を捨てて外祖の姓を稱し、斬衰の喪に服したことを以て、人倫の大經を亂るものとなし、また外孫を以て嗣となすを難じ、再議を乞ふたのであつたが允されなかつた。そして其の非難に對しては、收養子が衆子と同じ喪に服することの不當に非ざることを以て答へ、繼嗣の例に依つたのではないと辯解してゐる。明宗の始めに於て、遺棄の小兒を收養して奴婢となすことの行はれたことは前に述べた如くである。而も尙は子として養はれた者に對しては、衆子の地位を認めた。但繼嗣の資格に至つては、明に否定せられたのである。

服制に付ては經國大典禮典五服條に

養父三歲前收而養育者　齊衰三年　己之父母在、則降服期、解官心喪三年、若父歿長子則期而除、養母同、士大夫、若於賤人緦麻

しかし收養子が養父母の喪に服せんことを願ふのは、必ずしも恩義を念ふことの深重なるが爲めのみではない。僞つて後と稱し、又は收養子と稱し、多くは遺產を狙つた。

僞つて後と稱し又は收養子と稱した事例

命臺諫、辨宋氏奴婢、及趙夫女奴婢得失、宋氏前朝判三司事全普門之妻也、無後而死、奴婢甚多、前典醫少監許愭等、以收養故傳得役使、宋氏內外族人、驪興府院君閔霽・左政丞河崙・判司平府事李稷等、訟于辨定都監、盡奪之、至是愭擊申聞鼓訴寃、上進兩邊文劵而覽之、下其狀於臺諫、命之曰、兩邊是非予已知矣、大臣尙不親細務、況人君乎、霽等三日內、辨其是非、開具以聞、臺諫以愭僞造文字、霽等雖宋氏之族、然非四寸、又無傳係、故皆屬公(太宗實錄第七卷四年正月甲寅條)

全普門の妻宋氏は子女なく、亡夫の遺產と自己の財產とを併せ多數の奴婢を殘して死し、許愭は收養子と稱して之を相續したのであつたが、宋氏及び全普門の族人が辨定都監に訴へて、それぞれ遺產の相續を恢復した。許愭は辨定都監の

裁斷を不當となし、申聞鼓を打つて寃を訴へた。よつて臺諫に命じて是非を辨ぜしめたのであるが、許愭が收養子と稱するのは僞であり、又宋氏内外の族人も四寸以内の者でなかつたので、屬公となつたのである。*

* 下前政堂李元紘・前典書河自宗・鄭睦・宋義蕃于巡禁司、初全普門妻宋氏、淫奔坐此、其奴婢皆屬公、宋氏國之貴姓、故其餘奴婢亦多、宋氏之族、及宋氏外家宋氏之族、皆滿朝、故判書許錦、稱宋氏養子、專執其奴婢、國初宋氏之族、若平壤府院君趙浚・驪興府院君閔霽、姜族若興安君李濟・晋山府院君河崙・星山君李稷等、士大夫數十家相訟、卒皆屬公、錦之子愭、欲還執、擊申聞鼓、上令臺諫・刑曹議決、又皆屬公、姜族自宗・睦・義蕃等數十人、上書爭訟、上素知其實、皆下巡禁司、流自宗等首謀者四人、放元紘、(太宗實錄第八卷四年八月庚辰條)

前記の事案に關するものである。

府前啓(略)有一女人、呈狀于本府曰、渠有子四人、其中一子信俊、無子身死、其妻棄其兄弟之子、取其甥之子、自前收養、其父死後冒其姓、仍爲立後、服喪、他姓繼後事極驚駭、捉致推問、則其夫信俊生時、稱以遺棄兒、誣呈禮曹、出立旨、而禮曹許以爲嗣、臣等取考大明律、則有曰、遺棄小兒年三歳以下、雖異姓亦聽收養、卽從其姓、其上又曰、乞養異姓爲養子、以亂宗族者杖六十、若以子與異姓人爲嗣者、罪同、其子歸宗、蓋法文本意、遺棄路傍、不知其父母、則許其收養冒姓爲子、至於既知父母、而私相乞養、以爲義子、仍以爲嗣者、亂倫悖義之甚者、故法典明有禁令、今此信俊無子、繼後不取兄弟之子、迺取妻娚之子、冒姓爲嗣、此人道之大變、而法典之所當禁也、父子繼嗣何等大倫、而該曹信其誣訴、不加究覈、使倫紀壞舛、姓貫淆亂、誠甚可駭、請該曹堂上郎廳從重推考。(承政院日記康熙二十一年壬戌三月二十九日條)

信俊なる者子なく、妻の弟の子(妻娚子)を收養子とし姓を稱せしめた。然るに信俊の死後は、養父の姓を稱するを奇貨とし、立後したと主張して禮曹に誣呈したのである。但し其の內に遺棄路傍、不知其父母、則許其收養冒姓爲子、至於既知父母、而私相乞養、以爲義子、仍以爲嗣者、亂倫悖義之甚者、故法典明有禁令と爲し、大明律を引てゐるが、三歲前に收養すれば、養父の姓を稱するのであつて、其の父母を知らざるが故ではなく、遺棄の小兒でなければ收養し得ないのではない。法は收養子を嗣となし、又は繼後子となすことを罰するのである。

院啓、韓山郡守李德周、卽故參議趙景鎭妻娚之子也、景鎭無子而多財、故德周、與景鎭家人、爭立後、散髮服喪、以此見棄人類久矣、請罷職(承政院日記康熙二十年辛酉三月二十二日條)

これも收養子となつて、趙の姓を冒し、立後を爭ふたのであらう。

收養子の相續法上の地位

收養子女の相續法上の地位は、繼後子たる地位の動搖につれて、必ずしも明確ではなかつた。初め無後の人に限つて收養子をなすことを許し、收養子は從二其姓一繼後した當時に於ては、養父母の遺産を承繼したのは當然である。太祖實錄第十二卷六年七月甲戌條には

一、無二子息一人、全爲二繼嗣一、三歲前節付、及遺棄小兒收養者、卽同二己子一、雖レ無二傳繼明文一、其奴婢、許レ令二全給一、凡爲二侍養一者、苟有二傳得明文一、則從二明文一決給、無二明文一者、爲レ半決給、一半許レ於二本宗主祀及己身孝道親戚差等決給一

とある。爰に掲げた太宗實錄第十卷五年九月戊戌條の内にも同樣に、

無二子息一人、專爲二繼嗣一、三歲前節付、及遺棄小兒收養者、奴婢專給、侍養者、同姓給二三分之一一、異姓者、給二四分之一一、其餘奴婢、以二上項例一、限二使孫四寸一分給、

何れも子女なきことを前提としてゐる。然るに其の後子女ある者が收養子をなし、且收養子には繼後の資格が否定せられるに至つて、他の子女との間の相續分が問題となつた。世宗實錄第九十七卷二十四年七月申戌條の内に

且三歲前收養、雖レ曰二卽同二己子一、然於二收養父母一、既不レ得二承重一、而爲二本親一無二降服之例一、

宜レ論レ以ニ孫外一、若為レ後之子、則降ニ本親之服一、為ニ為レ後者親屬一、依ニ本親例一行レ服、不レ可レ論レ以
非ニ本孫一、況承重義子、情義尤重、論レ以レ非ニ本孫一、義無ニ是理一、

と云ひ、承重降服に重を置き、收養子を親族の外に置き(論以ニ孫外一)、却て後妻の子を、前妻の父母から見ての本孫に準ぜんとした。卽ち前母の本族との關係に於て、承重義子と收養子とを比較したのであるが養父との關係に於て、收養子女と妾子女とを比較したのがある。

初仁壽府尹姜籌、養ニ誠寧君裀妻崔氏一為レ女、後以ニ良女寶背一為レ妾、生ニ子帶生・洗生一、籌給ニ裀妻奴婢百五十口、寶背二百口、帶生二百口、洗生五十口一、又籌嫡妻李氏、贈ニ籌奴婢二十口一、給ニ裀妻十八口一、及ニ籌卒一、籌之遺漏未分奴婢八十口、及李之贈レ籌奴婢、裀並皆據奪、裀又專ニ籌之貲產・米穀一、不レ與ニ寶背一、仍占ニ奴婢五十口一、列ニ名於紙一、使ニ女壻尹塢謂ニ寶背一曰、爾別贈ニ我奴婢一、則當レ還ニ爾貲產一、寶背乃贈ニ二十口一、至レ是寶背訴レ之、都官覈啓、寶背贈ニ裀之奴婢一、則裀先占侵逼以取、則實非ニ寶背之意一、李之贈レ籌奴婢、則其於ニ文券一書曰、子孫傳持、則裀以ニ收養女壻一、不レ宜レ爭ニ奪籌之遺漏奴婢一、則籌既生ニ二子一、已給ニ裀奴婢百五十口一、則遺漏奴婢亦不レ當レ爭也、按ニ續刑典一云、嫡室無レ子、則許レ令ニ

良妾子平分、其承重者、加十分之一、請以此奴婢盡給寶背、使之傳給二子、於是䄄上言曰、臣妻生第七日、籌之夫妻收而養之、以臣作壻、久爲同居、及籌作妾生子之後、暫不衰薄、待之如初、故及籌之死後、喪葬追薦、一依親父母之例、生前死後恩義兼盡、大抵奴婢・財物是一家之物、故雖於嫡室有子之人、若收養者有恩義、則亦皆傳得之、世俗皆然、況臣妻之養父母、則於嫡室無子、今都官欲盡給妾子、其於他例何如、且無子人、曾作收養、而得妾生子、去絶前作收養、亦無敎旨、請改正之、 上謂承政院曰、今都官之決是非何如、三歲前遺棄小兒、卽同己子、載在六典、假令姜籌生時、全不許䄄奴婢、則死後䄄以無文券、固未得爭之乎、遂命右副承旨朴以昌、往領議政黃喜・右議政申槩・左贊成河演・右贊成皇甫仁・左叅贊權踶之第議之、黃喜・河演・權踶議曰、遺棄小兒、謂之卽同己子者、爲無後者而言之也、䄄之妻、雖是籌之三歲前收養、然籌娶良妾而生二子承重、則籌之不分遺漏奴婢者、爲有親子故也、以收養而與親子爭分財物、似無例也、況於生前已受奴婢百五十口乎、李氏贈籌文券內、子孫傳持云者、其意豈於收養女子而言之哉、且李氏祀、將於是子依焉、李氏奴婢、尤不可爭也、且䄄書奴婢五十口、授其女壻、送于寶背、而邀其許與、則其侵逼勒取、情狀昭然矣、寶背以其籌之給己及二子之奴婢、贈其裀、則是迫於一時之事勢耳、今欲收還何過哉、以此參詳都官之決、庶合事理、申槩議曰、籌之未分奴婢、與李氏奴婢、則可依都官之決、唯寶背所贈奴婢、則雖曰裀使逼而據奪、然寶背於今日、尙與裀對證之矣、何獨於其時畏威而見奪乎、其志蓋欲倚以成事耳、今欲還取、甚爲不可、仍給裀爲便、皇甫仁議曰、遺棄收養、即同己子、載在令典、則裀之妻、卽是籌嫡室女子也、生妾子之後、未嘗絕之、恩義之篤終始如一、衆所知也、未分奴婢、與李氏奴婢、安有妾子專得、而嫡室女子反不得之乎、且寶背贈裀奴婢、則裀之受、寶背之與、皆非理也、將前項奴婢官作財主、依六典差分何如、竟從都官之決(世宗實錄第百二卷二十五年十一月乙亥條)

姜籌の嫡妻李氏には子なく、三歲前の女子を收養女とした。裀の妻崔氏がそれである。其の後籌は良妾寶背を得て、妾子帶生・洗生が生れた。籌は生前に奴婢を分ちて、裀の妻には百五十口、妾寶背には二百口、妾子帶生には二百口、洗生には百五十口を給した。嫡室李氏も其の所有の奴婢二十口を夫籌に贈り、十八口を收養女裀の妻に給した。籌が死んだときに、籌の遺產としては、未分奴婢八十口と、李氏から贈與を受けた二十口とがあつた。　李氏の籌への贈與文券には、子孫傳持せよとの記載がある。　然るに裀は之等の奴婢百口を全部占奪し、尙ほ妾寶背が籌から分給を受けた奴婢の內、五十口の名を紙に列記し、女壻尹塢に授け、尹塢をして、若し此の內奴婢二十口を贈るならば、貲産を還すべしと寶背に言はしめた。　そこで寶背は二十口を贈つたのであつたが、遂に訴へ出た。　都官の裁斷は第一に、寶背が贈つたものは裀の强迫に因るもので無效であり、李氏が籌に贈つた奴婢は、子孫に傳持せしむべきもので收養女の壻の取得し得べきものではない。　又其の他の籌の殘餘奴婢は、籌には旣に妾子二人あり、裀には生前百五十口を給してゐるのであるから、裀の要求し得べきものではない。　續刑典には嫡室無レ子、則許レ令二良妾子平分一、其承重子、加二十分之一一とあるから、盡くを寶背に給して、二子に傳給せしむべきであるといふのであつた。　そこで裀は此の裁斷を不當なりとし上言した。　其の理由として臣の妻は生れて七日にして籌の夫妻に收養せられ、臣は其の壻となつて久しく同居し、籌は其の後妾を迎へて二子を得たが、恩愛は衰ふることなく、籌の死後も喪葬追薦ことごとく親父母の例に依つた。

假令嫡室に子ある人でも、收養子の愛に變りがなければ、遺產を傳得せしめるのが世間の常である。然るに養母には子なく、收養後に妾子が生れたからとて相續から收養子を排斥する理由もなければ敎旨もないと主張した。玆に於て都官の裁決の當否が論議せられたのであるが、第一の說は、收養子は己子に同じといふのは、無後の者に付てのことであつて、籌には妾子がある。殘餘の財產を分給しなかつたのは、寶子が出來たからである。收養子の身を以て、寶子と遺產の分配を要求するのは未聞のことである。殊に裀の妻は籌の生前、奴婢百五十口を受けてゐる。又李氏が籌に奴婢を贈つた文記の內には、子孫傳持とある。それは決して收養女を言つたのではない。李氏の祀は承重妾子が奉仕するのであるから、李氏の奴婢も收養子に與ふべきものではない。寶背が奴婢を裀に給したのは、全く强迫に依るものであつて、返還せしむべきものであるから、都官の決が事理に合してゐるといふのである。第二の說も大體同意見で、唯寶背の贈與を强迫に因るものとなす點に異論があるに止る。然るに第三の說は之と反對に、收養子女を以て、全然嫡子女と同視せんとするもので、妾子の生れた後も、恩義に變りのなかつたものを、遺産の全部を妾子に專得せしめんとするのは不當であり、又寶背が姻に奴婢を贈つたのは、贈る者も受くる者も非理であるから、嫡子女と妾子女との例に依つて分給せよといふのである。而して竟從二都官之決一とあるから、第一說が勝を制したのである。即ち收養子女は子孫傳持といふに當らず、少くとも良妾子女と共同相續をなすべき地位には、其の當時は未だ置かれてゐなかつたのである。しかし經國大典に於ては、良妾子女と同じ地位に於て、養父の遺産を相續するに至つたことは後に述べるが如くである。

二 侍養子女

侍養子

經國大典刑典私賤條に

無二子女一養父母奴婢、養子女七分之一(三歲前則全給云云)

收養子女との區別

三歲前は收養子女である。故に養子女七分之一は、侍養子女に付て適用される。收養子女と侍養子女との區別は、三歲前と否とに在る。然るに兩者の親族法上、從て又相續法上の地位には、格段の差異があるのである。

平安兵使沈之溟上疏、臣三歳前、父之姉、故監役權踶之妻沈氏、率去臣身、欲爲侍養、而臣父以長子不許、至癸丑、侍養父權踶死、沈氏瀝血陳情、臣父不得已許之、成文決定、遂依三歳前收養例、停赴擧服期服、今沈氏又歿、乞解官服喪、禮曹啓曰、法典云、三歳前收以養育者、齊衰三年、而已之父母在、則降服期、解官心喪三年、若父歿長子、則期而除、註解云、取他人子、養以爲子曰侍養、三歳前收以養之、卽同己子、曰收養、蓋收養者、父母生而俱歿、則有人收而養之者、侍養者、侍養於人而養育者也、恩義輕重、自有區別、今此沈之溟事、沈氏雖願爲侍養、至十五歳、權踶身死之後、其父始許之、與三歳前侍養者有別、在法不可許其解官、從之（增補文獻備考卷八十六立後條）

これに依れば、養はれた時の年齢の外に、收養子は遺棄兒で、生れて父母を知らず、收養父母を以て父母となすに反し、侍養子は然らざる點に於て、恩義に輕重の別があるとなすのである。然るにも拘らず、三歳前侍養なる語を、收養子と同意義に用ひてゐる。

同じ記事が承政院日記にある。其の後段では次の如く、三歳前侍養なる語の曖昧であることを指摘してゐる。

兵曹啓目粘連、平安兵使沈之溟上疏云々、法典內、三歲前收而養育者、齊衰三年、己之父母在、則降レ服期、解官心喪三年、若父歿長子、則期而除云、註解又云、取二他人子一養而爲レ子曰二侍養一、三歲前收而養レ之、卽同二己子一、曰二收養一、而疏中則以二三歲前侍養一爲レ言、侍字、收字、其義不レ同、臣曹有レ難二輕議一、令下禮官考二諸禮經一歸一後處上置何如、啓依允(承政院日記順治六年己丑二月初一日條)

侍養子の服制に付ても、甚だ明瞭でない。

寒岡曰、收養、則國法許レ同二己子一、若侍養、則情有レ淺有レ深有レ重有レ輕、然收養子、其父母在、則只朞而心喪三年、雖二父歿一而若長子則朞而除、況侍養則尤當レ有二斟酌一、密庵曰、盖聞、侍養異二於收養一、收養、則國制許レ服二三年一、至二於侍養一、則毋レ論二疏屬・外親一、服二朞年一外、以二心喪一終二三年一、以レ此推レ之、今於二猶父猶子間一、只以二平凉子・布直領一朞年而已、則是本服之外、似レ無二侍養加服之義一、依下出繼子、爲二所生父母一服之例上、似レ合二天理人情一、夫婦齊體、夫既服レ朞、妻當レ從レ服(常變通考爲侍養父母服)

祭祀を承繼する身分のものでないことは云ふ迄もない。

以レ從孫レ繼二從祖一、則昭穆失レ序、倫理不レ成、昔日、樂天取二姪孫一爲レ後、先儒譏二其非禮一、非禮

之禮、禮家之所不道也、吾東有侍養之名、老稼齋金公、爲其再從祖侍養、而尸其祀、雖則尸祀、非繼後也、然亦非禮也、叔父無後、則當附其主於祖廟而祭之、以終其子之身、方爲得禮之正、不此之爲、以其次子、爲叔父侍養、其可乎、世教衰廢、禮任情、至於斯極、非細變也、所謂侍養、既非所告君、又不出禮斜、則非嗣孫也、非嗣孫而立廟承祭、不亦苟乎、毎聞斯事、令人悶絶耳、(答金判書若厚)(梅山禮說第一侍養條)

收養子は元、異姓繼後の便法であつた。それが繼後の地位を否定せられた後は、三歲前よりの收養愛撫の故を以て、衆子に準せられた。侍養子は昭穆失序を避ける便法であるとしても、事實祭典を行ふに止り、始めより繼後の爲めではない。故に服喪の制なく、古くは女子にのみ侍養たるを許した。

養異姓男、與者笞五十、養徒一年、無子而捨去者二年、養女不坐、其遺棄小兒三歲以下、異姓聽養(高麗史第八四卷刑法戶婚條)

繼後の序を亂さんことを惧れたからであらう。それが後世男子にも及んだと解すべきである。併し法律上何等の地位をも認められないのではない。相續法上の他位は明に之を認めてゐる。

侍養子女の相續法上の地位

前記の太祖實錄第十二卷六年七月甲戌條に

凡爲二侍養一者、苟有二傳得明文一、則從二明文一決給、無二明文一者、爲レ半決給、一半許二於本宗主祀及己身孝道親戚一、差等決給

とある。本宗主祀及び孝道親戚と折半するが如きも、必ずしも明白でない。爲半決給は恐らくは二分之一、卽ち均分を意味するのであらう。それが太宗實錄第十卷五年九月戊戌條に依れば

侍養者、同姓、給二三分之一一、異姓者、給二四分之一一、其餘奴婢、以二上項例一、限二使孫四寸一分給

と變更せられた。

孝寧大君家婢多白、擊レ鼓上言、上典侍養父、故議郎方與權妻權氏、今年三月、歿二於留後司第一、其族人前司尹李孟㖢、前副正南智、欲レ專二財利一、匿二其奴婢・土田文契一、又教二唆與權妾子可生一、誣二告憲司一、以二上典非一レ與權之侍養一、上典亦先告狀、請レ辨二曲直一、憲司不レ聽理一、而受二理可生誣言一、旣非二公正一矣、孟㖢於二權氏之喪數日之內一、奸二侍殯婢眞珠一爲レ妾、脫レ衰啗レ肉、憲司欲レ免二其罪一、誣以レ脫二眞珠衰服一者、乃婢之子石老也、虛構取招、石老不レ承、濫行二拷訊一、孟㖢從弟秉執義叔當、不二自引嫌一、公然同鞫、甚爲レ不レ公、乞攸司鞫二問其由一、下二義禁府一鞫レ之（世宗實錄第三十六卷九年六月庚辰

條)

そのなかに、上典の侍養父方與權の妾權氏が死亡したとき、其の族人李孟畯等が遺産を横領せんとするに當つて、上典は侍養子に非ずと誣告せしめたとある。侍養父には妾子可生がある。妾子と侍養子との相續分は別として、妾權氏の遺産を横領するには、妾子を懷柔して、侍養子を排斥する必要があつたのである。

上曰、漢原君趙璐、欲服侍養之喪何如、知申事鄭欽之對曰、收養之法、遺棄小兒、卽同己子、故服喪如其親可也、若侍養、則有何恩德而服其喪乎、往往有貪得臧獲而冒禮行喪者、是豈法乎(世宗實錄第四十三卷十一年三月丁卯條)

これ侍養子にして收養子なみの喪に服し、收養子なみの相續に與らんとする者あるを咎めたのであらう。全然侍養子の相續分を否定する趣旨ではない。

子女なき場合の相續順位及び相續分

三　收·侍養子女の相續分

收養子及び侍養子の相續分に付ては經國大典刑典私賤條に

又

無子女養父母奴婢、養子女七分之一(三歲前則全給云云)

嫡有子女養父母奴婢、養子女十分之一、三歲前則七分之一、

其の註に

十分之一、謂嫡有子女、則侍養子女、給十分之一、如嫡無子女、而只有妾子女、則父奴婢、給養子女七分之一、餘並給妾子女、母奴婢、從本分、給妾子女・養子女、餘還本族、七分之一、謂嫡有子女、則收養子女、給七分之一、如嫡無子女、而只有良妾子女、則父奴婢、與收養子女平分、賤妾子女、則給五分之一、母奴婢、從本分、給妾子女、餘並給收養子女、

嫡子女ある場合の相續分

先づ(1)嫡妾共に子女なく、唯收養子のみあるときは、遺產の全部を相續する。收養子もなく、唯侍養子のみあるときは、無子女夫妻奴婢の規定の適用を受け、侍養子は養父母の本族と共同相續をなすのであつて、七分之一と云ふのは本族六に對する一の割合を指すのである。

(2)嫡子女と收養子女と侍養子女とあるときは、收養子女は嫡子女六に對する一(七分之一)、侍養子女は嫡子女九に對する一(十分之一)である。其の割合は父母奴婢、承重子加五分之一、衆子女平分、良妾子女七分之一、賤妾子女十分之一(經國大

典私賤條)に比較するときは、嫡子女と良妾子女及び賤妾子女の割合と一致する。

良妾子女	嫡子女	賤妾子女
收養子女		侍養子女
1 ：	6	
	9 ：	1
3 ：	18 ：	2

收養子女と侍養子女との比率は三對二である。

妾子女ある場合の相續分

(3) 嫡室に子女なく、只妾子女のみあるときは、養父の遺産と養母の遺産とを區別して考へねばならぬ。妾子女は養父の子ではあるが、養母との間には親子關係はないからである。養父の遺産に付ては、妾子女六に對して侍養子は一(七分之一)である。*父奴婢、給養子女七分之一、餘並給妾子女とのみありて、妾の良賤を問はざるが如きも、恐くは良妾子女との比率を示したのであらう。良妾子女と賤妾子女との相續分は嫡無子女者奴婢、良妾子女平分、承重子則加五分之一、賤妾子女五分之一(經國大典刑典私賤條)に依り四對一である。故に侍養子女と賤妾子女との割合は

賤妾子女	良妾子女	侍養子女
1	4	
	6	1
3	12	2

二對三となる。收養子に付ては如嫡無子女而只有良妾子女則父奴婢與收養子女平分とあり、賤妾子女則給五分之一とあるから

收養子女	良妾子女	賤妾子女
4	4	1

となり侍養子を加へるときは、

收養子女	良妾子女	賤妾子女	侍養子女
4	4	1	
	12	3	2
12	12	3	2

となり、收養子と侍養子との割合は十二對二卽ら六對一(七分之一)となる。然るに嫡子女あるときの收養子と侍養子との割合は三對二であつた。比率の統一

は保たれてゐない。そこで

子女なき場合の收養子女と侍養子女との相續分

(4)嫡子女もなく、妾子女もなく、只收養子女と侍養子女とのみある場合には、曩に述べた無子女養父母奴婢、養子女七分之一、三歳前則全給の適用に依つて、遺産は收養子あるが故に、本族に還ることなく、收養子女と侍養子女との間に分配せらるべきものであることは明であるが、其の比率を三對二とすべきか、六對一とすべきかが判らなくなる。

子女なき嫡母の遺産

(5)其の外嫡室に子女なく、只妾子女と養子女とある場合の養母の遺産の相續に付て、侍養子に關しては、母奴婢、從本分給妾子女・養子女、餘還本族。又收養子に關しては、母奴婢、從本分給妾子女、餘並給收養子女と規定してゐる。此の點後に讓る(三一一頁參照)。

＊父之於子、無論嫡庶、既使之奉祀、則他人安敢予奪於其間哉、永平縣監權衍、即故庶尹澳之從弟也、澳之死也、其孽子既已旁題奉祀、而澳死之後、其妻當家頗久、亦無他議、及澳妻既死之後、衍也乃出其叔父數十年前片簡曰、澳之生也、欲以渠之子為侍養云々、而封鎖其財産、使其孽子不得下手、欲奪其奉祀而黜澳之子、其言若果、則澳之生也、何無呈禮曹啓下之事、而澳妻亦何不奉行其遺意乎、欲占不當得之田・民、士大夫之所為、豈宜如是、權衍請命削

去仕陂(承政院日記康熙五年丙午十二月二十二日條)

權衍は、尹澳の死後、其の妾子が相續したに拘らず、遺書を僞造し、自分の子を尹澳の侍養子なりと稱して、奉祀を奪ひ、財産を擅にせんとしたのである。尹澳には妾子がある。故に侍養子なりと主張しても、祭祀を奪ふことは出來ないし、遺産も六分之一の相續分を主張し得るに過ぎぬ。しかし權衍の子は、異姓なるが故に尹澳の繼後子とはなり得ないので、せめては侍養と稱し、事實上妾子を排し、家政を私せんとする口實となさんとしたのであらう。

繼後子との相續分

收養子・侍養子との關係に於ても、繼後子の相續分は、承重嫡子に準ずべきは殆と疑を容れない。但し

臺諫啓、前事憲府啓、大典私賤條云、父母・祖父母・外祖父母・妻父母・夫妻妾・同生和會分執、外用官署文記、而繼母文記、則用官署與否、別無擧論、故聽訟官吏、所見不同、或以爲、繼母義同親母、其傳係白文不許攻破、或以爲、繼母非天性之親、其成置文記、必用官署、且云、嫡有子女養父母奴婢、十分之一、三歲前七分之一、而繼後子則不擧論、凡爲人後者、與親子無異、故至爲本生父母降服、若嫡有女、又有繼後子、又有三歲前養子女、則嫡女與繼後子、當一樣平分、三歲前養子女、則七分之一、嫡

無子女、止有繼後・三歲前養子女、則繼後子、依嫡女子、而三歲前養子女七分之一、似合情法、而或謂、繼後子・三歲前養子女、當一體平分、或謂、養子女、則應給七分之一、議論不一、用法各異、請並議立定規、立法事命議大臣、餘不允（中宗實錄第六十六卷二十四年十一月條）

に依れば、繼後子と收養子女とは平分すべしとの說もあつたやうである。故に續大典刑典私賤條には最も明瞭に規定がある。

嫡無子者奴婢、如有繼後子、則不可謂嫡無子、其分數、以嫡子承重者論

又

嫡有女、又有繼後子、又有養子女者奴婢、嫡女與繼後子平分、而繼後子、則加給奉祀條、養子女只依分數

第五　母の遺產に付ての相續分

母の遺產の相續に付ては、

嫡子女

(1) 嫡子女あるときは均分し、承重子に加給することは、父の遺產に於けると異

る處はない。

嫡女と承重妾子

(2) 母に女のみありて、妾子承重するときは、

無レ子有レ女嫡母奴婢、良妾子承重、則七分之一、毋レ過ニ三口一、賤妾子承重、則十分之一、毋レ過ニ三口一。（經國大典刑典私賤條）

即ち奴婢三口を限度として、承重良妾子は嫡女六に對する一、承重賤妾子は嫡女九に對する一の割合を以て相續する。父の遺産に付ても、良妾子女七分之一、賤妾子女十分之一であつて、割合は同一である。其の異る處は、毋レ過ニ三口一の制限あることと、承重妾子に非ざれば相續に與ることを得ない點に在る。承重妾子は嫡母の祀を奉ずるが故に、此の相續分があるのである。故に嫡母に男子あるときは、妾子は相續に與ることを得ない。

嫡女と承重義子

(3) 母に女のみあつて義子が承重するとき。これには二つの場合を想像せねばならぬ。其の一は、先妻(前母)に女のみあつて、後妻の子が承重する場合の、先妻の遺産相續であり。其の二は先妻に承重子ある場合の後妻(繼母)の遺産の相續である。前母・繼母と義子女との間には姻族關係あるに止り、親子關係を認めな

いことは、嫡母と妾子女との關係と同一である。故に承重子のみが相續に與る、前母又は繼母に男子あるときは義子女は相續に與らない。

有子女前母・繼母奴婢、義子承重則九分之一(經國大典刑典私賤條)

有子女前母・繼母とあるが、前母に付ては、無子有女前母の意義に解さなければ義子承重が無意義となる。卽ち其の相續分は承重義子は前母の女又は繼母の子女八に對する一の割合である。承重妾子と異り、毋過三口の制限はない。

嫡子女と養子女

(4)母に子女あり、且養子女あるときは、

嫡有子女養父母奴婢、養子女十分之一、三歲前則七分之一

の適用を受ける。

子女なき場合の收養子女と妾子女

(5)母に子女なく、收養子女と妾子女とあるときは、右の經國大典の註に、

則收養子女給七分之一、如嫡無子女、只有良妾子女、則父奴婢、與收養子女平分、賤妾子女、則給五分之一、母奴婢、從本分、給妾子女、餘並給收養子女

の後段の適用がある。侍養子女の場合と異り、養母の本族は相續に與らないことは明である。又其の從本分給妾子女と云へるは、父の遺産に對する妾子女の

相續分を意味するものでないことも明である。故に收養子女を養母の女に見立てて(2)の場合と同じく、良妾子承重、則七分之一、「毋」過「三口」、賤妾子承重、則十分之一、「毋」過「三口」に依るべきであらう。然らざれば、養母に子女あるときに比較して著しく、權衡を失する。故に「從」本分「給」妾子女」とは云ふが、妾の女は相續に與ることを得ない。

子女なき場合の收養子女と義子女

(6)母に子女なく、收養子女と義子女とある場合に付ては、規定がない。前と同樣、收養子女を養母の女に見立てて、(3)の前母・繼母奴婢、義子承重、則九分之一に依り、收養子八に對する承重義子一の割合を以て相續するものと解すべきであらう。

子女なき場合の妾子女義子女侍養子女

(7)母に子女なく、妾子女・義子女又は侍養子女あるときは、親子關係の繫るものは一人もないのであつて、本族の相續に加はる。卽ち

無「子女」夫妻奴婢、雖「無」傳係「生存者區處、本族外不」得」與」他、如」有「妾子女・義子女・養子女」、小」毋」過「其分」

に該當する次章に述べる(三〇〇頁參照)。

栗谷外舅盧牧使慶麟卒、栗谷請於外姑曰、舅氏無嫡子、只有二妾子、分財不必用嫡妾分數之法、平均以分可也、兩友壻咸其言、皆從之(聞見箚記三)

是は外舅の遺產に關するものか、外姑の遺產に關するものか明でない。嫡に子女なく、只妾子二人あるのみである。故に父の遺產だとすれば、妾子に均分するのは當然であつて、ことさらに分財不必用嫡妾分數之法といひ、兩友壻咸其言といふのは無意味であり、又父の遺產を嫡母から分給を受けるといふこともあり得ない。嫡母の意に從つて、二妾子の間に、和會分執が行はれたと見るべきである。之に反し、若もこれが外姑の遺產の分財であるとするならば、栗谷の勸告は意味がある。嫡妾分數之法に依れば、次章に述べるが如く、良妾子女ならば一對六、賤妾子女ならば一對九の割合を以て、嫡母の本族と共に相續に與るのである。それにしても栗谷の勸告が、良妾子と賤妾子とに平均に分てといふのか、本族を除外して二妾子に分財せよといふのか明でない。

第五章　子女なき夫妻の相續（其の一）

第一　生存配偶者の相續

附　本族外不得與他の解

配偶者の財產

都官上書、一、無子孫身死者、其夫得全妻之奴婢、其妻守信、則亦得全夫之奴婢、止許終身、歿後各歸本孫、其別有文契者、不在此限（高麗史三十八卷恭讓王四年條）

子女なき亡配偶者の遺產は、生存配偶者が相續し、生存配偶者の死亡に因り、亡配偶者の本族が相續することは、古くから行はれた。

女子が婚嫁するに當つて、父母が之に奴婢を分給することは、義子女の代襲相續に關して、後に擧ぐる所の成宗實錄第五十六卷六年六月甲辰條の內に、婚嫁時、必有新奴婢、此父母親給奴婢也、雖不加給、不可無奉祀奴婢也、と云へるに依つても、窺はれる。又其の父母同生等の遺產を、相續することもあるのであつて、之等が妻の財產となる。夫は妻の財產を管理し、收益する權利を有したのであらうが、同時に妻も亦、夫の所有たる夫家の家產の上に、共益權を有して、扶養の權利を享有したのであらう。それが子女なき夫妻の遺產に付て、生存配偶者の相續を認めた所以であらう。

遺產は直系卑屬が相續する。生存配偶者が、亡配偶者の遺產を相續するのは、子女なき場合に限る。子女あるときは、亡妻の遺產は夫の管理から離れて子が相續する。しかし事實に於て、父子生活を共にするときは、子の相續したる母の遺產は、依然父の管理に屬したであらう。同樣に夫が死亡したるときは、夫の管理したる妻の財產は、妻の管理に還り、夫の遺產は子が相續する。しかし母子生活を同じくするときは、母は子の相續したる父の遺產を管理して、扶養の權利を滿たしたであらう。

詞訟類聚聽訟條に

繼母擅ニ權一家一、亡夫己物、不レ給ニ前妻之子女一、或稱ニ別給一、或稱ニ放賣一、而易レ也給ニ其己子女一、夫之偏ニ愛後妻之子女一者、亦有下以ニ有ニ子女一前妻之己物上、而給中後妻之子女上、大典內、無ニ子女一夫妻奴婢、生存者區處、自レ今以後、有ニ子女一者之奴婢・田宅、生存者固不レ得ニ區

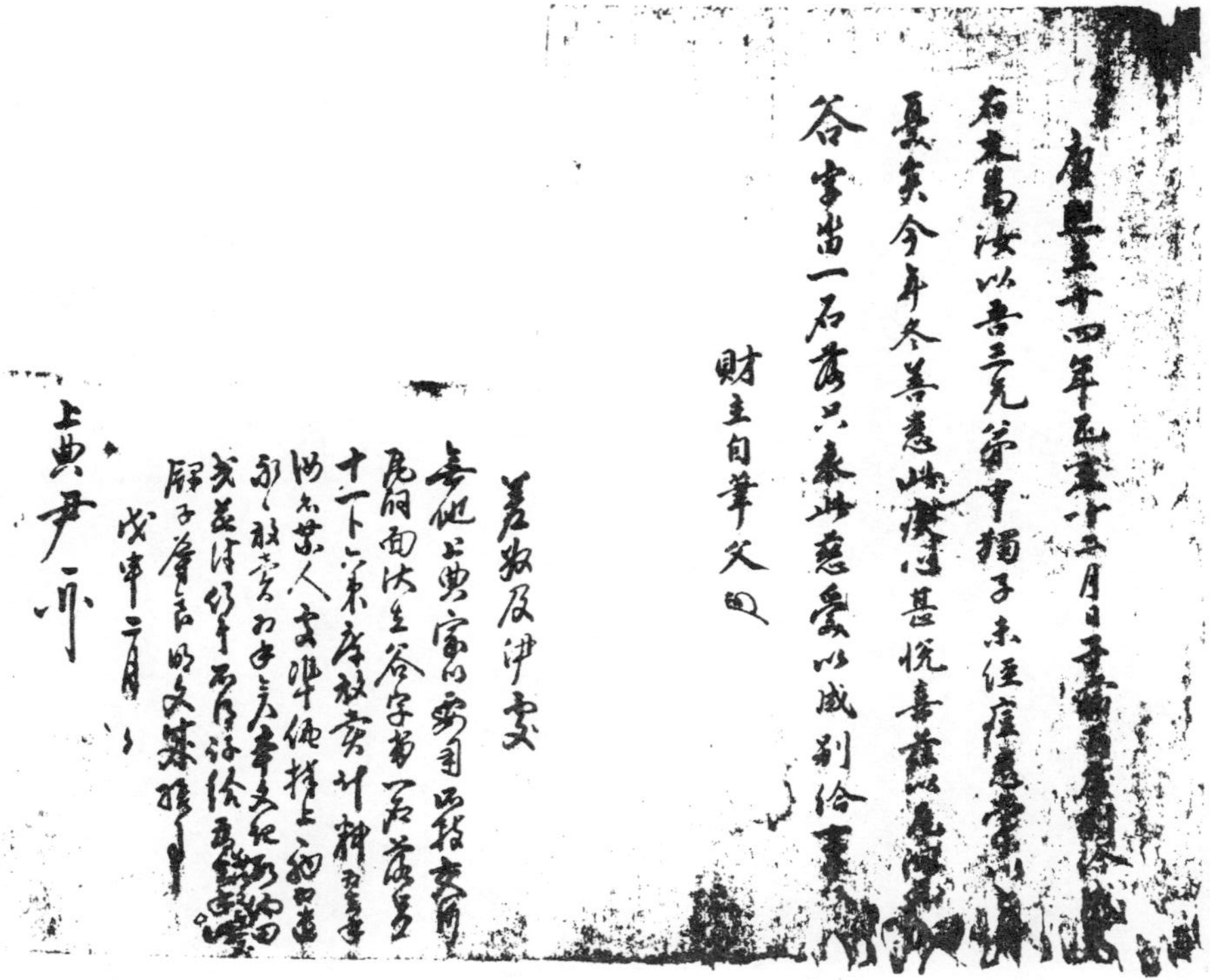

第三圖　田畓別給文記

(本書附錄圖版說明第二二頁以下參照)

處」(嘉靖甲寅九月十四日受敎)

とあるに依つても、其の一斑を察することを得る。續大典刑典私賤條に

繼母以二其夫之已物一稱レ以二別給或放賣一偏レ給己出一則前母之子、無レ以レ資レ活、原典云、無二子女一夫妻奴婢、生存者區處、則有二子女一者之奴婢、生存者固不レ當二區處一更申二法意一田・宅同

となつて載せられてゐる。

康熙拾五年丙辰七月二十六日女壻故通德郎崔知繖
代孫海雄亦中許與明文

右明文爲臥乎《スル》事段《ハ》、家翁生存時、若干田・民乙《ヲ》、自爾遷延、未レ及二分給一而家翁卒逝以後、十餘年于茲、而事故疊二於前一、喪患荐二於後一、亦不レ得レ趂即衿付爲有如乎《シトイフ》、吾亦不幸遭レ愍、既見子婿之倶逝、又緣二老病之交侵一、悒々寡居、無レ意二世事一是旀《デアリ》、徭役祭祀乙《ヲ》勢不レ能二自當一乙仍于《ニ仍テ》汝矣等《汝等》亦中、奴婢・田畓乙《ヲ》平均分給爲去乎《スルモノデアレバ》、汝矣等《汝等》各自執持細食使用爲有矣《シタケレドモ》、後次良中、子孫等雜談爲去等《スルナラバ》、持二此文一告レ官卞正印

婢女功二所生太仙丁亥生、婢厚加屎二所生奴已失癸酉生、買得奴右同己卯
生、婢莫介二所生奴乭生年庚寅生、婢永介二所生奴巨金年庚寅生、婢女功四
所生奴男伊年戊戌生、婢乭德一所生婢女功辛未生、婢衿加屎一所生婢內介
年壬子生、奴纔年一所生婢莫介年壬戌生、買得婢女尙介年丙寅生、婢女尙介
六所生婢今化年
買得婢女英年壬子生、海買貴香年　　生、婢貴香所生乭非　　生、買得奴今
男　　生、買得奴刀立　　生、買得奴雲介丙寅生、婢二所生婢眞香年庚辰生、
婢女尙介　　所生今孫年　　生、奴淡春一所生奴貴奉、三所生婢介德、五所生
婢等三口逃奴婢印
臨海二分畓十三負二石落只、赤夜七畓二十三負五夫二十斗落只、聲谷六十
一畓九負二夫一石落只、聲谷百二十九分畓八負四束、百三十分畓五負六束、
瓦釜二十九畓八負八束十斗落只、府德方百十九畓六負八束十斗落只、死
斤谷六十四分畓八負一束二十斗落只、長山九十四畓六負一夫一石落只、德
方七十畓十二負二夫二十三斗落只、無冬四百十六畓七負一束二十斗落只、
檢勿下过四十三畓八負六夫一石落只、新里十七畓十三負十七斗落只、阿橋

二百六沓七負二夫十三斗落只、九十八沓九負六夫、九十九沓六負五夫二十斗落只、下沙火二十六沓三負一夫七斗落只、檢勿百三分沓六負七夫七斗落只、聲谷三十三田四負秋牟五斗落只、德方十九田九負六夫、二十分田三負七夫牟一石落只、檢勿百二分田一負七夫麻一斗落只、城峴四田七負七夫二十斗落只、伐乙洞二百二十四分田八負六夫一石落只、同六百九十四田一負八夫五斗落只、方林末橋七田十六負九夫二石落只、聲谷百分田十二負牟一石落只、府德方九十六分田七負二夫牟一石落只、白石三百三十沓十負十斗落只印。 陳秩、阿橋四十分田三負二夫、五十八田一負三夫、八十八田九夫、三百二十四沓一負、二百十五田二負六夫、伐乙洞六十六分沓四夫、阿橋八十九田三夫、二柄山五十二分田十一負、一柄五十四分田二卜、無冬四百四十六沓三負五夫印。 裳秩、阿橋四十八田一負七夫、同員四十五田三夫、檢田百十二田一負七束、茶井七田五負、德方九十一田一負三夫、阿橋百九十七田一夫、同員七十二田九負、無冬四百七十三沓二負二夫、阿橋百八分田二負二束、同員十三田一負五夫、德方三百七田二夫等印

財主故參議李尙讜妻　申　氏　印

證人家翁同姓三寸姪　李　東　花押
筆執家翁外族侄幼學　張　後　壽　花押

夫の遺産を妻が子婿俱に逝きたる後に孫に分給したるもの、康熙十五年は肅宗二年に當る。

己身使用身後本族許給

然るに子女なき故を以て、之を亡配偶者の本族に還給するときは、妻の財産を以て門戶を立てた夫、夫の財産を以て扶養を受けた妻は、一朝にして生活の途を失ふ。故に其の終身間は、之に依つて從前の生計を營ましめんとするのである。太祖の朝にも、同樣の受教がある。

甲戌、辨定都監、因二憲司受判移關一、將二壬申年以來、各年所一レ申條目、與二都監已曾受一レ判禁令、參酌合二行事宜一、疏二上十九條一曰、(中略)一、無二子息一夫妻奴婢、雖レ無二文契一、亦許二己身使用一、身後本孫許給、夫與二妻成文許給者一、從二許與一傳繼、妻爲二夫許與一者、但以二印信・手寸一取レ信難レ便、必有二證・筆的實一、然後方許二決給一、其妻不レ守レ信者、勿レ論二文契有無一、即還二本孫一(中略)允レ之(太祖實錄第十二卷六年七月條)

配偶者各自が生存中に處分したるもの、又は遺書あるものは、之に依ることは勿論であつて、夫婦間の贈與も亦文契あるものはこれを認める。妻が夫から贈與を受けたるものは、妻の財産となり、夫の死後改嫁することなくして死亡するときは、妻の本族に於て承繼する。妻が改嫁するときは、夫から贈與を受けたものも、夫の遺産も、總て夫の本族に歸する。

其の後にも同樣の受教がある。

議政府、上各年受判、永爲遵守奴婢決折條目。允之、凡二十條、(中略)一、無子息夫妻奴婢、雖無文契、己身使用、夫娶他妻、女適他夫者、限使孫四寸分給、無四寸屬公、夫之許與奴婢、以許與傳係、妻之許與、以印信・手寸、取信難辨、以證人・筆執、京中則有職人員、外方則近處若無有職人員、以里內色掌可信人等、着名明文傳係、其妻、不守信者、雖有傳係、還取、以上項例、限使孫四寸分給、無四寸者屬公、(下略)太宗實錄第十卷五年九月戊戌條)

大體前記のものと同樣であるが、其のなかに、夫娶他妻、女適他夫者、限使孫四寸分給とある。之に依れば、遺妻の改嫁と同樣、夫が先妻の死後、後妻を娶つたときは、

遺妻の代襲相續

先妻の遺産は、先妻の本族に還るのである。然るに此の點は、其の後變更せられ夫生存中に改娶するも、本族に還給することなく、夫の死亡に因り先妻の本族が承繼するに當つて、義子女即ち後妻の子女も、相續に參加するに至つたことは、後に述べる如くである。故に同じ受敎中の前に揭げた一節に

全無子息者奴婢、同腹中存歿勿論分給、無同腹、則限使孫四寸分給、其中、生前死後、恩義現著者加給

とあるのは（一七七頁參照）。本族が相續すべき場合に付てである。而してここでは、先づ同腹中存歿勿論分給とし、同腹なきときに始めて使孫四寸を限つて分給するのであつて、同腹を使孫の外に置き、使孫を同腹の次順位としてゐるが、此の點に付ては後に述べる（二九六頁參照）。

續大典刑典私賤條の

父母奴婢、不爲和會者、呈官分執

の註に

子女身歿無子孫者、勿爲分給、而其妻守信則給

とある。其妻守レ信則給は、是れ子女なき夫妻奴婢を生存配偶者が相續する原則の一適用であつて、寡婦信を守つて家に在る者は、亡夫に代襲して、亡夫の父母の遺産を相續するのである。子女なきことを要件とし、且終身を限りとし、改嫁を以て解除條件とすることは勿論である。唯妻に付てのみ代襲を認めた。故に夫は後妻を改娶せざるときでも、亡妻に代襲して、其の父母の相續に與ることを得ない。蓋し妻は守信を原則とし、夫は改娶を原則とするからでもあらうか。

右の子女なき夫妻奴婢の相續は、經國大典刑典私賤條に

> 無二子女一夫妻奴婢、雖レ無二傳係一、生存者區處、本族外、不レ得レ與レ他、如有二妾子女・義子女・養子女一、亦毋レ過二其分一、妻適レ他者、其區處不レ用、

となつて規定せられてゐる。玆に生存者區處、本族外不レ得レ與レ他といふのは、恭讓王受敎に、夫得レ全二妻之奴婢一、其妻守レ信、則亦得レ全二夫之奴婢一、身歿後各歸二本孫一と云ひ、太祖及び太宗の受敎に、己身使用、身後本孫許給と云ふに當るのであつて、元來區處は、處置又は處分を意味する。亡配偶者の區處しなかつた遺産は、生存配偶者が區處するといふのは、少くとも、或程度の承繼を前提とすることは明であり、本族

生存配偶者の處分權

外不得與他は、生存配偶者に許された區處の制限である。即ち生存配偶者が、恰も亡配偶者の爲す如く、亡配偶者の本族に分財するときは、此の文意に最もよく適合するのであらう。分財と相續とを併せ稽ふるときは、生存配偶者自身の本族が相續し、又は分財を受くべき財産でないことを明にした趣旨であることは疑を容れぬ。唯生存配偶者の此の遺産に對する權限が、使用收益の範圍を出てないか否かに付ては疑の餘地があり、放賣に關聯して成宗の時に問題となつた。

傳旨刑曹曰、大典私賤條、無子女夫妻奴婢、雖無傳係、生存者區處、本族外、不得與他、既云本族外不得與他、則放賣之禁、雖不並錄、而放賣亦是區處、無傳係者、自不得任意放賣、官吏等未曉大典文義、其放賣文記、或有署給立案者、其知會京・外官、後勿如是(成宗實錄第百四十二卷十三年六月辛酉條)

即ち始めは放賣を許さずと解したのである。然るに貧困なる生存配偶者が、賣つて生活の資を得んとするに當つて、再び疑を生じた。

御經筵講訖、持平徐彭召啓曰、大典內、無子女夫妻奴婢、生存者區處、本族外、不得與他、今聞判決事安友騫謂、放賣者不拘此限、皆署給、友騫不知大典本意、如此處決甚未便、　上顧問左左、領事沈澮對曰、法既如是、不可放賣也、知事魚世謙曰、雖至餓死、不得放賣、故爲本族者、恃法全不顧養、似爲未便、然法既如此、不可放賣、臣亦聞安友騫處決如是、甚不可也、　上曰、據法則不可許賣也(成宗實錄第二百四十卷二十一年五月癸酉條)

寡婦貧困にして餓死に迫るとも、夫の遺產は放賣することを得ないものと解したのであつたが、掌隷院は此の禁止を無視して放賣を許し署經した爲めに、司憲府から之を議啓し、再び收議せられるに至つた。

傳曰、大典內、無子女夫妻奴婢、雖無傳係、生存者區處、本族外、不得與他、放賣亦區處也、貧窮者、雖放賣可也、今有言者云、許賣於本宗、此則雖不立法、大典本意、固亦如是也、若生理貧窮者、許令放賣他處、有司何以知貧窮之實、而許其放賣乎、其議于領敦寧以上・政府・六曹・漢城府・臺諫・弘文館、沈澮・尹弼商・李克均・卞宗仁・韓𠌫・李陸・權健・尹慜・李季男・朴楣・尹兢議、大典內、無子女夫妻奴婢、雖無傳係、生存者區處、本族外、不得與他、而不載買賣之條、故生存者、托貧窮、擅便放賣、使本孫不得爭、非祖先之意也、甚不合大體、洪應議、貧窮不能資生則奴婢・田地、皆吾己物、所當放賣以資生、大典不言買賣者爲此也、若其與他而稱放賣者、在法當禁、然豈爲此等人、而廢買賣乎、盧思愼・李克培・尹壕・盧公弼・成健議、掌隷院所啓爲是、但實不買賣而托稱買賣與他者、間或有之、在有司辨之如何耳、若如司憲府所啓、則生利窮迫者、恐不得買賣資生、李鐵堅・李崇元・鄭文炯議、大典云、無子息夫妻奴婢、雖無傳係、生存者區處、本族外、不得與他、而不言不得放賣、則自當任意放賣也、守信寡居、衣食不繼、賣夫奴婢以資其生、勢不得不爾、不可與假托放賣贈與者並禁之也、其假托放賣者、有司自當辨之、大典內、初不並言不得放賣者、以此也、李克墩議、以大典文勢觀之、雖不幷言買賣、亦當任區處之例、故前日已令不得擅賣、今掌隷院署經給之未便、但守信寡婦、飢餓切身、其夫族傍觀不恤、企待死亡、而須賣一口奴、一畝田、得以生活、則在所當恕、如此者、該司臨時啓聞取禀何如、柳洵議、夫妻之間、所有田民・財物、不可論以彼此、故無子息夫妻奴婢、許其生存者區處、但我國士大夫家、多倚奴婢以立門戶、奴婢旣爲重物也、故不許任意給與異宗之人、若其放賣、則異於是、鰥夫寡婦、或有貧乏無以爲生者、雖有亡配奴婢、不得隨意賣用、坐守窮餓、爲本宗者、視之而不恤、以爲彼奴婢他日爲我有也、及其死也、則羣聚而分占、豈不悖於

理一哉、大典只言二區處一、而無二放賣之文一、恐不レ可下以二放賣一爲中區處上而不レ許二其任意爲一也、李

譯・金應箕・崔璡・閔師騫・鄭光世・李承健・權景禧・崔壽昢・徐彭召・洪瀚・李繼福・柳廷秀・

許輯・金銓・李達善・成希顏・申用漑・金勘議、大典內、無二子息一夫妻奴婢、雖レ無二傳係一、生存

者區處、本族外、不レ得レ與レ他云、爾則雖レ無二放賣之文一、放賣亦是區處、雖レ不レ言二本族外一、不レ

得二放賣一、而其意實在二其中一、臣等意以爲、使レ得二放賣一、而其放賣不レ出二本族之外一、則窮乏

者、得二以資生自存一、亦無レ任二情賣一レ他之弊、恐此乃大典立法之本意也、但官吏眩二於奉

行一、致二此兩端同異之議一、況窮巷小民哉、申二明此意一、示二諸中・外一何如、傳曰、更歸一議啓、

弼商議、臣之本意如二前議一、然今更思レ之、若禁不レ得二放賣一、則寒餓死亡者必有レ之、其中

貧窶者、許レ令二放賣一、若非二貧窮一而冒濫賣與者、許二本族陳訴一爲レ便、洪應・克均・思愼議、夫

妻居レ家、同二甘苦一、妻物卽夫物、夫物卽妻物、有無共レ之、無レ有二彼此之隔一、生既如レ此、死何

有レ異、及二其身歿一、夫不レ得レ擅二其妻物一、妻不レ得レ擅二其夫物一、豈理哉、脫有二夫妻中、生理窮迫一、

則當二任意買賣資レ生過活一、有二何不可一、此情理之當然也、若令レ買二於使孫之中一、則使孫

以爲、終當レ歸レ我、而不レ肯レ買レ之、甚者或刼二其奴婢一以爲、終爲二我物一、或敎誘使用、彼奴婢

者亦以謂、終爲二我主一、無レ不二聽從一、而婺婦鰥夫老病無レ勢、不レ能二制馭一、是使孫反爲二主張一、

而本主反爲二貧流一矣、反覆籌レ之、恐不レ當レ如レ是、且於二大典一無レ妨也、傳曰、後當二更言一レ之、(成宗實錄第二百四十一卷二十一年六月條)

禁せんとする者は、若し貧窮の故を以て放賣を許せば、之に托して擅に濫賣し、本孫をして得る處なからしめるであらうことを憂ひ、之に反對する者は、假令擅に他に與へて放賣と稱する者を出すとしても、其の爲めに賣買を廢するのは不當だと主張する。或は夫婦財產の共有を論じ、夫妻之間所有田民・財物、不レ可レ論以二彼此一と云ひ、又は夫妻居レ家、同二甘苦一、妻物卽夫物、夫物卽妻物、有無共レ之、無レ有二彼此之隔一、生既如レ此、死何有レ異と云ひ、生存者に區處を許したのは、本來共有財產なるが故であると說く。勿論其の主張する夫婦共產も、一代限りのものであつて、生存配偶者の死亡に因つて、各自の遺產は、それぞれ各自の本族が承繼することを是認するのである。いづれは各自の本族に歸すべき財產なることを是認する限り、夫婦共產と云つても、生存配偶者の處分に限界を付すべきや否やは、依然問題たり得るのであつて、放賣を許すときは、生存配偶者は、先づ亡配偶者の遺產に手を付けるであらう懸念は十分にある。之を許すにしても、自己の財產を放賣して尙ほ足らざるときに、始めて亡配偶者の遺產を處分せしめんとする意向は、常に生存者の貧窮を云ふ處に現はれ、放賣に假託するを恐れる處に窺はれる。尹弼商は放賣を許さずと主張した前說を改め、貧寠者には之を許し、貧窮に非ざるものが冒濫賣與したときは、本族に陳訴することを許すべしと提案したが、遂に議はまとまらなかつた。勿論、放賣と區處との間に、差異を認めんとする考へ方も、隨所に示指せられてゐる。一口奴・一畝田を賣つて一時の用を辨ずるのと、相續財產の分配を意味する分財との間に區別すべきものあるは論を俟たない。貧窮者を以て議論の對象となすが故に、兩者淆混し、議論をして益紛料ならしめた憾もある。

上呼承旨曰、昨日政丞等議似可然、大典云、生存者區處、本族外、不得與他、放賣亦是區處也、大典之意、則不當放賣也、若許放賣、則有違於大典之法矣、如貧窮之人、迫於飢寒者、可許放賣也、政丞等前議云、貧窮者許賣、而冒濫放賣者、有司辨之、後議云、妻物卽夫物、夫物卽妻物、固當任意區處、若許任意買賣、則有司何以辨其貧富乎、如使任意區處、則先祖之物、托以放賣、盡歸之他門矣、同副承旨許琛對曰、臣昨日詳聞其議、盧思愼云、許令放賣、乃大典本意也、　世祖朝大典內、只言生存者區處、而無不得與他之文、其後以爲太濫、而立不得與他之法、　上曰、以謂立法本意、而使之任意放賣、則以先祖之物、賣與他人、豈可乎、於卿等意何如、都承旨韓健對曰、昨日洪應・李克培・盧思愼皆云、祖宗朝之法、則皆許放賣、此實大典本意也、　上曰、以予意更議于許賣宰相、(成宗實錄第二百四十一卷二十一年六月庚寅條)

王は前日の議に惑ひ、侍臣に其の意を傳へて、再議を命ぜられた。此の時侍臣は、世祖朝大典の內には生存者區處と云ひ、不得與他の文のなかつたことを擧げて、放賣を許すべしとの意見を述べてゐる。不得與他は相續又は分財に關する制限であつて、放賣を含まずとの趣旨であらう。　再議せられた處は次の如くである。

尹弼商議、臣之臆意、如前議、猶未解惑、若不至貧窮而放賣者、許本孫告之、從而改正、則賣者買者、以有易無、通生生之理、天下所同也、有人於此、祖父有遺書毋得與他、爲子孫者、所當敬守、不得已、則賣以資生、賣則生、不賣則死、子孫之生活、重於遺書也、使祖父見之、必曰、吾兒何不速爲生生之計也、況匹夫匹婦、上無所受、下無所傳、以吾分內之物、有何疑懼、而不得賣之、當生存時、盡賣以衣食、雖不遺一物於本宗之人、固無害義、是吾之物、本族之得不得、是餘事也、幸而有餘、與其濫給於他族、莫若歸之同宗連派之人、此　祖宗仁厚之法、至今行之、買賣而冒濫者、事事皆然、奚獨疑於無子女夫妻之事、爲官吏者、宜於此辨其奸僞、定其是非、終歸於至當而已、若更設冒濫之禁章、是屋上架屋、吏之執迷者、益眩於施爲、終將曰、又立科條、庶幾可行、於是又立法乎、是爲拙工、改繩墨、爲拙射、變彀率、將不勝其救之方、毋致疑於紜紜之說、以守成憲、是所願也、李克培議、大典內、無買賣之文、故自祖宗朝、貧窮者得買賣、以資生理、其中冒濫者、則必有使孫陳告、亦在有司之明辨、大低情跡曖昧之事、猶且明辨、況貧窮四隣之所親見、人人之所易知、辨之何難、仍舊爲便、盧思愼議、立許賣之法、則奸巧者、有冒與他人之弊、立禁賣之法、則貧窮者、有不救朝夕之患、是二法者俱有其弊、而於弊之中、又有輕重之分、使孫與夫妻、親疏懸隔、與其給使孫之遠族、豈若給生存者、資生援之人情、豈遠是哉、緣死者心、亦必如之、惟貧窮者得賣之法、擇其兩端、似乎得中、若使孫勢强、則旁請曲囑、雖貧曰富、無所不至、嫠婦鰥夫老病臥床、傍無子弟者、雖欲告訴、誰因誰極、如此之奸、何以禁之、大典不言許賣、故無故而欲賣者、不得生心、不言禁賣、故貧窮而欲賣者、有時任意、彼此皆便、情・法兩得、雖無定法、法在言外、權其輕重、變而通之、實在於人、此古人所以貴於人法並用也、今不必更立法、李鐵堅議、田・民欲賣者、將貧寒切身事、狀告所居官、官吏辨其貧富、所告的實、然後方許買賣、則富者不得濫賣、魚世謙議、凡立法或詳、或略、各適其宜耳、直許買賣、則以祖傳奴婢、濫賣與他者、容或有之、是失於略也、惟貧者得許買賣、則辨其窮貧之際、財主本族、必有互訟之端、是則欲詳而訟多、皆有弊、然議者不一、迄無定論、若實有貧窶而自己田・民可賣而資生者、方許賣之、而其貧窶與否、覈實節目、及濫賣者推論節目、令該曹詳悉議啓、後更議何如、李克均議、臣之前議、亦謂唯貧者得賣、然辨其貧富爲難、誠如　上敎、臣妄意、夫妻兩邊祖上傳係臧獲・田土・財產有無、問於兩邊使孫及切隣、則自不掩其貧富、以此閱實何如、李崇元議、貧窮者許賣而其文券、令該司覈實署經、則其非貧窮而冒賣者、該司覈實之際、本孫必告爭、冒賣者自止矣、李克墩・安瑚議、大典內、夫妻奴婢、不得與他、夫則哿矣、足以自生、其如年少寡婦、終身守節、他無所賴、飢寒切身、而不許放賣、則終至失身矣、與其失身背夫之祖宗、寧賣祖宗之奴婢以全節、且婦人以夫家爲家、夫之宗卽己之宗、夫之奴婢、卽己之奴婢、今若不許放賣、則是猶禁人之子孫、不得賣祖之奴婢也、以此論之、終身守節婦、則許賣爲便、至於辨其貧富、亦不難矣、夫宗四寸以上親、皆應得奴婢者、須具三人以上、取招署經、則貧富自當從實、如是而又官吏妄許稅契、則夫宗亦皆陳訴、期於三度得伸而後已、然則於情法、又何害、廬公弼議、若許放賣、則辨其貧富爲難、誠如　上敎、然有貧窮者、迫於飢寒、而猶不得擅賣夫妻之物、以資生、豈情理也哉、今但立法云、唯貧者許賣、則其非貧者、雖欲賣與所親、必畏法而不敢、買者亦以謂、貧者得賣、而吾買非貧者之物、他日爲使孫者所告、則終當還奪、必不肯買、如此則冒法濫與之弊、自不爲多矣、縱其中雖有貧富之難辨、豈可爲富者之冒法、幷廢貧者資生之路哉、成健議、臣意以爲、辨其貧富實難、但夫則晉矣、貧窮無賴守節寡婦、實可哀憫、故只許貧窮寡婦得賣、則其不實、應得使孫、自當陳訴矣、此法固難兩便、然使之全不得賣、則必有貧窮無告之嘆、宜使得賣、以濟其貧窮也、若托以放賣、縱意與他者、亦令禁之、如此則其所放賣、不至於濫、雖間有貧富難明者、自有三度得伸之法、無大弊、貧寒窮餓者、庶得有養矣、尹兢議、貧不聊生、不得已放賣者、具其事由告官、閱實後、許令買賣、則無餓死之弊、而後亦無訟端一矣、傳曰、今觀二衆議一、自二祖宗朝一、皆許二放賣一、不レ可二輕改一、今宜下依二祖宗之法一、許上レ令二放賣一、然官吏不レ可レ不レ知二放賣之眞僞一也、其分辨署經(成宗實錄第二百四十一卷二十一年六月庚寅條)

所説紛々の觀はあるが、一方に於て、亡配偶者の財産を他族に歸せしめることを欲せざるに拘らず、子女なき孤獨の鰥寡をして、之に依つて從來の生計を保たしめんとするのが、此の制度の本義であることについては、何人も疑を挿んではゐない。問題は要するに、生存者の支配する財産は、亡配偶者の遺産と自己の財産とに分離せられて存し、亡配偶者の財産に付ては生存者は、亡配偶者の本族を後位相續人として、先位相續人たる地位に在り、其の處分は、後位相續人の利害に直接に影響する點に在る。放賣を許さんか、之に假託し又は濫賣して、亡配偶者の本族の爲めには、一物をも殘さざる者があらう。之を禁ぜんか、守節の寡婦財を抱いて飢餓に死する者を出すであらうといふ、兩極端を想像するときは、去就に迷ふのは當然である。冐頭の尹弼商の見解は、毋レ得レ與二他の遺書の禁を援て、幸にして餘あらば他族に濫給するよりも、同宗連派の人に歸せしむるに若かずと爲すのが法の趣旨であると云ひ、後位相續開始の時の狀態に於て、後位相續人をして相續せしむれば足ると解するのである。　之に加へて爲二官吏者一、宜下於二此辨一レ其奸僞、定二其是非一、終歸中於至當上而已と云つたのは、生前の處分に依つて、亡配偶者の本族以外の者に、相續せしめると同樣の結果を來さしめることを禁止せんとするものであつて、相續と生前の分給との間に、差異を認めない思想からすれば當然の制限である。　守節の寡婦の哀憫に動かされて、富者に禁じ貧者に許さんとする妥協的な傾向に支配せられては居るが、結局は生存配偶者たる先位相續人は、奴婢・田宅・家舍等相續財產の主要なるものに對しては、管理收益の權利を有するに止るか否かが、議論の中心をなすのであつて、先位相續人の處分權を認めんとする見解が採用せられて、受敎となつたのである。　官吏は放賣の眞僞を知らざるべからずと云ふのは、賣買に假托して他族に分給することを許さざるの意である。

これが左の如き受敎となつた。

傳旨議政府曰、大典內、有下無二子女一夫妻奴婢、本族外、不レ得レ與レ他之文上、而未レ有二買賣之禁一、自二祖宗朝一行レ之已久、豈宜二輕改一、然臧獲之傳、受二之先祖一、以立二門戶一、嗣胤之無レ後者、固當歸諸本族、以庇其宗、不可妄傳以爲他有矣、世之巨家大族、雖不貧乏者、托以買賣、給與他人、甚爲無謂也、有司固宜酌其輕重、並用情法、期於得中、其以此意遍曉中外（成宗實錄第二百四十一卷二十一年六月庚寅條）

決訟類聚補私賤條に弘治庚戌承傳○受教輯錄として略同樣に記載してゐる。

しかるに其の後再び一轉して、處分を禁止するに至つたのは、冒法濫與の弊を防ぎ得なかつたが爲めであらう。即ち續大典刑典私賤條には

無子女夫妻奴婢、生存者區處而本族外不得與他（見原典本條）既不得與他、則自不得放賣、其放賣文記、勿許斜給

となつて現れた。

本族なき遺産

亡配偶者の遺産は、本族がなければ國家に歸屬する。經國大典刑典私賤條に

無本族則屬公

尤も此の規定は、無子女嫡母奴婢に關するものではあるが、夫の遺産に付ても同樣でなければならぬ。

乾隆三十四年八月　日寧邊府伏□在□無□後□內□奴□婢□記□上□田□畓□屬□公□

改打量成冊

延山坊上端館洞里員

南犯六等句田長肆拾尺活貳拾尺肆負、三方路、南山、時作崔太恒

西犯六等句田長肆拾尺活拾參尺貳負六束、東司田、三方路、時同人

西犯六等句田長貳拾伍尺活貳拾尺貳負陸束、東司田、三方路、時同人

東犯六等句田長貳拾尺活拾伍尺壹負伍束、二方司田、二方路、時同人

南犯六等句田長貳拾尺活拾伍尺壹負伍束、二方路、二方堰、時同人

東犯六等句田長參拾伍尺活貳拾尺參負伍束、二方路、二方司田、時同人

北犯六等句田長參拾伍尺活貳拾尺參負伍束、二方路、二方司田、時同人

東犯六等句田長參拾尺活拾尺壹負伍束、東小路、南高斤夏田、西大路、北梁、時同人

上端屈通洞彌勒員

東犯岾越六等句畓長伍拾壹尺活拾參尺參負玖束、東路、南浦、西筒、北金乾坤田、時作崔萬必

南犯六等句田長肆拾玖尺活柒尺壹負柒束、二方私婢斗玉、北浦、西筒、時同人

下端德氏筒員
東犯六等句沓長肆拾貳尺活貳拾肆尺伍負肆束、三方龍門寺佛享沓、西俗淸卞、時作崔丁必
東犯六等句沓長肆拾肆尺活肆拾尺捌負捌束、二方崔時中沓、二方朴時位沓、時同人
北犯六等句沓長陸拾伍尺活參拾陸尺拾壹負柒束、東劉昌德田、北路、南金興沓、西婢今萬代、
時同人
上端屈通洞員
西犯六等句田長貳拾參尺活拾陸尺壹負捌束、東路、南岾、西司田、北時興田、時同人
西犯六等句田長玖拾貳尺活參拾柒尺拾柒負四束、二方路、西司、北岾、時同人
北犯六等句田長陸拾貳尺活拾捌尺伍負陸束、三方司田、北時興田、時同人
南犯六等句田長柒拾伍尺活參拾伍尺拾參負壹束、三方司田、西時興、時同人
北犯六等句田長肆拾貳尺活貳拾尺陸負、東司田、西崔斗元田、二方路、時同人
以上田沓幷玖拾陸負壹束內
田陸拾陸負參束
沓貳拾玖負捌束
際

本族の範圍及び相續順位

乾隆三十四年は英祖四十五年に當る。

第二　本族の意義

本族は本孫・本宗又は使孫ともいふ。經國大典刑典私賤條の

嫡無子女者奴婢(良妾子女)七分之一、承重子則加三分、餘還本族

の註に

無同生則三寸、無三寸則四寸親、良妾子孫給七分之一、賤妾子孫給十分之一、本族人數雖多都給、假如奴婢數少、則先給妾子女

又續大典刑典私賤條にも

無子女嫡母奴婢、妾子女分數外、餘還本族、而勿論生歿均給、

となつて、其の註に

原典、無同生則三寸、無三寸則四寸親之法、蓋同生皆歿、然後三寸、三寸皆歿、然後四寸之謂、而官吏只給現在者、不給身死者、甚爲不當、更申法意、三寸以下同、

と云ひ、經國大典註解に

無子女已物、還係父母、故同生子女若孫爲本族而三寸叔・四寸兄弟、則不與焉、無四寸、然後其已物、當上係於祖父母三寸叔・四寸兄弟、得爲本族、故泛言親而不指言叔・姪・兄弟與孫也

とある。之に依れば相續の第一順位は直系卑屬である。直系卑屬なきときは相續順位は二段に分れる。第一は、相續財産(已物)を假りに被相續人の親の遺産と見て、其の直系卑屬たる被相續人の兄弟・姉妹(同生)、及び之に代襲する其の子——姪及び姪女(三寸)、——其の孫——從孫及び從孫女(四寸)が共同相續人となる。第二は、之等の者なき場合に、相續財産を祖に迄遡らせて、其の直系卑屬たる被相續人の伯叔父・姑(三寸)、及び之に代襲する伯叔父・姑の子——從兄弟姉妹(四寸)が共同相續人となるのである。本族はこれだけの範圍に止る。而して玆には父母・祖父母が漏れてゐる。

本族中に於ける父母の地位

惟ふに父死して數子相續したる後、其の內の一人が子女なくして死亡し、其の遺産が本族に還給せらるべき場合を想像するときは、母が之を相續するとは考へられぬ。父の遺産は、子女あるときは、母は相續しない。然るに一旦父の遺産を相續したる子が死亡するときは、母が同生に先つて相續す

るといふことは矛盾だからである。父母の生存中に分給した財産に付ては問題の餘地はある。前記註解に於て、無二子女一已物、還二係父母一、故同生子女若孫、爲二本族一と云へるは、本族に還給すべき遺産は、元父又は母から相續したものと前提してのことであらう。父母生前に分給せられた財産であつて、而も父母の生存中に子女なくして身死したる者の遺産は、同生に先つて父母に還給すべきであるとも考へられぬことはない、併し此の場合と雖、父及び母が均分に共同相續をするのではなくして、父あるときは父に還係し、父已に歿したるときは母に還係すると解すべきであらう。然りとすれば父の財産であつたものが、同生あるに拘らず、母に承繼せられることとなり、同じく一般の原則と調和しない。故に同生子女若孫なきときに、始めて父又は母が承繼すると解するのが穩當のやうである。父母の生存せるに拘らず之を飛び越えて、三寸叔が相續するのは不穩當である。換言すれば、第一順位に於ける本族は同生又は其の子女若くは孫。第二順位に於て父又は母。第三順位に於て三寸叔・四寸兄弟であり、祖父母は本族中に包含しないものと解すべきであらう。本族がなければ則ち國家に歸屬する。此の場合に妾子女・義子女・養子女等妻の本族と共に相續すべき者あるときは、國家と共に共同相續人となるのではなくして、之等の者のみが相續し、之等の者なき場合に始めて屬公となるのであらう。

本族に關する諸説

本族の範圍及び其の相續順位は、右に述べたる如くであるが、經國大典頒布の當初に於ては同生の死亡せる場合に、其の子若くは孫の代襲相續を認むべきかに付て爭があつた。父母の遺産の相續に付ての、未分奴婢、勿論子女存歿分給の法則が、旁親の遺産を同生が相續するに當つても、準用し得るやを疑問としたのである。無同生即三寸、無三寸則四寸親、の文字からすれば次の四說が成立ち得るからである。第一說は、同生と三寸と四寸との三段階に分ち、同生があれば第一に同生のみが相續する。同生がなければ第二に三寸のみが相續する。三寸は父母の同生を謂ふ。三寸がなければ第三に四寸のみが相續する。四寸は祖父母の同生を謂ふと解する。之に依れば同生の子孫及び叔伯父・姑の子は相續に與り得ないこととなる。第二說は同生歿して子孫あるものは、子孫が代襲して同生と共同相續し、同生皆歿して子孫なきときに三寸叔が相續すると解する。

之に依れば同生の子孫あるときは、叔伯父・姑は相續に與らないこととなる。第三說は、同生の子を三寸中に加へ、三寸叔と共同して相續に與らしめんとするのである。　之に依れば同生の孫は、三寸叔の子と共に、同じく四寸として、次順位に於て、共同相續することとなる。　第四說は、以上の諸說を折衷したので、同生の子又は孫は代襲して同生と共に相續に與る。　曾孫は五寸なるが故に與らない。同生皆歿して子及び孫なきときに三寸叔が相續する。　三寸叔の子は代襲する。孫は五寸なるが故に與らないとする。　前記の解釋は此の最後の說に當る。

掌隸院、因吳承胤・朴枝等訟奴婢、以大典奴婢決訟條、無同生則限三寸、無三寸則限四寸之文稟旨、　命議于領敦寧以上及議政府、(1)鄭昌孫議、無同生則三寸分得、無三寸則四寸分得、無四寸然後屬公例也、雖是同生之子、其親已歿、則不得居同生之行、(2)韓明澮議、大典本意、只以良妾子女、分無子女嫡母奴婢而言、臣意以爲、親祖奴婢、同生分得、則不在此例、其祖父奴婢、均分當矣、(3)沈澮議、無子息人奴婢、大典內、稱無同生則三寸、而不稱已歿同生之子、是闕典也、許多同生之中、一人生存、而餘皆身死有子孫、則其子孫、以同生之行、均給便、(4)尹弼商議、此非父母之奴婢、無同生、則三寸、無三寸、則四寸分給甚可、父母既亡、則其子似不得爭、(5)洪應議、同生者、與我同父母、若我無子女、則我之奴婢、同生當得之、其他同生已歿、而有子女者、是在三寸行、以此推之、至四寸皆然、(6)李克培議、大典無同生、則三寸、無三寸、則四寸親者、無子女嫡母奴婢、以分數給良妾子女、其餘數奴婢區處而言也、似不可用之於相訟奴婢也、大抵奴婢、四寸以上親、同訟分得例也、(7)盧思愼議、父母奴婢、同生雖死若有子女、則平均分執例也、無子息身死人奴婢、則異於此、財主既不區處、則當以親疎遠近爲別、若有同生、則所親莫近於此、故須先給之、既無同生、然後給其三寸、既無三寸、然後給其四寸而止、此立法之本意也、(8)李鐵堅議、大典本意、爲妾子女、分無子女嫡母奴婢而言、不指言相訟奴婢也、(9)鄭佸議、大典無同生、則三寸、無三寸、則四寸之文、大槩使孫分給之法、若同生等例當分得、而因身死、不給其子孫、則情有未安、(10)金謙光議、父母奴婢、則勿論同生存歿、平均分給、若無子女旁親奴婢、還本族、則給見存同生、無同生、則三寸、無三寸、則四寸、載在大典、依大典施行何如、(11)李崇元議、無子女同生奴婢、同生俱歿、則給三寸、若同生有生存者、有身歿而有子女者、則其身歿同生子女、從其父母之例、與生存同生均分、似合大典本意、　上以昌孫等議、

欲不與身歿同生子女、爲未穩、更議之、昌孫及弼商・洪應・思愼・謙光僉曰、前議已盡、
謙光曰、以人情論之、同生雖歿、若有子女、與生存同生均分似可、又命承旨等議之、
朴(12)崇質・尹殷老・李世佑・安處良・宋瑛・李則議、謹考經濟續典私賤條、嫡室無子息、則
良妾子息執籌平分、嫡室及良妾並無子息、賤妾子身良者、給七分之一、其餘奴婢、
同腹存歿勿論分給、無同腹者、限使孫四寸分給、舊大典私賤條、無子女嫡母奴婢、
七分之一、承重子加三分、餘還本族、註、無同生、則三寸、無三寸、則四寸親、三典分給
大意皆同、而文字詳略不同耳、大抵立法、擧其大槩、而用法者斟酌權衡、要使合於
情理而已、所謂無同生、則三寸、無三寸、則四寸云者、必須同生皆歿、然後三寸、三寸
皆歿、然後四寸、假如同生十人內、九人身死、一人獨存、則從生存者之位、勿論存歿
均分、而三寸不得與焉、其下倣此、如此則今之法、卽　祖宗法也、雖無勿論存歿之
語、存歿之意、亦在其中、官吏徒見文字、不究立法本意、只給見在之人、而不給身死
者、然則雖千口奴婢、生存一人專得、而身死九人子孫、皆不得焉、甚違立法本意、然
此專指無子女嫡母奴婢、還本宗者而言也、其他相訟、則當以同訟・不同訟論給、不
宜據此、今朴枝等相訟奴婢、掌隷院不用同訟・不同訟之法、而乃以無子女嫡母奴

婢還本宗之法論決、實爲未便、　命更議領敦寧以上、昌孫・明澮・弼商議、從臣等前議何如、(13)沈澮議、父母之於子孫、同源分派、安有其子歿、而其孫不得其奴婢乎、大典文勢雖如此、而非謂父母奴婢也、依前議均分爲便、(14)克培議、經濟六典續集內、無子息奴婢、勿論同腹存歿分給、無同腹則限使孫四寸分給、此法合於情理、今大典註云、無同生則三寸、無三寸則四寸以上親、似與先王立法本意不合、未知何所據而云也、臣愚以謂、依先王已成之法、勿論同腹存歿分給爲便、(15)思愼議、無子女無區處奴婢、旣無子孫可傳、又無明文與他、例合屬公、理在無疑、然國家待人以恕、不忍遽屬於官、雖因事故、未及區處、緣死者心、必欲傳諸親屬、親屬中同生爲重、何則同氣而生、一體而分、其親愛之情、豈與三寸四寸同哉、國家量親疏遠近、酌情理輕重、有同生則給同生、無同生然後乃給於三寸四寸、此緣情揆義、法之至善也、議者以爲、父母奴婢、勿論存歿、今此奴婢、何異於彼、而獨爲異制乎、臣意以謂不然、父母奴婢、子女所應得也、身雖已歿、若有子孫、則以同生名字分之、理固當然、族親奴婢、則頗異於此、不幸無子女而死、又無區處、故親戚得以相分、此豈吾分內當得之物哉、然則與父母奴婢、事體不同、不可一例而論明矣、大抵法立之後、或有損於國家、或有害二於民生一、不レ得レ已而改變、固當下講レ始慮レ終、不上レ可二輕爲一、況此一事、無レ關二於國家一、又不レ係二於民生一、無レ故紛更、恐爲二不可一、　傳曰、朴枝等相訟奴婢、令下該司勿レ論二同生存歿一、均中給身歿同生之子女上、則大典不レ必二更改一、後亦可二以類推一矣(成宗實錄第百九十九卷十八年正月甲子條)

代襲を認むべからずとなす見解は、慮思愼の前(7)後(15)の所説に詳かであつて父母の奴婢は同生死亡しても、子女があれば平均分執するのが例であるが、子息なくして死亡した人の奴婢を、其の子に非ざる者が相續する場合は、之と同一には論じ難い。被相續人には傳ふべき子孫なく、又生前に區處しなかつたのである。それを直ちに國家に歸屬せしめることは、恐らく死者の意思ではないであらうことを慮つて、親疎遠近を區別して分給せんとするのが法の趣旨である。被相續人と同生の間柄に在る者が最も近い。同生がなければ三寸、三寸がなければ四寸に給すべきであると云ひ。父母の財產ならば何れは子から孫へと相續せらるべきものであるが、同生の財產は之と異り、他の同生が始めより相續を期待したもの(當レ得之物)ではない。彼是混同するは當を得ないと云ふのである。鄭昌孫(1)明澮(2)尹弼商(4)金謙光(10)等の所説も亦同様である。之に反し、代襲相續を認めんとする者は、經濟六典續集の内に、無㆓子息㆒奴婢、勿㆓論同腹存歿㆒分給、無㆓同腹㆒、則限㆓使孫四寸㆒分給とある沿革を論據とし、同生中死亡せる者は、其の子孫あるに拘らず本族から除外するのは不穩當だと主張する。朴崇質等の所説(12)及び李克培の後の所説(14)最詳である。沈澮(3)鄭佸(9)の見解も亦之に屬する。即ち同生皆歿して子孫なきときに、初めて三寸叔が相續するとなすのである。故に無㆓同生㆒則三寸の三寸中には、同生の子は包まないこととなる。同生に付て代襲を認めるならば、三寸叔に付ても其の子の代襲を認めねばならぬ。故に無㆓三寸㆒則四寸の四寸中には三寸叔の子は包まないこととなる。從て一方に於て四寸は、祖父の兄弟(從叔伯父大姑)を指すものといふの外なく、他方に於て同生の直系卑屬は、曾孫(五寸)も本族に屬し、三寸叔の孫(五寸)も亦本族に加へねばならぬことになるが、恐らく論者も其の趣旨ではないであらう。洪應(5)は同生歿して子女あるときは、是即ち三寸の行に當る。孫は則ち四寸であると陳べてゐる。此の見解に依るときは、同生中生存者あるときは、生存者のみが相續し、已歿同生の子女は與ることなく、同生皆歿して其の子女あるときは、三寸叔と共同相續することとなるのであつて、前記兩說の何れにも屬しない。 結局は代襲說が採用せられたのであるが、同生の代襲は孫(四寸)に止め、三寸叔の代襲は子(四寸)に止め、祖父母の兄弟(四寸)を本族から除外したのが、前揭經國大典註解の解釋である。 其の結果無三寸則四寸の四寸は、其の實三寸叔を代襲する三寸叔の子を意味し、三寸と四寸とは順位の問題ではなくなるのである。 寧ろ經濟六典に於けるが如く、限使孫四寸分給と云ふべきであつて、無三寸則四寸と階段を分けた文字の意味からは遠ざかることとなり、反對論者が自說を固執したのも理由がある。 無子女嫡母奴婢、良妾子女七分之一、承重子、則加三分、餘還本族の規定は、良妾子が本族と共同相續をなすことを規定したものではあるが、使孫分給の法の適用であることは、鄭佸(9)の言の如くであつて、李鐵堅(8)李克培(6)が之を以て、子女なき嫡母の奴婢を妾子女に分つことを規定したに止り、妾子女なき場合の本族の相續に適用あるものではないと主張するのは誤りであらう。 本族の相續に妾子女が參加するときでも、義子女若くは侍養子女が參加するときでも、又は之等の者の參

本族と異母兄弟

加なきときでも、本族の範圍と順位とは、同一に解すべきである。

同生が異母兄弟なる場合に、遺產中異母から傳繼したものに付て問題を生じた。決訟類聚補私賤條に

異母同生兄、前母邊奴婢傳執使用、已作已物、無子女身死後、全數論給異母弟、與大典相應不當、以無子女前母奴婢例、分數除去（弘治庚戌承傳受教輯錄）

父と先妻との間に生れた兄が子女なくして死んだときに、先妻側から傳執した財產は、父と後妻との間に生れた異母弟が、異母同生として承繼するか、或は異母なるが故に之を除外し、先妻の本族、例へば先妻の弟が三寸親として承繼するかを問題としたのである。而して其の何れをも不當なりとし、無子女前母奴婢の例に依り、異母弟を前母に對する義子の地位に置いて、先妻の本族と分數に依つて共同相續せしめよといふのが受教の趣旨である。異母兄を被相續人としての相續であるに拘らず、之を無視し、一代遡つて子女なき前母を被相續人としての相續と看做さんとするのは無理である。假令外祖父の勿給孫外の遺書があつたとしても、一旦は母から孫に傳つた財產であつて、其の後は孫の異母弟が承

繼しても、遺書に反することはない。父母の財産を子が相續した後に、尙ほ父邊の財産と母邊の財産とを區別せんとするのは穩當でない。故に其の後の受教に於て、前受敎を變更し、全部を異母弟に許給することとしたのは至當である。即ち

無子女身死異母同生之己物中、異母邊已傳來使喚耕食之田・民、異母同生處傳給、勿給異母邊使孫（弘治乙卯承傳受敎輯錄）（受敎輯錄刑典私賤條・決訟類聚補私賤條にも登載してある）

續大典刑典私賤條註には

有子女前母奴婢、其子傳執使喚、已作己物而無子女身死、則依原典無子女者奴婢、本族外、無得與他之法、異母同生處傳給、勿以無子女前母奴婢例分數除出、亦勿給前母邊使孫、

として載せられた。同じ趣旨である。

第三　妾子女・義子女・養子女亦毋過其分の解

妻の遺産と妾子女・義子女・養子女

經國大典刑典私賤條に

無子女夫妻奴婢、雖無傳係生存者區處、本族外、不得與他、如有妾子女・義子女・養子女、亦毋過其分

とある。其の後段の妾子女・義子女は、父に取つては子女である。義子女は先妻から見ての後妻の子女、後妻から見ての先妻の子女であつて、何れも父の嫡子女である。無子女夫妻奴婢に關する規定のなかに、妾子女・義子女を擧げたのは、妻に取つては子女でないからである。故に夫死亡するときは、其の遺産は妾子女・義子女が相續し、無子女夫妻奴婢には該當しない。之に反し、妻が死亡するときは其の遺産は、妻の本族が相續し、夫生存するときは、夫を先位相續人として後位相續人となるのである。唯一定の相續分を以て、妾子女・義子女をも、妻の本族と共に、共同相續に與らしめんとするのがこの後段の規定である。收養子は已子

義子女の相續分

に同じ。　故に無子女夫妻奴婢の適用はない。　唯侍養子は、養父母の何れに對しても子女ではないが、これにも一定の相續分を以て、養父及び養母の遺産に對し各本族と共に相續に與ることを得せしめたのである。

先づ義子女に付て考へるに、經國大典刑典私賤條に

無子女前母・繼母奴婢、義子女五分之一、承重子、則加三分

詞訟類聚私賤條の註には

謂義子女、與前母・繼母使孫等、五分之一、承重子、毎分加三分三口、並四口、與使孫皆四口(人數雖多都給)

とある。　故に妻の遺産を、其の本族に還給するに當り、義子女あるときは、本族四、義子女一の割合を以て相續に參加する。　承重子は三分を加へ、四對四となる。前母と云へるは、先妻の遺産に對する後妻の子の相續に付てであり、繼母と云へるは、後妻の遺産に對する先妻の子の相續に付てである。　前母の奴婢を義子女が相續することを認めるには、妻の遺産は夫が承繼し、其の生存中は、後妻を娶つたときでも、先妻の本族に還給せざることを前提とするのであつて、夫娶他妻、女

適他者、限使孫四寸分給の太宗五年九月受敎の前半は、旣に次の受敎に依つて變更せられた。

議政府據刑曹呈啓、今世俗、無子息亡妻奴婢、其夫因仍使喚、及改娶他妻、則其奴婢、卽還本宗、竊惟、夫之亡妻雖改娶、非婦人改嫁之比、無義絕之理、而還奴婢于本宗未便、且無子息、無傳繼繼母奴婢、於奉祀義子分半許給、已有定法、獨前母奴婢、奉祀義子、不得役之、亦爲未便、又賤妾子、若於嫡室無子、則承重奉祀、曾有定制、而無子息嫡母、及前嫡母・繼嫡母之奴婢、全不許給、有違承重之義、並不合情理、請自今無子息亡妻奴婢、其夫使喚、及其身死、於後妻所生承重長子、給三分之一、若無嫡子、則承重良妾子、給五分之一、賤妾子七分之一、其餘奴婢並還本宗、其無子息嫡母、及繼嫡母奴婢、承重良妾子、給三分之一、賤妾子、給五分之一、其餘奴婢、依已行格例施行、且三歲前收養、雖曰卽同己子、然於收養父母、旣不得承重、而爲本親無降服之例、宜論以孫外、若爲後之子、則降本族之服、爲爲後者親屬、依本親例行服、不可論以非本孫、況承重義子、情義尤重、論以非本孫、萬無是理、雖於祖上遺書、有曰非本孫、毋得與他之言、請依正統三年九月受敎、勿論遺書有無、一依前項條

件施行、　從之（世宗實錄第九十七卷二十四年七月申戌條）

第一に夫の後妻を娶ることを、妻の改嫁と同視するのは不當なりとし、子女なき亡妻の遺産は、後妻改娶の後も、依然夫が承繼（因仍使喚）し、夫死亡の時に、亡妻の本族に還給することに改め、而して此の場合に、後妻の子が承重子なるときは、之をも先妻の遺産に對する相續に、參加せしめんとするのである。同じ繼母・義子の關係に於て、後妻の遺産は、其の本族と先妻の承重子とが均分に相續（分半許給）することは、當時既に認められてゐた。然るに先妻に子女なく、後妻の子が承重義子となつた場合に、之を先妻（前母）の遺産の相續に與らしめないのは、不權衡だといふのであつて、分數率を下して、二に對する一の割合（三分之一）を以て先妻の本族と共に相續せしめたのである。其の文中に繼母奴婢、於奉祀義子、分半許給、已有定法といふのは

議政府啓、續刑典節該、祖業奴婢、其子孫、不顧祖上遺書、擅自與他未便、一從遺書決給、乙卯年敎旨節該、無後婦人奴婢、分半給其奉祀義子、今官吏等、不知立法之意、眩於處決、然出家女子、已去本宗、以夫家爲重、以義子爲己子、其自己所得奴婢、

分半給其義子、不背於義、非擅自與他之比、當依乙卯年教旨分半決給、其無義子者、當依六典、從遺書決給、且無繼嗣者、旣以同宗支子、立以爲後、一應家事皆如己子、其奴婢・財産、泥於遺書、不傳於爲後者、而傳於族人、則尤乖於義、一如親子決給爲便、從之(世宗實錄第八十二卷二十年九月癸巳條)

に所謂乙卯年教旨を指すのであつて、前の啓文中に請依正統三年九月受敎云云と云へるは、此の世宗二十年九月癸巳の受教に當るのである。而して右の乙卯年教旨には、

詳定所啓、繼母未分奴婢、以元數分半、一分給義子、一分依六典、限四寸分給、其有奴婢只一口者、給義子、從之(世宗實錄第六十八卷十七年五月丁亥條)

とある。之に依つても、承重義子の外は義子女が繼母の遺産の相續に與ることは認められなかつた。

受常參視事、成均直講朴纘祖・閔貞等輪對、纘祖啓曰、(中略)世人繼母之喪、無異親母、而奴婢不得傳受、情理未穩、請於大典撰定、(世祖實錄第十二卷三年三月辛未條)

然るに經國大典に至つて始めて、承重義子の外に、義衆子女をも加へ、又前母と繼母とを一律に、無子女前母・繼母奴婢と云ひ、義子女五分之一、承重子に付ては奉祀料を加給して、承重子則加三分とした。四に對する一に三分を加へるときは四對四となり、分半許給となるのである。

然るに成宗實錄第十五卷三年二月甲申條に

傳于刑曹、掌隷院曰、大典云、無子女前母・繼母奴婢、義子女七分之一、承重子加二分、自今承重子、則加給三分

又同じく第三十九卷成宗五年二月乙酉條に

掌隷院啓、己丑年頒降大典刑典內、無子女前母・繼母奴婢、義子女七分之一、承重子、則加二分、今新降大典刑典內、無子女前母繼母奴婢、義子女五分之一、承重子、則加三分、上項奴婢已前決給者、當從舊大典施行、新大典頒降前已決、而因花名不納、未受立案者、請依新大典分數分給、從之

とあるを見れば、睿宗元年(己丑)に頒降せられた經國大典には、義子女七分之一、承重子の加給は二分であつたのである。 卽ち前母・繼母を通じて、其の本族と義子

女との相續分は六對一、承重子はこれに二分を加へて六對三（二對一）となるのであつて、三分之一に當る。故に之を前に世宗二十四年七月申戌條が、繼母奴婢の奉祀義子に於けると、前母奴婢の奉祀義子に於けるとを區別し、繼母奴婢、於奉祀義子、分半許給、已有定法、（中略）請自今、無子息亡妻奴婢、其夫使喚、及其身死、於後妻所生承重長子、給三分之一と云へるに照して考へるときは、當初の經國大典に於ては世宗の時に始めて前母奴婢と承重義子との間に認められた三分之一を以て、前母と繼母とを通じての承重義子の相續分として規定したのであつたが、成宗の時に至つて之を改め、繼母奴婢と承重義子との間に認められた分半許給を以て、前母・繼母を通じての比率としたものと思はれる。

前母の父母の遺産と義子女

そこで義子女は、前母に代襲して、前母の父母の遺産を相續し得るかが問題となる。

議、大典私賤條、未分奴婢、勿論子女存歿、分給事、麟趾・昌孫・明澮・子雲・思愼・克培・居正議、勿論子女存歿分給云者、爲前朝風俗、以先亡者、爲不孝、而不給奴婢者設也、非爲無子息女子身死者言也、況汎言勿論子女存歿、而不言無子息之女、故妻亡數十年之後、稱爲妻父母未分奴婢、爭訟分得、不合情理、且壻更娶後妻有子、則稱爲奉祀、而分得猶可說也、若只有女子而分得、尤爲無理、今後無子息亡妻奴婢、勿分給如何、錫文・礩・允成・國光・克增・孝常・嶠・承召議、婚嫁時必有新奴婢、此父母親給奴婢也、雖不加給、不可無奉祀奴婢也、李崇元議、後妻之子、前母奉祀奴婢、依大典分數給之何如、　從麟趾等及崇元議(成宗實錄第五十六卷六年六月甲辰條)

先妻に子女あるときは、母に代襲して外祖父母の相續に與ることは、勿論子女存歿分給の本文に照して疑なく、其の場合に後妻の子が承重子なるときは、有子女前母・繼母奴婢、義子承重、則九分之一の法に依つて、承重義子に限り、先妻の子女と共に其の相續に參加する。義衆子に及ばない(二五九頁參照)。今問題となつたのは、先妻に子女のない場合である。先妻に遺産ありとせば結局は本族に還給せらるべき場合に該當するのである。論者のいふところは、父母に先て死する者の子は、不孝の子なりとし、奴婢を分給せざる慣習があつたので、特に勿論子女存歿分給の明文を置たのであつて、外祖父母の遺産を、子息なき亡妻に分給すべきではないといふに一致する。此の場合に、夫に代襲相續の權利なきは勿論である

(二七一頁參照)。唯後妻の子が承重子なる場合に限り、其の者の相續分に付て、前母を代襲して外祖父母の遺產を相續することを認めたのである。承重義子の相續分は分半許給であつて、本族と均分である。義衆子には及ばない。卽ち受敎となつて現れた處に依れば

傳旨刑曹曰、大典私賤條、父母未分奴婢、勿論子女存歿分給本意、蓋爲前朝風俗、先亡子女所出、則稱不孝減給而設也、非爲無子息女子、先父母身死者而言也、間有不察此意、無子息亡妻之父母未分奴婢、一般分給、殊失立法本意、其未分奴婢、勿許分給、前母奉祀奴婢、則依大典分數分給(成宗實錄第五十七卷六年七月戊申條)

經國大典刑典私賤條勿論子女存歿分給の註に

身歿無子孫者、不在此限

と云ひ、又續大典刑典私賤條の父母奴婢、不爲和會者、呈官分執の註にも

子女身歿無子孫者、勿爲分給

とあるのは、承重義子を例外としての原則を示したのである。

妾子女の相續分

妾子女に付ては經國大典刑典私賤條に

無子女嫡母奴婢良妾子女七分之一承重子則加三分餘還本族(中略)賤妾子女十分之一承重子則加二分

と規定し良妾子女は本族六に對する一賤妾子女は本族九に對する一の割合を以て共同相續人として參加する。承重子に限らないのであつて承重子には三分又は二分を加給する。然るに前に前母と義子女に關して擧げた世宗二十四年七月の敎旨のなかには

若無嫡子則承重良妾子給五分之一賤妾子七分之一其餘奴婢並還本宗其無子息嫡母及繼嫡母奴婢承重良妾子給三分之一賤妾子給五分之一

とあつて妾子にして承重したる者に付ても被相續人たる嫡室の死亡前に既に承重妾子であつた者(妾子から見て嫡母及び繼嫡母)と嫡室死亡後に出生せる承重妾子(妾子から見て前嫡母)とを區別し前者の場合には承重良妾子には二に對する一(三分之一)承重賤妾子には四に對する一(五分之一)の割合を以てし後者の場合に在りては分數率を下げて承重良妾子は四に對する一(五分之一)承重賤妾

子は六に對する一（七分之一）の割合を以て、嫡母の本族と共に相續せしめたのであつた。嫡室に子がなければ賤妾子も亦承重することに付ては定制あるに拘らず、嫡母の遺産の相續に與らしめないのは、承重の義に反し情理に合しないといふのである。良妾子と賤妾子とを問はず、承重子を限つて、本族の相續に參加せしめたのは、此の世宗の敎旨を以て始る。それを經國大典に於ては更に擴張し、前嫡母・嫡母・繼嫡母の區別を廢して一律に、無子女嫡母奴婢、良妾子女七分之一、承重子、則加三分、賤妾子女十分之一、承重子、則加二分としたのである。承重良妾子は六對一に三分を加へ六對四卽ち三對二となり、承重賤妾子は九對一に二分を加へて九對三卽ち三對一となる。嫡母の本族三口に對し承重子が良妾子ならば二口、賤妾子ならば一口となるのである。

前に述べたやうに承重義子は、前母奉祀奴婢と稱し、前母に代襲して、外祖父母（前母の父母）の相續に與ることを得るならば、同じ理論が、承重妾子に付ても認められねばならぬ。卽ち嫡母奉祀奴婢として、大典分數に依つて、嫡母の父母の相續に與り得るものと解すべきであらう。

侍養子女の相續分

次に養子女に付てであるが、收養子女は繼後子と異り、後者は承重嫡子に準ずるに反し、前者は嫡子女六に對する一の割合に於て相續する。相續分に差等あるに止まり己子に同じく、收養子女あるときは、父母の何れの遺産に付ても、本族の相續すべき場合に當らないことは既に述べた。然るに侍養子女は父母の何れの遺産に付ても、他に子女なきときは、其の本族の相續に參加するに止まる。故に恰も子女と本族との中間に位し、他に子女あるときは、低き率に於て之と共同して相續する。他に子女なきときは本族と共同して相續に與るのである。即ち他に子女なく唯侍養子女のみあるときは、無子女夫妻奴婢として、亡配偶者の遺産は、生存配偶者が相續し、侍養子が相續するのは、生存配偶者の死亡の時である。經國大典刑典私賤條に

無子女養父母奴婢、養子女七分之一、(三歲前則全給)

と云へる養子女は、侍養子女のことであり、其の七分之一は、各本族に對する分數である。收養子女及び侍養子女が、子女と共同して相續する場合に付ての經國大典刑典私賤條に

嫡有二子女一養父母奴婢、養子女十分之一、三歳前則七分之一、の分數は、他の子女に對する比率であることは勿論であるが、其の註の十分之一、謂下嫡有二子女一則侍養子女、給中十分之一上、如嫡無二子女一、而只有二妾子女一則父奴婢、給二養子女七分之一一、餘並給二妾子女一、母奴婢、從二本分一、給二妾子女・養子女一、餘還二本族一とあるのは、嫡無二子女一の場合の母の奴婢に付て、從二本分一給二妾子女・養子女一、餘還二本族一とあつて、義子女に言及せざるも、無二子女一夫妻奴婢、雖レ無二傳係一、生存者區處、本族外、不レ得レ與レ他、如有二妾子女・義子女・養子女一、亦毋レ過二其分一の適用に外ならぬ。從二本分一と云ふのは、養子女に付ては侍養子女のことであつて、前記の七分之一を謂ふのである。

第四　庶母の遺産

父の妾即ち庶母の遺産に對する嫡子の相續に付ては規定がない。續大典刑典文記條に

繼母傳係文記、用二官署一、嫡母・庶母同

とある。　繼母は義子女に對し、嫡母は妾子女に對する。　之等の間には相異がある。　庶母は嫡子女との關係に於て父の妾を指す。　父の妾から嫡子女への分給がある以上は、相續に關し、少くとも承重子に付ては、何等かの規定があるべきであると思はれるのであるが、記錄の徵すべきものが見當らぬ。　僅に次の事例がある。

視事、左副承旨李世佐(中略)又啓、金崙與尹之峻、爭玉梅家舍・財產事、上顧問左右、吏曹判書韓致禮・同知事李克基・禮曹參議金自貞曰、崙雖曰玉梅三歲前收養、而不服其喪、其家舍・財產、何可爭也、戶曹參判李瓊仝曰、玉梅初爲崙祖金攸妾、攸死、尹岑娶以爲妾、岑死後、玉梅成文券、傳家財於崙、今問玉梅一族及婢子、則曰、玉梅家產、皆爲攸妾時所備、故傳之崙耳、臣意以爲給崙爲是(下略)(成宗實錄第百三十卷十二年六月壬戌條)

玉梅は始め金攸の妾となり、攸の死亡後は尹岑の妾となつた。　金崙は金攸の孫で、尹之峻は尹岑の嫡子であらう。　玉梅の遺產に付て尹之峻は、父の妾の遺產は嫡子が相續すると主張し、金崙は收養子なりと稱して爭つたやうである。　故に子女なき庶母の遺產は、嫡子が相續するが、收養子あるときは嫡子は如何なる地位に立つかが問題となり得たのである。併し議論は、或は金嵛の收養子なることを否定せんとし、又は玉梅生前に金嵛に傳給したと云ひ、事實の問題に外れてしまつたが、若しも收養子なく、生前の傳給もなかつたとしたならば、嫡子が相續することは、前提として認められてゐたのであらう。

第五　班祔人奴婢

班祔人と主祭者の祭祀條

續大典刑典私賤條に

班祔人奴婢、先給主祭者五分之一、無過十口、餘給使孫（不問男女、凡無後所當祔食者、雖其身死、在父母之前、其同生等分財之時、皆就其應得奴婢數內、計此分數、抽出施行、餘給本族、假如奴婢數少、則只給主祭者田地同）

班祔人は、旁親の無後にして、宗家の廟に祔祭せらるべき者を云ふ。經國大典禮典奉祀條に

旁親之無後者祔祭

と云へるがそれである。

旁親の無後なる者は必ずしも立後せず、祖廟に班祔する。故に其の遺産を本族に分給するに當り、祭祀條として、主祭者に五分之一を、十口を限度として給せんとするのである。然るに祔祭人の死が父母生存中なるときは、父母の遺産に付て相續の開始する當時は、祔祭人は既に身歿して子孫がないのであるから、未分奴婢、勿論子女存歿、分給、身歿無子孫者、不任此限(經國大典私賤條)の後段に該當し、父母の遺産は生存子女、卽ち祔祭人の同生の間に分財せられる。此の場合にも同樣の祭祀條を祔祭人の主祭者に給する要ありとし、併せて規定を設けたのである。其の祭祀條五分之一は、假りに祔祭人が生存したりとせば、分財を受くべかりし相續分(應得奴婢數)を基準に算出(分數抽出)する。祔祭人から見ての本族(同生)に對する主祭者の分給率であつて(餘給本族)、本族四に對する主祭者一の割合を謂ふ。祔祭人は無後の者で、其の生存を假定しても、分財せられたるものは、祔祭人の本族が相續すべきものだからである。このことは次の受教を見れば一層明瞭である。

旁親之無後者、祔祭於宗家之廟、祭祀之具、雖不載於法文、而以情推之、不可無也、本院堂上、及大臣同議、皆以爲定給爲當、祔祭人奴婢・田沓多寡斟酌、先給主祭之人、使之奉祀、計出之數、初無畫一之規、則分給之際、官吏亦無所適從、參詳法典、定以五分之一、以給祭用、毋過十口、俾不違於事情、永爲恒式、奸巧貪饕之輩、利其無子女、同生己物、謀欲獨專、則雖父母俱歿三年喪畢、故爲遷延、不即分執、以待同生身死後、必售其術者、比比有之、極爲無理、成人而無後、所當祔食者、雖身死在於父母之前、其同生等分財時、應得奴婢數內、計分抽出施行、餘還本族、假如奴婢數少則先給、田地依右例、萬曆四年七月二十九日斤正後(詞訟類聚奉祀條)

祔祭人の生存を假定して其の受くべき相續分を分財し、更に之を相續財産とし、祔祭人を被相續人としての相續の開始を假定して、祔祭人の本族の相續分を算出するのであるが、祔祭人から見ての本族(同生)は、父母から見ての生存子女である。二重の假定の下に算出せるものは、結局生存子女と主祭者との相續分の計算に過ぎぬ。相續は父母を被相續人としての相續であつて、祔祭者を被相續人としての相續を包含するものではない。主祭者が生存子女以外の者なるときは、抽出せられたる分數を以て、其の相續に參加するものに外ならぬ。

祔祭人は旁親無後の者であり、而も本族の相續を豫想せるものなることは、右の受敎の趣旨に依つても明である。故に無後にして直系卑屬が相續する場合に、其の適用あるかは疑の餘地がある。祔祭人に女又は收養子ある場合が之に當る。蓋し之等の者は奉祀者たるの資格なく、其の父母又は收養父母は、當に祔祭(祔食)せらるべき者ではあるが、相續は之等の者に於て、本族の先順位に於て爲すのであつて、本族の爲めに相續の開始することはないからである。從て祔祭すべき者の死が、父母の死に先つときでも、祔祭者の生存を假定し、其の相續分に相當する父母の遺產を、祔祭者の相續財產と假定しても、本族と主祭者との分數を抽出することは此の場合には當らないであらう。惟ふに女子又は收養子女あつて祔祭する場合には、祔祭人の遺產に付ては、主祭者は五分之一の相續分を以て、女子又は收養子女の相續に參加するのであらう。父母の生前に、祔祭人先づ死して女子あるときは、女子は祔祭人に代襲して、祖父母の遺產を相續するが故に、此の場合にも女子が受くべき相續分から五分之一を取つて、主祭者に加給すべきであらう。收養子女の代襲相續に付ては明ではないが、女子に準ずることを得ると思ふ。若も祔祭人に子女なく、妻を遺して父母に先つて死亡した場合には、守信の妻は亡夫に代襲するが故に、之亦同樣に論ずることを得るであらう。

しかし之等の點に付ては見るべき資料がない。

墓直

甲寅受二常參一、御二經筵一、召二曾經政丞・議政府・六曹參判以上・臺諫一、議二申安善事一、皆執二前議一、傳曰、無レ後者、欲下以二奴婢一爲二墓直一奉レ祀上者、許レ告レ官、官署二文券一、限二其口數一、永世奉祭、其奴婢子枝、過レ數外者、分二給使孫一、無二使孫一則屬公何如、韓明澮等對曰、允當、傳二旨禮曹一曰、凡士大夫無二子女一、欲下以二奴婢一爲二墓直一、永世主祭上者、具レ由告レ官、其奴婢、士四、大夫六、以爲二定制一、從二財主願意一、署二其文券一、使レ奉二其祭一、以及二無窮一、若有二數外所生一、分二給使孫一、無二使孫一則屬公、(成宗實錄第八十一卷八年丁酉六月條)

これに依れば、士大夫の無後なる者は、其の奴婢の內、士は四口、大夫は六口を限り、墓直となし、奴婢の子孫をして相繼いで祭を奉ぜしめることを得た。しかし墓守に過ぎないのであつて、神主は班祔する。經國大典禮典奉祀條の旁親之無レ後者祔祭の註に

士大夫無二子女一、欲下以二奴婢一墓直主祭上者、従二財主之意一、署二文記一、使レ奉二其祀一、大夫六口、士以下四口、

と規定した。

第六章　子女なき夫妻の相續(其の二)

特に死後養子に付て

第一　兄亡弟及と立後との牴觸

長子の死後養子と衆子の地位

死後養子は立後に付て、兩家父同命立レ之、父歿則母告レ官とあるを根據とする。然るに祭祀の承繼に付ては兄亡弟及の原則がある。若嫡長子無レ後則衆子祀を奉ずるのである。此の法は古くから行はれた。

制、凡人民依二律文一立レ嗣以レ適、適子有レ故、立二適孫一、無二適孫一、立二同母弟一、無二母弟一、立二庶孫一、無二男孫一者、亦許二女孫一(東史綱目七上高麗靖宗十二年丙戌春正月制民立嗣法條)

適子は長子である。庶孫は衆孫である。死後養子を認める以上は、先づ此の原則との調和を考へねばならぬ。

按二或問一、長子無レ後而死、不レ立レ後、次子死而有レ子、又季子生存、則誰當二奉祀一、沙溪曰、次子之子當二奉祀一、尤庵曰、兄亡弟及、禮之大節、長子既死無レ後、則宗移二次子一、而次子之子爲宗子矣、正程子所謂、旁枝達爲直幹者也、家禮所謂、傳重非正體者也、季子何敢自謂於序爲體、而折其已直之幹、奪其已傳之重乎

愚謂、長子無子、則次子雖有一子、當爲長子後而奉祀、近世禮法大明、尊宗之義甚嚴、則不用弟及之禮、而無復奪宗之嫌矣(四禮按)

或問は、長子は子なくして死んで未だ立後せず、次子は死して一子あり、季子は生存す。誰が祭祀を繼ぐべきかと云ふのである。次子に子がある以上、季子の奉祀は考へられない。見解は兄亡弟及の原則を適用して次子の子が祀を奉ずとなすか、亡長子の爲めに立後すべしとするかに岐れる。而して此の場合に衆子あるときは、亡長子の爲めに死後養子をなすことを得ないとすれば、問題は簡單である。

上御勤政殿、命試官、策多士、幸慕華館、親試武科、試官啓曰、擧子呂文望、乃呂希寧次子仲溫之子也、長子孟溫無後而死、文望之父仲溫亦死矣、今者希寧妻死、文望以次子之長子自以爲、法當承祀、遂代祖母之喪、則孟溫妻止之曰、吾爲家婦、奉祀之事、當出吾手、家翁第三弟世溫之子義男有之、將以此承祀、汝不宜代喪云、故文

望釋衰吉服而來、欲赴殿試、故敢稟、傳曰、以法則文望當代喪、而以一家之政、則義男亦可爲、其問于左相、尙震同啓曰、孟溫無後身死、而文望以仲溫長子、法當奉希寧之祀、傳曰、勿赴試（明宗實錄第十三卷七年壬子三月甲寅條）

呂希寧には長男孟溫、次男仲溫、三男世溫があつた。長男は無後にして死んだが妻がある。次男亦死んだが長子文望がある。時期は明ではないが希寧も死亡してゐる。今又希寧の妻が死んだ。文望は次男の長子なるが故に、喪主たらんとしたが、亡長男孟溫の妻は、亡夫の末弟世溫の子義男を以て喪主たらしめんとしたのである。仍て文望は喪服をぬいで、試に赴かんことを請ふたが、左相の言に依り許されなかつた。以法則文望と云ふのは兄亡弟及の法である。以一家之政則義男と云ふのは死後養子に選定する餘地なきかを疑つたのである。勿赴試とあるは喪に服せとの意味である。呂文望に對する此の處置は後に改められたが左相の見解も一說たるを失はぬ。

又他の理由から、死後養子を否定せんとする者がある。

三公等議啓曰、繼後事、近見立後者、多與大典有異、故臣等已議之矣、大典立後者、父歿則母告官立之、蓋以家翁生時之意、告官而爲之也、母亦不可擅立也、國家自反正後、爲無罪而死者、許以所願立之、故其後因循、至有棄其同生之子、而以四寸之子爲後者、故同生之子、不得祀其祖、而四寸之子、乃得祀之、此路不可開端、又豈可立法乎、繼後重大之意、不爲不使此人等知之、而又有班祔之法、不可更爲立也、

(中宗實錄第六十二卷二十三年七月壬申條)

卽ち大典の、父歿すれば母官に告げて之を立つと云ふのは、父の生前の意を承けて官に告げるのであつて、母の意に從つて立後することを許したのではないと解するのである。 大典立後條云、父歿則母告官者、指其父生時議定未及告者而言也となす見解は、他にもないではない(成宗實錄第二百六十八卷二十三年八月癸卯條)が行はれなかつた。

或は長子無後なるときは、別に一支を立てるとする考へ方がある。 長子無後にして死するときは、衆子祀を奉じ、死後養子は唯考妣を祭るとなすのである。

長子の死後養子を以て、生前の立後と同樣、本宗の祀を嗣ぐものとするときは、兄亡弟及の法は、長子の妻が死後養子をなすことなくして死亡した場合にのみ

茂山君の事例

適用あるものと解する外はない。

領議政李芑議、長子無後身死、則次子承襲主祀、考諸禮文則甚合、在先朝該曹據茂山君夫人上言、回啓議定、是乃據古人常行之禮、非別有新意也、但本國習俗、溺於冢婦主祭之說、自先朝議論不一、未有定議、然大典奉祀條、嫡長子無後則衆子、衆子無後、則妾子奉祀、嫡長子只有妾子、願以弟之子爲後者聽、大明律立嫡子違法條云、其嫡妾年五十以上無子者、得立庶長子云、則況長子身死者乎、大典之法據律文以定、宜遵守勿失也、今茂山君長子身死時、以弟之子爲後、則是有子、可以承襲也、茂山君夫人、雖以母上言、禮不可以承襲也、先朝雖令承襲、不可從也、長子身死時、無弟之子、可以繼後者、則安可待弟之未生子、而久曠其承襲乎、此茂山夫人所以上言、而該司所以議定回啓也、該司既已議定回啓、則承襲之人、已爲奉祀矣、承襲奉祀之後、立後之人、則當依大典立後條之法也、左議政沈連源・右議政尙震議、大槩相同、傳曰、以此議見之、則奪其主祀、並爲未便、然我國以冢婦之法爲重、故臺諫堅執如彼、今是非相反、令朝廷廣議處之(明宗實錄第十二卷六年辛亥八月丙辰條)

事案は、茂山君の長子龜壽(永善君)、子なくして死し、茂山の妻申氏の上言を以て、次子眉壽(永川正)襲爵奉祀した。然るに後に至つて、龜壽の妻安氏は、龜壽の弟碩壽の二子秀芳を立てて、亡夫の後としたのである。兄亡弟及を以て徹底せんとする禮曹側の意見は、長子死亡の當時末弟の子を取つて後となしたものならば、次弟の襲爵を許したのは不當であつたであらうが、當時弟には亡兄の繼後者たらしむべき子がなかつたのである。未だ生れざる子を待つて、久しく承襲を曠しふすることは出來ないのであつて、これが茂山夫人次子を立てんことを上言した所以であり、又該司が之を許さんとして、既に議定回啓した所以であると云ふのである。然るに臺諫側は、家婦之法を堅く執つて之に反對したが爲めに、朝廷をして論議せしめることとなつた。其の次第は次の如くである。

尹漑議、嫡嗣固重、而繼絶亦大、大典奉祀條、嫡長子無後則衆子、衆子無後、則妾子奉祀云者、即古兄亡弟及之義、而家國通行之法也、若長子死而有子、微弱或緣他故、而欲以次子奉祀、則雖父母所願、先朝所命、在所可議、如其不然恐不可議也、茂山君乃王子別宗之始祖、當長子龜壽之死、未有嗣子、雖有家婦、未可期後日立後、而不續茂山之祀、則主母申氏、請以次子承襲、奉其父祀、非直任情、而朝議之從其請、亦非無據也、在後龜壽妻安氏、取龜壽母弟之子、立爲其夫之後、是似龜壽還有後、意可承奉父祖之祀、而禮所未言、典章所不存、不知將何所據也、爲眉壽者、早得聞叔齊・季札之風、而固讓其奉祀、則自無今日之議論、而以大賢之事、望於凡人、亦所難也、長子死無後、次子承襲宗祀、已有所歸、而長子之妻、自立其夫之後者、其承大宗、或爲別宗、必有斟酌合宜之說、在今博考禮典、著爲一代之定法、則可矣、若眉壽之襲爵奉祀、在於安氏未立後之前、似不合追改、申光漢議、立嫡以長、春秋一統之義、而又有兄亡弟及之文、所謂兄亡者、長子既亡而無後者也、弟及者、兄既亡而無後、則弟當奉其祀也、弟存、則未有舍其弟而及姪之文、故大典奉祀條曰、若長子無後則衆子、衆子無後、則妾子奉祀云、此則擧其禮之大經而言也、衆子既奉其祀、則祭其兄者非弟乎、大典註曰、嫡長子只有妾子、願以弟之子爲後者聽、又曰、欲自與妾子別爲一支、則亦聽云、此則或然之辭、非禮之經也、然觀此亦可明其弟奉其兄之祀矣、若兄不願立弟之子而爲後、又不欲自與其妾子別爲一支而死、則爲長兄者、不得其祭祀於廟耶、如以爲長子無後者、例不得祀於廟、何必自與其妾子別爲一支、然後得祀於其子也、立法之本意、昭昭如此、夫法者天下之法也、自上以下降殺、以兩三代共之、豈有家國而異法哉、國君無嗣、則弟當承統、未聞以無嗣出其兄於廟也、今者長子無後而死者、例不得祀於廟、以亂春秋一統之常經、重失祖宗立法之本意、可勝痛哉、衆子既繼長子而奉祀者、例以爲不得祀其兄、故爲家婦者、必欲立其後而祀之、勢所必至也、如不得立後者、則盡賣宗家之物、或至於無立祀之地、天倫由是而不和、宗法以之而斁敗、無足怪也、然而、爲此者亦有由矣、長子或有女子與妾子者、不欲別其資財、以與其奉祀之弟、而弟之奉祀者、亦或有不賢、或不能母養其冢婦、則爲長子者、寧不得祀於廟、而乃至於別以支之、此皆出於苟簡之爲、而非經常之道也、宗子之得祀於廟、斯乃天地之常經、豈容以私而亂之也、故大典奉祀條之下、卽有旁親祔祭之條、所謂親者、以宗家而言之也、旁親之無後者、有班祔之文、而獨於宗子無之者、宗子雖無後、衆子奉其祀故也、弟既奉祀、而不祀其兄者、失禮之中、又失禮者也、至於立後條則曰、嫡妾俱無子者、告官立同宗支子爲後云、此則支宗之自爲立後者言之、初不與奉祀之條、何以明其然也、支宗之立後者、許以支子爲後、奉祀之立後者、直許以弟之子爲後、而不避其長子也、其意乃曰、弟既奉祀、則其長子固祀我者也、故願以其子爲後者、法亦聽之、長子既嗣其父、兄而爲宗子、則其父當以次子爲其後矣、其爲立嫡以長之義、固無害焉、但註所謂、其弟之子者、指當爲奉祀之弟之子也、而爲長子冢婦者、乃敢率意而爲之、立他弟之子以爲後者、皆失立法之本意矣、弟雖奉兄之祀、冢婦在、則其家舍・田民及祭享之物、冢婦主之、弟則奉其祀、行其祭而已、唯其如是、故兄弟和睦、風俗敦厚、職此之由、今也雖宰相有識之家、或溺於愛憎、或拘於資財、以一家之政、任意區處、或以次子奉其祀、而黜長子于廟、或以次子之支子、爲其後者有之、故因此而謀奪其嫡者有之、謀移嫡於不當立者有之、法例變亂、爭訟紛紜、今於永善之家、亦可見矣、臣意、請申明大典奉祀條所載、兄亡弟及之經禮、以爲主、而或願以弟之子而爲後者、亦必以當奉祀者之子爲之、則立嫡以長之義並行、而不悖大典、立法之本意、亦從而得矣、如此然後彝倫始定、有截然不可相奪之防矣、若永善・永川之事、出於禮官之不察、永川既以次子、奉其兄之祀、而至於承襲矣、又許其姪、爲永善之後、其是非較然、不待辯而自明矣、臣前爲禮曹判書、嘗欲建白而未敢、今承下問、乃得以獻議、金光準議、兄亡弟及、古今上下之通義、故大典奉祀條、嫡長子無後則衆子、衆子無後、則妾子奉祀云者以此也、安氏卽永善之妻、於一家婦也、申氏卽茂山之妻、於一家母也、長子無後、母願以次子立嫡、呈上言而爲之、至於襲爵、此　先王已定之事也、申氏死、則安氏乃長子之妻、固可謂家婦也、申氏生存、不可指安氏爲家婦而專祀事也、則以安氏爲家婦、歸權於婦、而追改其母所立之嫡、於十年之後、恐妨大義、尹思翼議、謹按記曰、別子爲祖、繼別爲宗、是諸侯之庶子、皆爲別子、春秋列國、莫不皆然、先儒沈僩所謂、季氏以季友爲太祖是也、三公之議奉祀之法、大槩皆同、合法例、可以施行、然臣見、茂山君成宗大王之庶子、小記所謂別子爲祖者也、其長子龜壽已襲爵、爲永善君、無子而卒、次子永川正、癸卯年間、以申氏上言、承襲亦無子、襲爵與無子皆同、而安氏適取扶安正碩壽之第二子秀芳爲後、所繼別爲宗者也、後日永川君身歿之後、秀芳入繼永善之後、必無異議、說者必曰、永川與永善、家相爲仇怨、永川臨歿、必取他人子爲後、是大不然、秀芳已爲永善之子、宗法已定、勢不可奪也、厥初無可立之人之時、秀芳不可待而傳也、不可待而傳、則申氏其忍不處而闕祭禮乎、以永川承襲、以正祭享之禮、以盡誠敬之心、經之權、權之經、實是大計、　先朝廷議、豈無所見、今則永善君有子、大宗之所在也、然年尙幼、未可以襲爵、諸功臣大夫多有襲爵子孫、而遠待祖父母之後者、宗法然也、秀芳宜如功臣大夫宗子之待年者、既冠之日、入承大宗、以茂山君爲祖、永善君爲禰、而宗法既正、萬世通行可也、傳曰、眉壽事、凡議論、例爲從多、且嫡子主祀、通天下之法、爲人後者、爲之子、亦不易之法、承襲主祀、龜壽處永定可也、眉壽則先王朝十餘年、在宰相之列、今奪其加未安、況親王孫也、加資仍給之(明宗實錄第十二卷六年八月丁卯條)

申光漢の說く所最詳細を盡せるものがある、蓋し一方の思想を代表するものと云ひ得るであらう。其の要旨に曰く、兄亡弟及は禮の大經である。大典の註に、嫡長子只有妾子、願以弟之子爲後者聽、又曰、欲自與妾子別爲一支則亦聽、とあるは、或然の辭であつて、禮之經ではないが、それに依つても、弟が兄の祭を奉ずることを前提とせるは明である。然るに今は一般に、長子無後にして死すれば、廟に祀を享くることを得ずと解するのは、立法の本意を誤るものである。時に或は長子自ら、資財を奉祀の爲めに冢婦は、立後して亡夫を廟に祀らんとする。其の爲め弟に分つことを欲せず、又は奉祀の弟賢ならずして己が遺妻を扶養せざるべきを惧れ、一支を立てんとする者もある。何れも經常の道ではない。大典奉祀條に、旁親祔祭之條がある。旁親の無後なる者は班祔して祭る。獨り宗子に祔祭のないのは、無後のときでも、衆子其の祀を奉ずるが故である。弟既に奉祀すれば其兄を祀らずといふのは禮の中を失する。又立後の條に、嫡妾俱無子者、告官立同宗支子爲後とあるは、支宗の者が立後するに當つての規定である。故に支子を以て後となすを許すのであつて、本宗奉祀の爲めの立後ならば、弟の長子を取つて後となすを得る。其の意は、弟既に奉祀すとせば、其の長子は固より我を祭る者なるが故である。それ故に、之を立てて後と爲すことを願ふならば、法も亦之を聽すのである。前記大典の註に、以弟之子爲後者と謂へるは、當に奉祀者たるべき弟の子を指すのである。而して亡長子の妻は冢婦である。弟は兄の祀を奉ずといつても、冢婦生存すれば則ち其の家舍・田民及び祭享の物は冢婦に屬する。弟は唯其の祭を行ふに止る。斯の如くにして兄弟和睦、風俗敦厚なりと說くのである。

兄亡弟及の原則を徹底せしめて、而も立後の法及び冢婦の地位との調和を保たんとする試みとして、傾聽すべきものではあるが、其の根據に於て、既に支持を失へるものが多い。兄亡弟及の法を適用しながら、弟既奉祀、而不祀其兄者、失禮之中と云ひ、祭祀の系統のうちに、亡兄を加へんとすることは、長子に別に一支を爲すことを許さんとする思想と牴觸する。以弟之子爲後場合の弟を、弟及の序に在る弟に限るとしても、弟の子を以て後としなければならないのは、然らざれば弟奉祀して亡兄は廟に祀られることを得ないからの妥協策であつたのである（二二九頁參照）。況んや此の法は、妾子の承重を欲せず、嫡子嫡孫あるときは、妾孫に先つて祀を奉せしめんとするのが主であつて、弟之子は父の嫡孫を指すのである。必ずしも次弟の子たるを要しない。又亡兄の妻は冢婦であつて、家舍・田民は冢婦主之といふことも、既に弟を以て主祭者となす以上は矛盾である。所期の調和を得んとするならば、少くとも長子既に其の父を嗣だ後に無後にして死んだ場合に在りては、兄亡弟及の法は、冢婦の死後迄其の適用を延期せねばならぬ。之を延期するとせば冢婦の立後をも是認せねばならぬであらう。故に申氏の生存中は、安氏は冢婦でないと云ふ說も出た。又安氏立つる處の秀芳を龜壽の繼後子とし、眉壽の死後に於て、祭祀を本宗に歸せしむべしとの說も出たのであるが、遂に多數の意見に從つて、宗祀は龜壽より秀芳に傳へ、眉壽の爲めには、特別を以て加姿を其の儘とすることに決した。兄亡弟及の適用は、死後養子の爲めに阻まれたのである。 玆に看過すべからざるは、父茂山君は、長子龜壽に先つて死亡せることである。

曩の呂文望の件に付ても、諫院から異議が出た。

諫院啓曰、我國家婦之法、勢所難改、故去丁未年、因大司諫尹春年、蒙祖母之喪、擧朝議之、立後之權、專在家婦、而春年之事、則他無可以繼後之人、故特許代喪、而其他別有可爲繼後之人、則使家婦隨意繼後、以重其權、此廷議之已定者也、前年又因永川君眉壽之事、更議而定之、許令永善君龜壽之妻、已取扶安正碩壽之子、爲後、今者呂文望之事、正如此事、而大臣議以文望、當服其喪三年之喪、人道之大禮、國有定法、而大臣因一己之見、欲改已正之法、極爲未便、請令文望、勿服祖母之喪、以重我國家婦之權、答曰、還宮後、議于　慈殿以決之、○還宮後答諫院曰、呂文望事、與永善君無異、勿服可也、(明宗實錄第十三卷七年壬子四月甲寅條)

即ち前の令旨を取消し、永善君の例に倣つたのである。 永善君は前記の龜壽である。

第一　冢婦の地位

冢婦

兄亡弟及の法と立後の法との牴觸の問題は、一面に於ては、亡長子の遺妻の地位の問題である。受教輯錄禮典奉祀條に嘉靖甲寅承傳がある。曰く

父母未歿之前、先死長子之妻、不可奉祀、父母已歿之後、長子曾爲奉祀、而身死之妻、限其身歿、仍奉其祀

父死して長子祀を承繼したる後に、無後にして身死するときは、其の妻が宗祀を奉ずるのである。之を冢婦といふ。長子曾て奉祀をなして後に死んだときの妻と、父未歿の前に死んだときの妻とを區別することに對しては、議論があつた。

憲府啓曰、竊觀我國邈處、土地既異、風氣不同、故三綱五常、雖無異於中國、而其間制度文爲、則有不得不異於中國者矣、是以士族之制、中國則無之、而我國則有焉、奴婢之法、中國則無之、而我國則有焉、然則士族可廢、而奴婢可無乎、婦歸夫家、順禮也、而我國則夫歸婦家、守墳居廬非古也、而我國則居廬三年、然則親迎可復、而居廬可廢乎、如此之事、不一而足、則豈能一從中國之制乎、臣等考禮文、則主祭者

謂之主人、主人之妻、謂之主婦、主婦卽冢婦也、以此見之、夫亡而無子、則其妻不可
謂之冢婦也明矣、禮官之據經議定、可謂當矣、然我國則與中國不同、中國則有大
宗之法、故夫亡無子之婦、不得主祭矣、我國則大宗之法、不行於世久矣、長子之妻、
夫死無子者、入居奉祀之家、主其先世之祭、其來已久、故其分亦定、自祖宗朝以來、
聖君賢相不爲不多、而冢婦主祭、未嘗有異議、至于近年、或可或否、至于今日、創改
舊例、使無子兄妻、一朝見黜、號泣于野、而爲其弟者、幸其兄之死、又幸兄之無子、奪
兄之家、黜兄之妻、談笑嬉娛、而反自樂焉、揆之人情、極爲悖戾、今之議者曰、兄妻因
不可黜、則弟當與兄妻同居一家、以奉祭祀云、此言雖似近理、然用之中國則可也、
用之於我國則不可也、夫中國造家之制、各爲一照、故非徒兄弟、至於八九代同居
者有之、我國則雖大家皆爲一照、故雖兄弟不得同居、其勢然也、況有奴婢之輩、各
自分邊、互相造言、鬪狠不已、故兄弟雖欲同居、而兄弟之妻、不能相和、必至於分產、
況叔姪之間乎、今之議者曰、冢婦雖曰可以主祭、然神主之傍、不可書冢婦之名、旣
不可書冢婦之名、則不得不以猶子之應奉祀者書其名矣、旣以猶子之名書奉祀
而使其叔妻主祭、則其名不正、不可不廢冢婦云、此言雖似近理、然臣等考朱子大

全答陳明仲之問曰、凡妻之喪也、夫自爲主、今以子爲喪主、似未安、且不須題奉祀之名亦得云、以此見之、冢婦主祭之時、姑闕奉祀之名、未爲不可矣、大抵我國之法、待寡婦可謂嚴且密矣、聖人立出母・嫁母之制、故先賢之母、亦有再適於人者、而我國則立再嫁之禁、故守一終身、雖年未二十、饑寒切身、不敢改志、天下之無告而可憐者、孰有過於寡婦者乎、夫亡既不幸、無子又不幸、所可小慰者、祇有奉祀家舍以庇其身、奉祀田民以活其命、而今者又爲廢黜之法、而窮蹙之路、有饑莩行者倘爲之動心、況使其弟・其姪、偃然入室而迫黜之乎、臣等未知此法果合於人情天理也、今之巨家大族、冢婦主祭、安然入居奉祀之家者、非止一二、而一朝立法、遽令迫黜、將見哭泣之聲相繼而起、淆薄之風、殘忍之俗、必日盛而月增矣、豈不寒心、在祖宗朝、人心淳厚、士習謙讓、雖國家立法之事、而苟或涉於爭競、近於偸薄、則人不爲之、故風淸俗美、朝野安靜矣、自近年以來、饑饉荐臻、飢寒切身、故小有可窺之路、便生欲得之計、弟而謀兄、姪而干叔、淆漓薄惡已云極矣、而今者又立此法、以勸其惡、殊非所以去爭競厚風俗也、且該曹以爲、爲長子者、不得奉祀而死、則其妻不可謂之冢婦云、考之古禮、果爲當、然但我國之俗、以長子之妻、爲冢婦者久矣、今可區而別之乎、至於冢妻、或有托稱飢寒、放賣奉祀之物、使其神主無所依托、則該曹所陳、極爲切當、然此則可以申明大典奉祀家舍、傳於主祭子孫之條、而禁之矣、安可以此而並與冢婦之法而廢之乎、孔子曰、麻冕禮也、今也純儉吾從衆、程頤註之曰、事之無害於義者、從俗可也云、今此冢婦之法、不害於義、則從俗似當、然議論不同、不可不歸一、請議于二品以上及六曹堂上・弘文館長官、以定紛紜之議、答曰、如啓(明宗實錄第十七卷、九年甲寅九月乙丑條)

其の論據として中國の制は必ずしも之に從ふことを得ないと云ひ、冢婦の地位を全然否定せんとする見解に對して反駁を加へたのは、實に堂々たるものであるが、長子が曾て奉祀をなしたる者なると、然らざるとに依つて區別することに反對する理由としては、主として子なき兄の妻は、夫死するときは一朝にして奉祀の家を逐はれ、野に號泣するに反し弟は、兄の家を奪つて談笑嬉娛するのが、人情に反することを强調して、我國之俗、以長子妻、爲冢婦者久矣、今可區而別之乎と云ふに止る。 しかし父の死亡前に長子既に歿して弟あるときの長子の妻の地位と、父の死後既に祀を嗣で後に死亡した長子の妻の地位とは、必ずしも一律に考へねばならぬものではない。

憲府啓曰、世之所謂冢婦有二、一則曰、父母俱歿之後、長子奉祀而身死者之妻也、一則、父母未歿之前、長子先死、而及其父母俱歿之後、先死長子之妻、欲奉其祀者也、然則長子曾爲奉祀、名爲冢婦、限其身歿、因奉其祀、已成國法、故禮曹公事、及臣等所啓皆不在此、只論長子先歿、未及奉祀之妻、而今者捧承傳之時、凡稱冢婦不爲區別、故人不能曉、曾爲奉祀長子妻、亦欲黜送、極爲駭愕、請歷擧禮曹公事、更捧承傳、答曰、如啓(明宗實錄第十八卷九年十月戊子條)

これが前記の受教となつたのである。長子曾て祀を奉じて身死したる者の妻は、子女なきときは、其の終身夫の遺產を承繼し、奉祀の家に居住して、先世之祭を主宰するのである。

冢婦立後の忌避

妻の此の地位は子なきが故に有する地位である。從つて夫の死後に立後することに因つて、此の地位は完全に喪はれる。故に子女なきか、又は女子のみある遺妻が立後を欲しないであらうことは、容易に想像し得る處であつて、死後養子を選定する權能を、何人に認むべきやの問題に迄影響する。

御朝講同知事南袞、臨文曰、所謂泰厲、古帝王之無後者祀之、公厲、古諸侯之無後者祀之、族厲、古大夫之無後者祀之、此先王仁政之大者也、此註引左傳云、鬼有所歸乃不爲厲、釋之曰、以其無所歸、或爲人害、故祀之、夫有冤枉不得其死者、豈無冤氣之欝結乎、我國厲祭、亦在祀典、而專不用意以祀、盲風恠雨、凡有乖氣、安知不由於此、人神雜糅之患、終必有之、臣聞、民間今亦多有妖恠、大抵王者之德、莫大於繼絕、而今之無後者、必多有之、寃鬼安保其必無耶、自上致察於此、使之自依、參贊官申瑺曰、南袞所啓、鬼有所依、然後乃不爲厲之言、大爲關係、夫興滅國、繼絕世、帝王之厚德、無踰於此、我國雖大夫之無後者、亦不立祀、使女子爲之祭、大爲非矣、其在祖宗朝、王子之死、年雖甚幼、皆令立後、如芳蕃・芳碩、得罪而死、亦皆立廟至今祀之、此厚德也、大抵　祖宗、皆以仁厚治國、今世俗雖在大夫之列者、若有女子、則不肯立後者、恐其田宅・奴婢歸于他人也、大夫之無後者、爲神主立祀之法、目　上當使嚴立而行之、又有大於此者、下人欲啓而不敢者、　上自斟酌而爲之、（此亦與南袞之意同）領事申用漑曰、我國祭祀、不依禮文、臣前亦啓之、有嫡子、則支子不得祭之者禮也、而今俗其親忌日、棄神主爲紙榜、各家輪回祭之、此風鄙甚、不依禮文、宜令禮官禁之、上曰、近見憲府公事、鄭洙妻、呈禮曹已立後、而憲府以謂、家婦在不可立後、此無乃非乎、用漑曰、鄭洙無後而死、不可無祭祀之人、其後妻欲立後、告狀于禮曹、故臣令依願立後、憲府以謂、家婦尙在、後妻不可立後、以臣爲非、臣意以謂、鄭洞（洞即洙之子）之妻雖在而亦無子、鄭洙後妻、豈不得立後乎、此事亦廣議何如、掌令孔瑞麟曰、司中之議、鄭洙子洞雖死、其妻尙在、是爲家婦、洞雖無子、洞妻乃可立後、洙之後妻、若以家婦當立後、而洞妻不立後、爲不可、告官則可、自爲立後、則固不可也、用漑曰、雖識理之人、若有女子、則不立後、果如申鏛所啓、鄭洙子洞亦無後而死、雖有家婦、洙妻豈不得立後、　上曰、家婦若以同姓立後、則鄭洙祭祀、自可爲之、不甚相遠矣、然有家婦乃與女子不異、而憲府之爲公事亦如是、則恐後之有女子者、皆不立後也、瑞麟曰、禮文不可毀也、爲家財・田民、而不立後者大不可、洙之後妻、不宜自立後也（下略）（中宗實錄第二十六卷十一年十月己巳條）

其の內に、我國大夫の無後なる者と雖亦立祀をせずして、女子をして之が祭を爲さしむ。大に非なりとなすと云ひ、今の世俗大夫の列に在る者と雖、若し女子あるときは則立後するを肯せざるは、其の田宅・奴婢の他人に歸するを恐るればなりと云へるに依つても、這般の消息を窺ふことを得る。 士大夫の家尙は然りとすれば、一般庶民の家に於て、冢婦が死後養子を欲しなかつたことは、之を察するに難くない。 それに關聯して問題となつた事案は、鄭洙なる者の死後、其の後妻から立後を願出たのを、禮曹が許可せんとしたのに對して、司憲府は、冢婦あるの故を以て拒んだのである。 鄭洙には子鄭洞があつて、鄭洙の死後、祀を繼いだのであるが、之亦死亡して子がなかつた。 そこで鄭洙の後妻が、鄭洙の爲めに死後養子をなさんとしたのである。 しかし鄭洞の妻が冢婦として家に在る。 若も祭祀の人を立てんとするならば、冢婦が亡夫の後を立つべきであると云ふのが司憲府の意見である。 之に對して、鄭洙の後妻に立後を許さんとする說は、若し然らざれば、冢婦は立後を欲せず、遂に後を絕つに至るを惧れるのである。 前記の議論が、鬼依る處あつて然る後に厲を爲さず、王者の德は繼絕より大なるはなしと云ふに始まるのと照應する。 寃鬼の惱が冢婦の地位を呪はんとする。 併し此の事案は、次の敎旨の如く、鄭洙の妻の立後を否定して落着した。

禮曹啓曰、奉常寺僉正鄭洙妻鄭氏繼後事、本曹不敢擅便、請收議、傳曰、繼後事、付于政府郎官、收議堂上可也、鄭氏上言略曰、女則無子女、家翁前室子鄭洞、以獨子只產二女、而身死無承重、欲以家翁同姓四寸弟鄭泌子進士彥浩爲繼後、兩家同議、去辛未年呈禮曹、依法立後、累年奉祀、司憲府以爲、前室子鄭洞雖死、其妻乃冢婦而尚存、不可廢嫡、以此論破、女身死後、鄭洞妻有二女、不立繼後必矣、然則女身死後、亡夫享祀永絕、請以彥浩依法立後、俾奉祀事、金詮・南袞・李惟清・權鈞・柳聃年・金克幅等議曰、鄭洙之死、洞既主其祀、雖無子而死、神主奉祀、既以洞名書之、則鄭氏雖以主婦生存、安得奪其子所主之祀、而任與他人乎、況洞妻尚存、逆料其終不立後、欲立他人之子、以奉洙祀、亦於情法俱乖、爲鄭氏計者、當與洞妻共議擇立洞後、則可矣、然則洞獨何罪、而既削名於其父之神主、又不得享祀於其家廟乎、此實有妨於王者繼後之義、上從其議（中宗實錄第三十八卷十五年二月丁丑條）

卽ち鄭洙の妻に、鄭洙の爲めの立後を許すときは、鄭洞は祭祀承繼の系統から外れて、家廟の祀を享けることを得ない結果となると云ふのが、其主なる理由となつてゐる。結局洙の妻には、立後の權能を否定したのであつて、田宅・奴婢の他人に歸するを恐れて、立後を肯せざる風あるを憂ひながらも、之を默過したのである。

冢婦に付ては、父の生前長子先づ死亡したときの妻と、父歿して長子祀を嗣だ後に死亡したときの妻とを區別し、後者にのみ其の地位を認めた。父母未歿之前、又は父母已歿之後と云ひ、父のみならず、母も已に歿したことが、冡婦の要件をなすやうにも見えて、母あれば母が冡婦であると解する說もあるが、長子あれば母は祀を奉ずることはない。長子は母未歿之前でも祀を奉ずる。父已歿之後、長子無後にして死んだときは、妻が冡婦となるのであらう。鄭洙の事件に於ても、曩に揭げた茂山君の事件に於ても、母あるに拘らず、亡長子の妻を冡婦として議せられてゐる。

父未歿前の兄亡弟及

第三　兄亡弟及の適用範圍

冡婦の地位が明となつて見れば、之に關聯せしめて兄亡弟及の法と立後の法との牴觸を、解決することが出來る。父未歿の前に、長子旣に死亡して無後なるときは、次子をして祀を奉せしめることは、冡婦の地位を害するものではないからである。父死亡して、現に相續の開始せる時に於ては、長子旣に亡く、長孫もない場合に、次子が父の後を嗣ぐのは、寧ろ自然であり、次子あるときは、長子承重し

て後に死亡した場合にのみ死後養子を許すことが、立後の趣旨からいふも妥當である。續大典禮典奉祀條に

長子死無後、更立他子奉祀、則長子之婦、毋得以家婦論

とあるのは、卽ち父に先つて長子の死亡せる場合に付てである。更立他子と云ふのは、立後ではない。長子に對しての他子であつて、衆子の意味である。其の註に

田・民依衆子例分給、立廟家舍、傳給於主祭子孫、而擅賣者禁斷、

とあるは、亡長子の妻が、亡夫に代襲して父母の遺產を相續するに當つては、衆子の地位に立つことを明にしたものと解すべきであらう。立廟家舍、傳給於主祭子孫、而擅賣者禁斷とあるのは、詞訟類聚奉祀條に、

長子無後、次子奉祀、則立廟家舍、當傳於主祭次子、若長子女息、無所於歸、而次子曾居家舍、元係祖先傳給之物、則相換決給、俾無失所、甚合情義、又無毀撤祠宇之弊、(嘉靖丙辰正月初二日)

とあり、是れは

領議政沈連源等、以韓相伯孫筵訟事、同議啓曰、長子無子、次子奉祀、則當入處有祠堂家舍、其長子女息、無所於歸、而次子曾所居家舍、元係祖先傳給之物、則換給、長子女息、俾不失所、大合情義、而亦無毀撤祠宇之弊、韓相伯所訟、以此科斷何如

(明宗實錄第十九卷十年乙卯十一月庚申條)

に依つての受教である。嘉靖丙辰は明宗十一年に當る。同じく詞訟類聚奉祀條に

李彥惺輪對、立廟家舍、主祭子孫若無後、則移買破毀之、小家稱爲主祀家、而先祖久安祠堂、欲射其利、一朝移買、至爲不當、嚴立法禁、毋得放賣事、啓下漢城府、輪對內辭緣、正是痼弊、自今以後、立廟家舍、主祭子孫世々相傳、如或頹落以至雨漏、不能保存、無力修創者、與堅固之家、隨宜相換奉安者外、無後之人自以爲、終非己物、擅自放賣、取價爲利、使先祖神主無所於歸者、一切禁斷、毋得放賣事、嘉靖丙辰三月二十四日

とある。之等と對照するときは、其の由つて來る處を察することが出來る。ここにも長子無子、次子奉祀、則立廟家舍、傳於主祭次子と云ひ、又は當入處有祠堂家舍と云つてはゐるが、決して家婦を黜けて其の家に入る意味でないことは、家婦

は終身祀を奉ずることを明にした前記嘉靖甲寅の受敎の直後のことであるに由つても、疑を容れないのみならず、冢婦の死後を豫想せるものなることは、若長子女息無ㇾ所ㇾ於ㇾ歸ニとあつて、長子之婦とはないことに依つても明である。即ち長子の妻の生存中は、長子の女息は、母と共に立廟の家に居住し得るからである。

續大典の頒布せられたのは、之等受敎を距る百八十餘年の後ではあるが、其の間に冢婦の地位に關して、法の變更を窺ふに足る何等の資料もないのである(三五五頁參照)。前掲續大典の長子死無ㇾ後、更立ニ他子ㇾ奉祀、の本文は、長子が祀を嗣ぐに先つて、死亡したときの妻に付てであり、註の後段は、冢婦が擅に立廟家舍を放賣することを禁止した嘉靖丙辰の受敎の趣旨を掲げたものであらう。

適用範圍に付ての學說

然るに立後に關しては、當時の儒家の見解は、或は疑を挿むものもあるが、多くは長子の死が、父の生前なると歿後なるとを區別することなく、常に亡長子の爲めに立後すべきものとする。

沙溪の疑禮問解には

問、孤哀不幸父母未ㇾ歿之前、伯仲兩兄先死、後四年先君即世、親朋皆以ニ孤哀ㇾ主ㇾ喪、神主旁題、亦以二孤哀名一書レ之、後三歳、祖父繼歿、孤哀亦服レ喪、神主題名亦如レ之、今長嫂欲レ取二孤哀之子、或舍弟之子一爲レ後、以奉二大宗一、爲二孤哀及舍弟一者、當レ聽レ從二其言一、而一以二遠嫌一爲レ重歟、幸願二指教一、趙正郎 希逸

答、古禮必以二長孫一承重、長子死、則不レ用レ姪、用二次子一非二古禮一也、明道歿後、伊川主二太中之祀一、亦時之制、而不レ合二於禮一也、後來明道之孫昻、與二侯師聖等一論二宗祀一見二二程全書一、我國專用二古宗法一、長子妻立レ後、則是無レ子而有レ子、當レ奉レ祀也、又反思レ之、長子妻無レ子、已移二宗於次子一、致二今立後一、必有二辨爭之端一、未レ知二國典舊例之如何一也(疑禮問解一卷)

とある。問ふ處に依れば伯・仲兩兄は、父母未レ歿の前に死んで、第三子が一旦は父母の祀を奉じたのである。然るに尙ほ我國專用二古宗法一と云ひ、亡長兄の妻が立後すれば、奉祀は之に歸すと爲すのである。不レ用レ姪、用二次子一、非二古禮一と云ふのは、姪を立てて後とすることなく、次子が承重すること卽ち兄亡弟及を指して古禮に非ずとなし、太中の長子明道、太中に先つて死し、次子伊川嫡を承けたのは、一時の制度であつて、範とすべきでないといふのである。しかし沙溪は、又翻つて、宗の已に次子に移つた後に至つて、亡長子の妻が立後すれば、必有二辯爭之端一を思ひ、我

國典舊例の如何を知らずと疑を殘してゐる。然るに南溪は之を批評し、沙溪が疑を殘したのは愼重之道なりとし、長子後なくして死し、次で父の死するとき、次子祀を奉ずるに當つての、父と次子との意思を擬制して曰く、

此段所疑、已見問解、既云長子妻立後、則當奉祀、又云未知國典舊例之如何、蓋愼重之道也、愚謂、父雖未異、異日必當立後之意、而徑用次子奉祀、次子亦未達今日姑爲攝主之義、而遽承先人遺命、然此皆似出於一時事勢、非甚有固必之意也、夫爲長子成人而死者、不立後非古也、既立後矣、而不使承先世之祀、又無於禮者也

（禮疑類輯二十四卷）

即ち父は、後日長子に立後する迄姑く次子をして先祀を奉せしむるの意あり、次子も亦姑く攝主となつて、兄の立後を待つの意に出ず。長兄に立後したるときは、次子は之に宗を還し、奉祀者の地位を讓るべきだと主張するのである。

南溪曰、殷人立次子、周人立適孫、雖曰俱是古制、尙禮經必以長適爲主、今之繼後、亦必不得不同、量其重可知、已以此推之、無適孫而有次子者、自當以次子姑使攝主喪祭、以待他日嫡孫立後、而始爲承重奉祀之人、乃不易之義也、程叔子事、則朱子既謂

之未詳、則固非可引而爲證者、沙溪先生家、則長子早死於壬辰之難、故命愼獨齋爲承重、愼獨齋、又以無嫡子故、移宗於其季、又非不立嫡孫後、而命次子爲長嫡也、要之、非大典奉祀條所謂、長子欲自與妾子別爲一宗、及長子夫妻俱歿無同議立後之地者、則第二子恐無直爲主喪承重之義矣、況於頃年沈相家事、朝家所處甚嚴、爲今日大法例、又何可以世代較遠之故、不憚冒犯行之乎、（答李濼 禮疑類輯十八卷）

之に依れば以次子姑使攝主喪祭以待他日嫡孫立後のであり、弟及は、亡兄に立後する迄の假の地位ご見るのである。

退溪曰、父母生存、長子無後而死、爲長子立後、而傳之長婦、此正當道理也、若不立後、漫付之長婦、則是使家婦主祭、世或有此事、而今所辨云云者也如何、且看人家遇此故、父母之情、多牽愛次子、而欲與之、爲次子者、亦多不知爲兄立後之爲義、而欲自得之、因卒歸於不善處者、比比有之、尤可歎耳（答高峰 禮疑類輯十八卷）

これ亦、兄の爲めに立後するを義となし、次子の承重を以て、父母は愛に牽かれ、次子は慾に迷ひて遂に善處せざるに歸すと爲すのである。 茲に亡長子の婦を冢婦と云ふも、單に嫡子の婦を意味するのであつて、父母の生前に長子は死亡したのであるから、前に述べた意味での冢婦には當らない。

斯る見解の下に於ては、兄亡弟及の法は、殆ど適用の餘地はなくなるのであつて、前記の如く南溪は、僅に大典奉祀條に所謂長子が妾子と共に一支を爲さんと欲する場合と、長子の夫妻倶に歿して立後すること能はざる場合とを擧げ、梅山は未成人卽ち未だ娶らざる者に付てのみ適用あるものとなし、

沙溪之爲二長子一、尤庵之爲二伯兄一、不レ立二其後一、而傳二重於次嫡一何哉、嫡妾無レ子、則稽二國典一而不レ悖、宗法至嚴、則質二禮經一而當然、且殷及之禮、當レ用二於未成人而死者一、若既娶者以二無後一而絶二其嗣一、則惡在下其爲二適子一之重上哉、恐不レ當下以二大賢家法一而效上レ之、未レ知二如何一

(梅山集四答鏡湖李公條)

父の已歿未歿を區別する說

沙溪や尤庵が、重を弟に傳へたことを難じ、大賢の家法として之に倣はんとするのは、恐くは不當であらうと云ふ。　其の沙溪すらもが、兄亡弟及元是苟且故耳と云つてゐる。(禮疑類輯二十四卷)

兄亡弟及の適用に關し、亡兄の死を、父の生前と歿後とに區別し、父の生前に長子が子なくして死亡したときは、次子を立て、長子には立後すべきものでないと、

明確に主張する者は丁若鏞の與猶堂集である。

出後六 父在、長子無子而死、立次子、不爲長子立後。

【春秋傳】太子死、有母弟則立之、無則立長襄王十一年○鏞案、古禮上自天子諸侯、下逮大夫適士、凡父在之時、長子無子而死、則本無立後之法、故伯邑考無子而死、文王不爲之立後、子思之兄無子而死、孔子不爲之立後、義可知也、檀弓之免、孔子謂宜立孫者、公儀仲子之子、本是有子而死者、故謂當立孫、若無子而死、則次子承統、無可議也、按孔子世家、伯魚生子思、子思生子上、子上生子家、以至孔鮒、則子思故承宗矣、子思哭嫂、則子思之兄、亦非殤死、特無子而死耳、凡父在之時、長子無子而死者、宜以孔子爲法、羅虞臣曰、昔子思兄死、而使其子白爲伯父以主祖及曾祖之祭、蓋遠嫌也○案羅氏之說、本吳澄白撰也、絕無所據、詳見出母第一條○又按古禮、長子無子而死、則舅姑爲適婦小功、喪服小記註明長子無子而死、則不爲父後也、今人宜知此義、

【宋書禮志】有司奏、侯伯世子喪、無嗣、求進次息爲世子、下禮官議、○博士孫武曰、晉濟北侯荀勖長子連卒、以次子輯拜世子、宜爲今例、○博士傅郁曰、今胙土之君在、謂父在而世子卒、厥嗣無育、謂無孫愚以爲、次子有子、自宜紹爲世孫、謂宜爲長子死者立後若

其未也、(次子無見存之子)無容遠搜輕屬、(謂不當取族人之子爲長子立後)承綱繼體、(綱讀作統、沈約撰宋書、而諱昭明)父在立子、允稱情典、(謂當立次子)○曹郎諸葛雅之曰、案春秋傳云、世子死、有母弟則弟、無則立長、今長子早卒無嗣、進立次息以爲世子、取諸左氏、理義無違、謂宜開許以爲永制、詔可○鏞案、三議皆是、但傳郁、謂次子有子、當爲長子立後、此乃後世之禮、非先王之法也、古禮父在長子死、亦無次子、則得爲長子立後、故喪服傳曰、爲所後者之祖父母若子、明上有父祖、猶得爲死者立後也、天倫至重、非甚不得已、豈可割此補彼、惟意所欲乎、長子父在、本不受重、故法曰、有適子者、無適孫、(父在則子不得爲適)既非適孫、安得立後、(若父都無子孫、不得不爲長子立後、此仍是我後、非但爲長子後、故長子雖未受重、可以立後、與此不同)凡遇此事、宜一從春秋之義、

【禮考】田汝成曰、非大宗而立後者、古未有也、然必甚不得已而後爲之、假令身爲繼別之子死矣、有母弟存焉、卽可以承大宗、不必取子於弟以續之而謂之繼別也、身爲繼禰之子死矣、有母弟存焉、卽可以承小宗、不必取子於弟以續之而後謂之繼禰也、身爲同居死矣、其父儼然臨之、有母弟存焉、則死者之主、自當祔祭、不必取子於弟以續之、令別爲一廟也○又曰、若昆弟同居而無子、而有父母臨之、又從而割昆弟之子以爲子、則於禮無當矣○鏞案、謹詳論曰、昆弟三人、汝成、其仲也、伯天、

而其子蘅生、其嫂臨死曰、蘅乎、汝必後我、汝成、以告其父、父答書曰、在禮立後者、惟
大宗有之、予非大宗也、適子不得後大宗、爾之子適子也、況蘅之母所誕惟蘅、抑本
生之愛、以後人不仁、降適子以後小宗非禮、且予儼然臨之、而二子競爽、不爲無後、
又何必割爾子以鼎立爲三也、禮凡喪、父在父爲主、又何必以爾子爲之喪主也、今刪之錄
其秉義至精至正、與古聖人之法毫髮不爽、凡情與此同者、宜案此爲法、若伯子
不夭、其父先歿、伯子受重而死、死而無後者、不在此例中論宜立後○又按、繼別之子、
既受重而死、則得立後、未受重而死、則立母弟、此古法也、田說不問其受重與否、審
如是也、世復有立後之禮乎、此其 誤處、

【續大典】長子死無後、更立他子奉祀、則長子之婦、毋得以冢婦論○鏞案、此據小
記也、舅姑服小功

【問解】趙希逸曰、父母未歿、兩兄死、後四年先君卽世、親朋皆以孤哀主喪、神主題
名、後三年祖妣繼歿、孤哀服喪服、神主題名、今長嫂欲取孤哀之子、或舍弟之子爲
後、以奉大宗、當聽從其言、以遠嫌爲重歟○沙溪答曰、古禮長孫承重、至趙宋長子
死則不用姪、用次子、非古禮也、明道歿後、伊川主太中之祀、亦時王之制、而不合於

禮也、我國專用古法、長子妻立後、則是無子而有子、當奉祀也、又反思之、長子無子、已移宗於次子、到今立後、必有辨爭之端、未知國典如何、○鏞案、此與田汝成宗事一轍、特田嫂已死、而趙嫂尙生耳、趙父生時、趙兄死、此小記註所謂、適子無子而死、父不服斬者也、趙又承重於祖妣、此小記所謂祖父卒、而後爲祖母後者三年也、如是十年之後、無識寡婦、以其私慾、更欲承宗、趙既持重、何得遠嫌、明道之卒、有子有孫、伊川奪嫡、與趙家之事、所差千里、恐不當引彼以論此也、續大典云、長子無後、更立他子奉祀、長子之婦、毋得以家婦論、國典亦相合矣、但沙溪之時、則續大典未成（與猶堂集三十五卷）

春秋傳の太子死有母弟則立之、無則立長と云へるを引て、父在之時、長子無子而死、則本無立後之法、との論據とした。しかし其の無則立長は、長孫を指す。故に此の制度に倣はんとするならば、寧ろ逆に、長子に子あるときでも、長子父に先つて死するときは、次子が祀を嗣ぐかを問題とすべきである。而もそれは、我に在つては、既に疑の容地なき所謂宗法至嚴なるものである。玆では亡兄に子なきことを前提として、弟及を問題としてゐるのであり、又其の前提の下に於てのみ、弟及が問題たり得るものと考へてゐるのである。彼を以て論據とすることは、此の問題に付ては穩當でない。しかし父の生前と歿後とを區別して、兄亡弟及の法の適用を稽へることは、祭祀相續の開始のときを標準として、長幼の序に從はんとするものであつて、理由のないことではない。之を父偏愛次子とのみ云ふべきではない。況んや夫の死が父の生前なると歿後なるとに依つて、家婦の地位を區別した以上は、同じ標準を以て、兄亡弟及の適用を別つことは、寧ろ當然である。兄亡弟及と立後との牴觸は、同時に家婦の法との牴觸であり、此の場合の立後は、常に亡兄の死後養子が問題となるからである。亡兄が生前に立後したるときは、弟及は問題とはなり得ない。故に父在、長子無子而死、立次子、の法は、家婦之法との牽聯に於て理解し得るものと思ふ。與猶堂集は沙溪答趙希逸書を擧げて批評し、未知國典如何と云つたのに對し、續大典の長子無後、更立他子、長子之婦、毋得以家婦論の條を示し、但し沙溪の當時には、續大典は未だ成らずとことはつてゐる。此の規定を以て、長子が父の未歿の前に死亡したときの規定と解してゐるのであつて、續大典と題し、此の規定を揭げ、此據小記也と說明し、舅姑服小功と註してゐるのは、長子無子而死、則舅姑爲適婦小功、明長子無子而死、則不爲父後也を指す。父母在すときは次子が父の後となり、從つて舅姑の長子の婦に對する服は、小功なるを云ふ。換言すれば舅姑在すことを前提としての規定なることを指摘したのである。

嫡長子無後則衆子の意義

右に述べた如く、父死亡して現に相續の開始せるに當つて、既に長子死亡し、長孫もなきときは、次子が父の後を繼ぐことは、無長子則衆子の意義にも副ふのである。但し大典奉祀條には、無長子則衆子とはなくして、嫡長子無後則衆子、衆子無後則妾子奉祀とあるのである。長子無後と云へるは長孫の代襲相續を豫想したのであつて、勿論長子も既に死亡せることを前提とするとも考へられる。しかし此の規定が、相續開始のときを標準とし、父を被相續人としたものと斷定して、前述の解釋の根據となすことは、亦必ずしも正當ではない。若も此の規定が父を被相續人とし、被相續人の直系卑屬が相續する場合のみに關するものであつて、恰も財產相續は子女の共同相續を原則とするに對し、祭祀相續に在りては、之を一人に限定する必要上、嫡孽と長幼との間の序次を定めたものであると謂ひ得るならば、其の儘にこれを根據として、父在、長子無後而死、立次子の法則を論結することは容易であるが、反對に長子が父歿して承重したる後に死亡し、其妻も亦未だ立後に及ばずして死亡したときは、同じく次子が祭祀を嗣ぐのである。亡夫の財産は亡夫の本族、卽ち兄弟あるときは之が相續し、次弟が承重子の例に依つて加給を受けるのであらう。其は此の規定の適用であつて、此の場合には被相續人は長子であり、從つて傍系に依る相續である。換言すれば長子無後卽衆子奉祀は、無後なる長子の死亡を原因として開始する相續をも包含するのである。此の規定が、直系卑屬の相續と、傍系親の相續とを包含し、兩者を併せて兄亡弟及の原則を示したことが、恐らくは其の適用範圍を定むるに當つて、父の生前と歿後とを區別することの永く問題となり得なかつた原因の一つをなすのではなからうか。

夫妻俱に歿した後に、死後養子をした事例は少くない。* 恐くは兄弟なく、兄弟の子もなく、兄亡弟及の適用の餘地のない場合であつて、絶祀再興とでも謂ふべきものであらう。從つて遺產相續は起らない。

---

*大典會通禮典立後條註に

妾子と死後養子

一邊或兩邊、父母俱死、而拘於常規、不得登聞者、本曹論理草記

とある。これに依つて或は至成與受文蹟、未出禮斜之前、某夫妻俱歿とか、兩家諸族同議完定、而某夫妻俱歿、受者無人、禮斜不得循例呈出」とかいふ理由で、依新定式、草記稟處事を門長其の他の親族から呈訴し、禮曹は之に依り草記上聞して允許を得た例が甚だ多い。

第四　妾子あるときの立後

家婦が死後養子を欲しないことは、前に述べた如くであるが、それとは反對の現象が、妾子あるときに生ずる。即ち妾子の相續法上の地位が、死後養子との牽聯に於て再び問題となるのである。

諫院啓曰、大典立後條、嫡妾俱無子、乃立同宗支子爲後者、盖以妾子之名分雖卑、而其爲血脈、則與嫡無異也、若爲其父者、於其生時、嫌其宗祀之歸於卑下、乃取嫡屬當次者爲後、則猶之可也、其父死後、使其婦女以定其一家之政、則悖疾家翁之妾子、婦人之常情也、孰肯以妾子爲之後乎、事至於此、固當守大典之法可也、況復爲其繼後子者、恐其養父妾子之不利於己、乃欲構揑其罪、而爲陷害之計、則其事

不亦慘乎、故僉正南調元、無子女、有妾子二人、調元死後、其妻尹氏、捨其妾子、乃取調元四寸弼元之子定國爲後、尹氏身死、三年喪畢、調元妾子南㦖等、欲分得其父財産、定國發怒、謟撫南㦖罪狀而呈憲府、憲府繫南㦖、將欲治罪之際、尹春年爲大司憲、知其冤悶、而以前官已定公事、故不能專釋、只刑一次而放之、況前大司憲金澍妻母與調元之妻尹氏同生兄弟也、雖非法當相避、而所當引嫌、乃囚南㦖、至爲非矣、金澍回還赴京時後、請推考其立後事、議于大臣、以立一定之法何如、答曰、大抵今也公道板蕩、私情大勝、法司伸理之地而尙如此、其冤孰甚、當如所啓、大臣議啓曰、無子者立後、自有法條、固不可違、若其父因不獲已之勢、請捨孼子、而取同宗支子爲後者、得蒙恩許、則猶可爲也、其父死後、婦人以私意、自爲取捨者、自今以後、一切不許爲當、尹氏既以定國爲後而身死、此乃已往之事、似難更改、若定國於其父母爲獨子、而無他奉祀者、則自當歸宗、傳于政院曰、見大臣之議、一法立、一弊生、勿設新條、遵行祖宗大典(註)定國兄定邦無子而死、定國不當爲他人之後、貪調元財産、敎誘兄妻、取堂兄之子、爲定邦之後、自求爲後於尹氏、及與南㦖兄弟等爭訟、多納田民於尹元衡・金澍、故大臣等牽制於元衡、其所議如此(明宗實錄第十五卷八

年癸丑九月辛亥條)

これは諫院より、妾子ある場合に死後養子を禁止するの法を立てんことを要求したのである。經國大典禮典立後條の、嫡妾俱無子、乃立同宗支子爲後を根據とする外に、若し之を許すに於ては、當然に伴ふべき弊害として、夫の死後、妻は妾子を惡み、之に承重せしめることを欲せざるは婦人の常なること、及び繼後子も亦妾子の己に不利なるを恐れ、罪を構へて陷害することあるを擧げてゐる。此の事案は南調元に妾子二人あつたが、同人の死後、妻の尹氏は、同宗の定國を立てて後としたのである。此の定國の實家は兄定邦子無くして死亡し、定國は父の跡を繼いでゐたので、他家に入つて後となることを得ない者であつた。然るに調元の財產を狙つて、其の繼後たらんと欲し、定邦の妻をして定邦の爲めに死後養子を立てしめ、自らは出でて調元の死後養子となつたのである。而も尹氏の死後、妾子南憪等が、父の遺產の分給を求めたのをも拒んで、却て南憪の罪を虛構して訴へ、大司憲金澍に賄したといふのであつて、最も其の弊害の顯著なものであつた。處が之に對する傳旨は、一法立、一弊生と云ひ、新條を設けることに躊躇したのである。　嫡長子只有妾子、願以弟之子爲後者聽、の規定が、弟之子に限つたのは、嫡長子無後、則衆子、衆子無後、則妾子奉祀の法に拘束せられたが爲めであつた（二二四頁參照）。　然るに右の大臣議啓中には、其父因不獲已之勢、請捨孼子、而取同宗支子爲後者、得蒙恩許、則猶可爲と云へるに徵するときは、其の範圍を擴張して、衆子なきときでも、妾子を捨て同宗支子を取つて後となすことを許さんとするものなることが窺はれる。　但し止むを得ざる場合の例外であつて、原則としては夫の死後は妻に於て、妾子の地位を自由にすることは許さないのが正當だと云ひながらも、既に尹氏も死亡し、事は已往に屬す、更改し難きに似たりと云ひ、僅に定國は實家の祀を奉ずる爲めに、自ら歸宗すべきだと結論したあたり、頗る曖昧な態度である。　殊に其の終りに、定國が財を貪るを惡み、金澍等を牽制せん爲めに、大臣等は斯の如く議したのだと註記せる處から察すれば、妾子ある場合の死後養子を、必ずしも不當とは考へないやうである。　弊害の伴ふことあるを知りながらも、宗祀の卑下に歸するを嫌ふ念が强かつた。

與猶堂集の内にも

我邦卑庶太甚、雖才德並隆、亦不許淸官、於是庶子盈庭、而必取族人之子、以爲人後、傷天彛而斁人紀、未有甚於此者也、惟栗谷李文成公、不撓不懾、獨以庶子承統、此後學之模楷也(與猶堂集三十五卷出後七)

とある。這般の消息を窺ふに足る。

死後養子の範圍

經國大典禮典奉祀の條には、嫡長子無後則衆子、衆子無後則妾子奉祀とあり、其の立後の條には、嫡妾俱無子者、告官立同宗支子爲後とある。嫡長子に只だ妾子のみあるときは、妾子が奉祀するのであつて、立後することを得ないと解するのが、兩規定の矛盾なき解釋である。然るに大宗の卑下に歸するを嫌ひ、奉祀の條の規定を、嫡子なく又嫡孫なきときに始めて妾子が奉祀する、嫡長子死して、妾子のみあるときは、嫡衆子に於て奉祀するとの見解を生じ、遂に嫡長子只有妾子、願以弟之子爲後者聽、欲自與妾子別爲一支則亦聽といふ妥協的な規定が成立したことは、既に述べた(三二三頁參照)。妾子あるに拘らず、弟の子を立てゝ後となすことを許すのであつて、此の規定が既に、立後の條と牴觸するのであつた。然るに前記奉祀條の解釋を更に擴張して、弟の子なきときと雖、四寸の子あるときは、妾子あるに拘らず之を後となすことを許さんとする議論が、右の南調元の繼後に關して現れた。而して立後の條この調和を奉祀の意義に求めんこする。

憲府啓曰、臣等、謹案大典奉祀・立後兩條之意、所謂奉祀者、卽奉曾祖・祖・父三代之祀也、所謂立後者、只立一己之後也、是以奉祀之條曰、若嫡長子無後則衆子、衆子無後則妾子奉祀、註曰、嫡長子只有妾子、願以弟之子爲後者聽、欲自與妾子別爲一支則亦聽、以此言之、嫡長子雖有妾子、取弟子而爲後、以奉先祖之祀、則大宗之不可歸於妾子也明矣、若無弟子、而先祖之祀、不可違法而付之於妾子、則當取四寸之子而爲後、四寸之子、雖非同宗於吾父、亦同宗於吾祖矣、旣無吾父同宗之人、則不可不取吾祖同宗之人而爲後也、亦明矣、此乃奉祀條之本意也、立後之條曰、嫡妾俱無子者、告官立同宗支子爲後、此乃只立一己之後也、而近來士大夫之間、不知法條、各以所見、交相是非、故後續錄撰集時、於立後條、合而言之曰、凡嫡長子無後者、以同宗近屬立後、欲以身別爲一宗、則雖疏屬聽、所謂同宗者、卽奉祀也、所謂一宗者、卽立後也、其發明大典奉祀・立後之本意可謂詳矣、而今人以續錄只擧立後、不擧奉祀、故反致疑於其間矣、今卽同宗立後法而論之、若無弟子、則必取四寸之子而爲後、爲同宗於祖也、明矣、況經濟六典者、卽祖宗之法、而大典之所自出者也、禮典曰、同宗之子、用三四寸爲後、無三四寸、則用五六寸七八寸云、其法尤爲明白矣、(下略)(明宗實錄第十五卷八

年癸丑九月甲寅條)

即ち奉祀とは、曾祖・祖及び父の三代の祀を奉ずるを謂ふと爲し、四寸の子は、吾父に於て同宗に非ずと雖、吾祖に於て同宗なりと謂はんとする。換言すれば吾祖と四寸の子とは、曾祖と祖孫に當り、奉祀する四寸の子は、奉祀せらるる曾祖からすれば、直系卑屬だといふ處に論據を求めんとするのである。而して一方に於て、立後は立一己之後也となし、之を奉祀と區別し、立後の嫡妾俱無子の規定は、庶民の唯考妣を祭るものに付て適用せらるべきもので、三代の祖を祭るべき士大夫の家には、適用なしといふのである。其の根據として嫡長子無後者、以同宗近屬立後、欲以身別爲一宗則雖疏屬聽の法を援用する。併し後に述べる如く、此の規定は、繼後子の資格を四寸の子の範圍に限定する趣旨に於ては嚴格に行はれなかつたことは、恰も一般の立後に關する立同宗支子爲後に於ける同宗が、同姓の意味に迄擴張せられたと同樣であつたであらう。故に此の點に付て次の異說がある。

舍人以三公意啓曰、憲府因南調元繼後事所啓內、若無弟子而先祖之祀、不可違法而付之於妾子、則當取四寸之子而爲後也、大典奉祀條、若嫡長子無後則衆子、衆子無後則妾子奉祀、註、嫡長子只有妾子、願以弟之子爲後者聽、其弟之子、乃其祖之孫也、四寸之子、自其曾祖視之、爲其曾孫也、凡立後者、爲其父而立後、故取弟之子而爲後、以其同是其孫故也、若取四寸之子而爲後、則雖是爲曾祖之曾孫、以其祖言之、則非其所生之孫也、祖爲近、而曾孫爲遠、立後宜取其近者而定、此大典之意也、且其先世、有勳功者、雖不必取其四寸之子而爲後也、其先祖之祀、例歸於後孫之中爲長者、則自當有奉祀者、何必取四寸之子爲後也、此非大典之意也、後續錄立後條、凡嫡長子無後者、以同宗近屬立後、欲以身別爲一宗、則雖疏屬聽、此亦非經國大典之意、故於斤正時不錄之、今若如是立法、則爭訟者紛紜而起、請與禮官商確議定、(明宗實錄第十五卷八年癸丑十一月甲辰條)

即ち前說の若無弟子而先祖之祀、不可違法而付之於妾子、則當取四寸之子而爲後也と云へるを非難したのである。 元來立後は父の爲めにするのであつて、自分に嫡子がなければ、弟の子を以て後となし、父の祀を奉ぜしめんとするのは、父から見れば同じく孫だからである。 四寸の子は、祖父から見れば曾孫ではあるが、父からすれば直系卑屬(所生之孫)ではない。 父から見て既に直系卑屬でない以上、何も四寸に限つたことはない。 弟の子なきときは遠屬と雖、取つて後となすの規定は、後續錄の修正のときに削除せられたといふのである。とを得る。欲以身別爲一宗、則雖疏屬聽之の規定は、後續錄の修正のときに削除せられたといふのである。此の說は義論の前提として、凡立後者、爲其父而立後と、先づ立後の意義を定めて結論を演繹せんとするのであるが、問題は奉祀と立後との觀念に付て存するのではなくして、單に妾子の祭祀法上の地位に付て存する。後說に從つて立後を定義しても、問題となつた奉祀條の規定と、立後條の規定との調和は、妾子の地位を否定せんとする限り不可能である。故に後說は、此の立後の定義を以て、奉祀條の規定を說明したに止り、嫡妾俱無子者の規定には觸れてゐないのである。だが理論の當否は兎も角も、妾子を度外視する點に於ては、後說も異論はないのであつて、之に依れば妾子の奉祀者としての地位は、弟の子及び四寸の子の有無に拘らず、死後養子に依つて完全に奪はれるこことなる。

しかし夫の生前ならば兎も角、遺妻が死後養子をなすことに依つて、妾子の地位を奪ふことに對しては、異論も多かつた。蓋し此の場合に、宗祀の卑賤の子に移るといふのは、寧ろ妾子を惡む遺妻の口實に過ぎないからである。前記の癸丑年の受敎は、一法立、一弊生と稱し規定を設くることを避けたのであつたが、其の内の大臣議啓の一節が、其の後は法となつて、妾子ある場合の死後養子を禁止した。

死後養子の禁

禮曹判書洪暹啓曰、大典立後條、嫡妾俱無子、告官立同宗支子爲後者、蓋以有妾子者、不得取他人之子爲後也、又曰、雖有妾子、願以弟之子爲後者聽云者、蓋以妾子之父生存、而其意不欲食於妾子之手、若其父既歿、妾子之嫡母獨存、則不可捨其夫之妾子、而取其夫姪子爲後明矣、近歲以來、國家執法不堅、或夫歿後、其妻未忘平日猜妬之心、不欲令妾子奉祀、呈上言、願以其夫之姪爲後時、蒙特恩、許以爲後者頗多、去癸丑年、收議三公及該曹、其議曰、嫡長子有妾子者、非同生之子、勿許爲後、自有此議之後、不得爲父後之妾子、或呈上言、或呈該曹、欲破六寸・八寸・十寸兄弟之爲其父後者、欲從願、則父子曾定、至服養父母之喪者、還爲姪子事、似重難、欲仍定不改、則不但子不得父其父、大典無妾子然後方許立後之法亦廢、癸丑年大臣獻議、又將不行矣、今將並與癸丑以前久遠爲後者、一一如大臣等議盡改之、而還許妾子爲後乎、將從立法以後計之乎、請更議以杜紛爭之路、且彼爲嫡母者上言、每擧庶人只祭考妣之語、不欲以妾子爲後、臣等詳大典本意、則妾子承重之註曰、妾子承重者、祭其母於私室、止其身、觀此註、則專指妾子之承重者、不當竝與某品祭幾代之文、混而論之、蓋妾子身雖承重、其母爲賤、故祭于私室、止其身、而其承重之父及祖、則自當依士大夫之例祭之無疑、今世婦人、不欲令妾子奉祀者、必據此爲證、聽之者、亦時有異同之論、此條亦請議定、傳曰、知道、當收議發落耳、領議政沈連源議、非同生之子、勿許爲後云者、同生之子、於其父爲親孫、故得承祖以上之祀而爲後也、外此則非其孫、故不得承祀矣、既知其非類而不得神之享祀、則何論法之先後乎、且稽國法、庶人只祭考妣云者、專指無職庶賤之人、非指士大夫之妾子也、大典註云、妾子承重者、祭其母於私室、止其身、觀此則其意可知、左議政尙震議、禮曹取稟立後公事、極爲詳著、若依癸丑年立法、而自前非同生之子爲後者、一切罷繼、則非徒惹起訟端、妨貴習長、先王判付亦棄不用、事體未穩、擧行重難、癸丑年立法以後、違法爲後、則聽理改正爲便、承重妾子不在只祭考妣之列、大典註解亦必載錄、右議政尹漑議、父子人之大倫、而嫡子無後、則妾子奉祀之法、昭載國典、雖千百世、不可改易者也、該曹所謂、近歲以來、執法不堅云者、乃一時有司之失、而間有特許者、亦有司不請循典章之過也、如以天倫爲重、則豈可以一時苟定之父子爲疑、而反使其妾子不得父其父乎、臣意當遵先王畫一之法、爲是、庶人只祭考妣云者、指輿臺・僕隷之賤而言之、若士大夫妾子孫、則雖三醫・雜類之職、皆與於文武百官之列、奉其先祀、當隨其品、豈可使只祭考妣乎、婦人之不欲令妾子奉祀者、必擧此爲言、與聽者之、時有異同之論、皆不解法文而然也、此何足以更議而定之、領府事尹元衡議、法典內、嫡妾俱無子、立同宗支子爲後云、有妾子、不得取他人之子爲後明矣、時或有宰相之人、雖有妾子、强欲以侄爲後者、呈上言、自上特命從願、是乃待宰相之權宜也、非人人所得援以爲例也、況夫死之後、妻獨存焉、捨其夫之妾子、而以其夫疏屬、任意立後、冒呈上言、此甚違於法、一時雖有特恩、爲有司者、執法防啓、以固堤防可也、法典一毀、末流已濫、此癸丑所以收議而定之也、然今若以癸丑年以前久遠爲後者、一切追改、則曾許爲後、服喪三年、父子之分已定、其於情理、並皆未穩、自癸丑年立法之後、行之如何、庶人只祭考妣之語、以其父母非士族也、士大夫之妾子承重者、則自當依士大夫之例、祭其父祖、無疑、傳于政院曰、依癸丑年議施行、議前事、不須更改、雖在癸丑年立法之後、如宰相呈上言、特蒙判付

者、則亦不可改也、（明宗實錄第二十卷十一年丙辰二月戊申條）

癸丑年收議三公及該曹其議曰として、嫡長子有妾子者、非同生之子、勿許爲後と擧げてゐるが、癸丑年の大臣議啓の內には、若其父因不獲已之勢、請捨孽子、而取同宗支子爲後者、得蒙恩許、則猶可也、其父死後、婦人以私意、自爲取捨者、自今以後一切不許爲當とあつて、妾子あるときは死後養子を許さずといふのが眼目である。同生之子に限るや否やを問題とはしてゐない。然るにここでは、夫の生前に於て立後する場合に、同生の子なきときと雖、四寸の子を取つて後となすを得るやといふことと、同生の子を以てするならば、夫の死後に於ても尙ほ立後するを得るやといふこととを併せて問題とし、而も妾子あるときは、同生の子に非ざれば後となすを得ず、同生の子と雖夫の死後は立後するを許さずといふのを、已定の法として、癸丑年に遡つて之を施行することとしたのである。

第五　遠疏を取つて後となす

同じ思想が、繼後子の疏族なる場合にも現はれる。

近親を措て疏族を立つることの當否

禮曹啓曰、昨日傳二敎奉祀事一、大典奉祀條云、若嫡長子無レ後則衆子、衆子無レ後則妾子奉レ祀、立後條云、嫡妾俱無レ子者、立二同宗之子一爲レ後、今若長子無レ後、有二繼後子一、而爲二繼後一者、乃同生之子、則可二奉祀一、若疏族、則其所レ繼父母可レ祀、其祖父母、則次子之子當二奉祀一也、傳二于政院一曰、憲府公事、以二朴暉爲一不次奉祀一、當二治罪一、朴崇禮妻李氏、繼後子朴坤、同是朴禹之孫、則坤可二奉祀一、暉之奪二取神主一、强欲二奉祀一罪固當矣、坤若疏族而非二离親孫一、則坤不レ當レ奉二离之祀一、而應レ奉者暉也、禮官之啓如レ是、與二予意一同、坤之於离、爲二親孫一與否、更考以啓、若暉之不レ告二於官一而擅破二廟門一、偸二取神主一之罪、則在レ所レ當治、不レ可下以二不次奉祀一治上レ罪也(中宗實錄第四十一卷十五年庚辰十二月癸卯條)

即ち長子の繼後子が、次子の子であれば、祖先の祭を奉ずることは勿論であるが、疏族の者なるときは、所繼父母のみを奉祀し、祖父母は次子の子が奉祀すべきだといふのである。朴离の長子朴崇禮の死後、其の妻李氏は、朴坤を立てて嗣とした。然るに离の孫朴暉は、离を奉祀せんと欲し、廟門を破つて离の神主を奪つたのである。此の場合に暉を、不次奉祀の罪を以て罰すべきや否やを、繼後子坤が、离の疏族なるや否やに依つて決せんとするのである。暉は离の孫である。若し、坤も同じく离の孫であるならば、崇禮の繼後子として祖先を奉祀する。然らざれば离の孫暉が祖先の祀を奉じ、坤は唯崇禮夫婦を奉祀するに止るからであると云はんとするのである。卽ち崇禮は別に一宗を爲すわけである。

(上略)顧謂淑曰、朴暉若以破廟門盜神主而治罪則當矣、以不次奉祀而治罪、則似不可、朴坤雖是李氏養子、然於朴离爲族孫、而暉則親孫、以情而言、則暉當奉祀也、淑曰、長子無子、幷其妻而俱歿、則次子之妻、亦當代長子之妻而爲冢婦奉先祖也、李氏生存前、暉不可奪神主、故以不次奉祀照律也、其終奉祀當否、自有該司、非本府所定也、上曰、今若以不次奉祀治罪、則予意以爲終不得奉祀也、領事李惟淸曰、不次奉祀、毀廟門、偸神主、三罪皆歸於暉、不可不治也(中宗實錄第四十一卷十五年十二月丙午條)

之れに依れば朴离の長子は、子なくして既に死し、つゞいて其の妻も死んだのである。故に次子あれば之が祀を奉ずべきであるが、次子も既に歿して其の妻李氏がある。此の場合に次子の妻李氏は、長子の妻に代つて冢婦となり、朴离の祀を奉ずるが故に、假令其の繼後子坤は疏族の子であつても、暉——第三子の子でもあらうか——は未だ奉祀の時期ではない。朴离の神主を奪つたのは、不次奉祀と、廟門破壞と、神主偸奪の三罪俱發であると論ずるのである。果して如何。次子は長子の妻が冢婦として生存中に死亡したのである。曾爲奉祀而身死ものではない。然るに其の妻が仍奉其祀と謂ひ得るであらうか。冢婦たりし長子の妻が死んだときは、祭祀は第三子が奉承すべきであり、第三子も既に亡

支宗となつて疏族を立つ

く、其の子が嗶であるとするならば、應レ奉者は嗶である。不次奉祀には該當しないといふのが寧ろ正當ではなからうか。冢婦に關する一つの問題であらう。

曩に擧げた處に依れば、後續錄撰集の時、立後條に

凡嫡長子無レ後者、以二同宗近屬一立レ後、欲下以レ身別爲中一宗上、則雖二疏屬一聽、

の規定があつたやうである(明宗實錄第十五卷八年癸丑九月甲寅條)。然るに修正(斤正)の時に、後半は削除せられて、載せられなかつたといひ(同年十一月甲辰條)、大典會通禮典立後條にも、續典として

凡嫡長子無レ後者、以二同宗近屬一許レ令レ立レ後

とあるに止る。

既に仁祖の朝に於て此點に關し異論が多かつた。

執義尹衡彥妻尹氏上言、據二曹粘目一云云、向前《サキニ》尹衡彥妻尹氏、亦以二尹衡俊承重之子而無一レ後之故、其女上言、以二己子機一爲二衡俊之繼一、而承二尹暾之祀一、不レ當是如爲白臥《トイフトコロデ》乎所《アルガ》、竊考二法典一、則同家之子、雖レ得レ爲レ後、不レ得レ奉二祖以上之祀一、盖先祖不レ可レ捨二己孫一而享二於兄弟之孫一也云、尹暾既有二次子之子一、則似レ當レ奉二其祖之祀一、而衡俊則當二別爲一一

宗、而以前已啓下爲白在《シタル》、尹衡彦之第四子機爲後、則似爲便當、尹氏之呈狀、特令該曹更爲處置云者、亦此意也、依此施行、則允合於法典事意、而不違於本家情願、是白乎矣《ヤレドモ》、自下擅便不得、上裁施行何如、崇德二年十二月十九日同副承旨臣金次知啓、依回啓施行爲良如教《セヨト仰セラレタ》(法外繼後謄錄第一卷仁祖十五年丁丑十二月十九日條)

尹暾の長子尹衡俊には男子がなかつた。其の死後、其の女の願に依つて尹衡俊の四寸の兄尹衡彦の第四子機を以て後となすことを許した。然るに尹暾には次子があつて、其の子に尹稽がある。尹稽を措て遠族の機を後としたのである。故に尹衡彦の妻からの上言に依つて、尹衡俊は別に一支をなし、尹機は唯尹衡俊の祀を奉ずるに止めしめ、祖父尹暾の祀は、尹楷の奉仕すべきものとしたのである。

然るに之に對し尹楷より上疏した。

幼學尹楷上疏節該、伏以、繼絶立後、是國家莫重之常典、以嫡承祀、乃先聖不易之定論、而臣之承祖繼宗、有違禮法、則不得不敢將危悃、仰達天聽、伏惟、殿下垂察焉、臣之伯父故察訪臣衡俊、乃臣祖父故判書暾之長子、而嫡妾俱無子、欲以其四寸兄故執義尹衡彦之第四子機爲後、既言於機之父母、又議於門族、而只未及聞官而已、不幸伯父夫妻相繼而死、故伯父之女幼學李英妻尹氏、銜哀上言、願以機爲伯父之後、該曹以依願入啓、至於蒙允、則機之於伯父、即同己子、而其後因機之生母尹氏所訴、該曹不察宗義、率爾回啓、以機只奉伯父之祀、而以臣使承祖父之祀、臣棠不知其據何禮文而然也、以臣私情言之、同奉祖禰之祀、以申如在之誠、固無所不至、而伯父以祖父之長子、既立其後、則是即祖父之長孫也、寧有有長孫而以支孫承其祖祀之理乎、臣徒以奉承祖父之祀爲幸、而含默以受、則其於國家之常典、何其於先聖定論、何莫重之宗義、自臣而廢、則不惟微臣承祖之祀、有所未安、抑亦國家繼後之典、亦有所損、伏願、殿下俯察情理、推度禮法、使長孫機仍奉祖祀、以重宗義、則臣不勝幸甚事、據曾啓目、曾於丁丑年、因故執義尹衡彦妻尹氏上言、本曹十分參考法典、採取群議、以尹檣承其祖父之祀、爲白有置《シメタ》莫重之事、今難更改、疏内辭緣、受理安徐何如、啓依允(法外繼後謄錄第一卷仁祖二十年壬午三月十五日條)

尹衡俊は尹暾の長子であり、尹機は尹衡俊の後となつた。即ち機は尹暾の長孫に當り、次子衡哲の子尹楷自らは支孫に當る。長孫あるに拘らず、支孫の身を以て、祖父の祀を奉承することは、甚だ光榮ではあるが、未だ安からざるものがある。默して之を受けんか國家の常典を何奈せんや、先聖の定論を何奈せんや、莫重の宗義、臣よりして廢れんと云ふのである。併し曩に十分に法典を稽査して決したことであつて、更改し難しとの理由で、一旦は却下せられたのであるが、再度上疏したので、大臣に收議せしめ、遂に前の處置は變更せられた。即ち

幼學尹楷上疏內、伏以、繼絶立後、是國家莫重之常典、以嫡承祀、乃先聖不易之定論、則臣之承祖繼宗、既爲無據、而禮官之前後處置、亦違法禮、玆將宗義之重、再陳孝理之下、伏願、聖明留心垂察焉、臣之祖父故判書暾、有兩子、長則臣之伯父故察訪臣衡俊、次則臣之父故佐郎衡哲也、臣之父死於辛未年、臣伯父死於乙亥年、伯父不幸無子、故伯父生時、欲以四寸故執義臣衡彥第四子檝爲後、兩家成約、而未及告官、伯父夫妻相繼而死、則伯父平生之志不得遂、而祖父之靈、亦無依歸之所矣、是以伯父之女、遵其父志、銜哀上言、願以檝爲其父之後、以承先祀、而該曹以依願入啓蒙允、則檝爲伯父之子、而祖父之長孫也、其於奉承祖父之祀、在所固然、而

頊者、櫟之生母尹氏之上言、有違於此、臣不得不明卞焉、其曰、故察訪尹衡俊、雖是承重子而無後、故判書尹暾之意、欲用次子承重之法、而臣竊以爲不然也、何者、祖父卒於壬子年、其時伯父之年四十有一矣、伯父之終無子、祖父其何能逆料、而有次子承重之言乎、其曰尹衡俊承父之意、其父母奉祀、欲依兄亡弟及之法、而臣亦以爲不然也、何者、臣之父以次子先死伯父未死之前、則伯父何所見、而有兄亡弟及之言乎、於情於禮、固無所據而該曹回啓、反以既有次子之子、則似當奉其祖之祀、措辭入啓、以臣奉行祖父祀、而櫟則只使奉伯父祀、則繼絶之道、宗義之重、至於此而蔑之矣、臣玆於頊者、猥陳一家之情事、冀獲禮法之得中、而該曹仍循前例、謂其莫重之禮、今難更改、而疏內辭緣、竟至於受理安徐、禮官前後處置、若是參差何歟、臣於祖父、乃是親孫、則同奉祖禰、以伸如在之誠者、於臣私情、固無所不至、而祖父之神主旁題、卽伯父之名也、伯父之神主旁題、卽櫟之名也、承父繼宗、自有不易之定論、則宗義至重、國法且嚴、豈可以一婦人一時所訴、有所改易乎、非徒不安於情禮、其於改題一事、亦所難處矣、噫人家之禮、莫重於宗義、故以嫡承祀、絶則繼之者、莫不以宗義爲重、則臣何敢自壞其禮法、而不遵先儒不易之定論哉、伏願、聖明俯察情理、推度禮法、使長孫機承奉祖父、以重宗義事、據曹粘目、國朝舊來法例、則嫡孫無後、立他宗子爲後者、別爲一宗、而先祖奉祀、不問本枝、歸於親子孫者、多有之矣、近世先正諸儒之論、始起以爲、既有繼後、則便是其子、別立一宗者、大壞禮防、以此禮官據而決議者、亦已久矣、觀此疏辭、則前日禮官回啓、乃是舊來法例、而非新行儒者論、尹槽之不欲承當其祀、爲此故也、大抵此兩說、於情於法、俱有義理、猶未有一定之論、臣曹亦不敢斷以前回啓爲非、各別議于大臣、一定可否、以爲常制何如、啓依允事、據議于大臣、則昇平府院君金・左議政沈・右議政沈以爲、先王制禮、繼義極重、終古以來大防截然、衡彥之子、出繼衡俊之後、則便是衡俊之子、而尹暾之嫡孫也、衡俊神主傍題、以尹機書之、而父子之名分已定、則奉承先祖之祀、乃是義理之當然、所謂兄亡弟及者、衡俊不爲立後、而衡哲獨有嗣續、則傳垂於衡哲、此謂兄亡弟及謂也、今則衡俊無子而有子、安有其子只奉其父衡俊之祀、而有使其祖父之祀、歸之於衆孫尹槽之理乎、臣等之所見如此、伏惟上裁、益寧府院君洪・行判中樞府事姜、病不收議、大臣之意如此、上裁何如、啓依議施行爲良如教《セヨト　オフセラレタ》（法外繼後謄錄第一、仁祖二十一年癸未三月十七日條）

兄亡弟及との關係

尹楮には、前の上疏の外に、新しい主張があつたのではない。禮曹は意見を付して、古來の法例では長子無後にして、他宗の子を立てて後としたときは、別に一宗をなし、先祖の奉祀は實の子孫に歸したのであるが、近來反對の論起り、繼後あるに拘らず、別に一宗を立つることは、禮を壞つと爲す、兩說共に理由がある。此の際大臣に議して常制を一定すべしと回啓した。そこで大臣に附議することとなつたが、たいした議論もなく、長子の繼後子は、先祖の祀を奉ずべしといふに決した。其の理由としては僅に、兄亡弟及は長子立後せず次子にのみ嗣子ある場合に適用あるに止るといふに過ぎぬ。此の理由は理由とはならぬ。問題は常に長子無後にして死し、死後に立後した場合に生ずるからである。

惟ふに此の問題に付ても、長子父に先つて無後にして歿した場合と、父先づ死して祭祀を承繼した後に、無後にして死んだ場合とを區別するときは、克く兩說を調和し得たのではなからうか。尹暾の死亡に因り長子衡俊が祭祀を承繼したのである。故に衡俊の死んだときに、次子衡哲が生存したとしても、立後するに妨げはない筈である。之に反し尹暾の生前に於て長子衡俊は、已に無後にし

立後の限界としての同宗近屬

て死亡してゐたと假定するならば、兄亡弟及の法に依つて、尹暾の祭を奉ずる者は尹楷である。曩に禮曹が先祖不可捨己孫而享於兄弟之孫と云つたのは、父を被相續人としての立場に於て、次子の子を奉祀孫として考へるのである。然るに楷の疏辭中に、祖父之神主旁題、卽伯父之名也、伯父之神主旁題、卽檄之名也、承父繼宗、自有不易之定論と云へるは、父先づ歿し長子承重して後に子なくして死んだ場合を謂ふのである。此の事案に付ては極めて適切なものがある。

之を嫡長子只有妾子、願以弟之子爲後者聽、欲自與妾子別爲一支、則亦聽の法と比較するときは、嫡長子に子なく、生前に疏屬を立てて繼後子とした場合に、之を只有妾子と同一に取扱はんとするものなることは明である。しかし嫡長子の死後に於ても其の遺妻が、次弟の子を立てて後としたとすれば、嫡長子の死が父未歿の前なると已歿の後なるとを問はず、穩當の處置と考へられたであらう。故に之を死後養子の場合に付て考へるときは、死後養子と兄亡弟及の法との牴觸に對する妥協案とも思はれる。故に其の所謂同宗近屬は、生前の立後に於ては弟之子であり、死後の立後に於ては次弟の子でなければならぬ。何れにして

立後に因つて開始する相續

も嫡長子と云ひ別爲二一宗一と云ふ處から見れば、嫡長子と衆子との對立を前提としての妥協である。然るに之を廣く同宗近親と解し、弟之子に限らないとするならば、妥協は破れて却つて一般の立後に付ての立二同宗支子一爲レ後と同意義に化せんとする。それと同時に嫡長子に限つた問題ではなくなり、從つて別爲二一宗一といふことの意義も薄らいで來る。即ち立後の範圍の限界として意義を持つこととなるのであるが、一方に於て此の當時から、漸次繼後子選擇の範圍は擴張せられて、同宗は同姓となつたのであらうことは(一八四頁參照)、前記禮曹の言に依つても窺はれる。斯くして續大典以前に於て、既に其の後段が行はれなかつたとするならば、續大典に掲ぐる處の其の前段も、恐くは嚴格には行はれなかつたであらう。換言すれば兄亡弟及の原則に反せざる限り嫡長子に在りても死後養子は、親等の遠近を問はず許されたのである。

第六　死後養子の財産相續

之に由つて觀れば亡夫に子女なきとき、又は女あつて子なきときは、妻は死後養子をなすことを得る。死後養子も亦承重嫡子として、亡夫(所後父)の遺産を相續すべきが故に、夫の死亡のときに開始した相續は、承重嫡子に相續せしむべかりし限度に於て、更正せられねばならぬ。子女なきときは、妻が相續する。死後養子定るときは、亡夫の遺産の全部を之に讓らねばならぬ。兩者は共に亡夫を被相續人とする相續人であつて、妻の相續は、死後養子の選定を以て解除條件とするものと解すべく、卽ち妻は先位相續人であり、死後養子は後位相續人である。亡夫の本族は、死後養子の選定に依つて、後位相續人たる地位を喪ふ。女あつて子なきときは、亡父の遺産は女が相續する。死後養子定まるときは均分し、承重子として五分之一を加給したる割合に於て、死後養子は一部を相續する。其の範圍に於て死後養子は、女の後位相續人である。遺妻(所後母)の遺産に付ても、妻の本族は、死後養子の選定に依つて相續人たるべき地位を失ふ。

生存配偶者の已族收養

第七　配偶者歿後の收養・侍養

右に述べた所謂死後養子は、專ら繼後子に付てである。收養子女に付ては同

様に論ずるを得ない。　明宗實錄第二十卷十一年丙辰六月丁未條に

以臺諫所啓(中略)、私賤條言、三歲前收養者非一、無子女養父母奴婢七分之一、註三歲前則全給云者、父母俱生時所養者之謂也、用祖父母以下遺書註、三歲前養子女即同親子女云者、以祖上遺書勿與他之意而言也、且其同條曰、無子女夫妻奴婢、雖無傳係、生存者區處、本族外不得與他、如有妾子女・養子女、亦毋過其分、將此等語反覆參詳、臣之淺見以爲、家之有土田・臧獲、猶國之有土有民也、有國者、欲使子孫世守先業、不失我之尺土一民、以爲他人之有、則有家者、亦豈無子孫常守其業、不使其奴婢・土田爲他族之有之心乎、此言雖似迫隘、而乃有家人所不免之常情、所以法典有本族外勿與他等語也、然則或夫或妻、生存者之所養子女、不知死者之心亦合當否也、以此言之、全給之論、雖似濶大、而恐亦有所未盡、但生而同室、死而共饗、乃其志願、不可區夫妻神主二之論、甚合情理、然則已死者己物、雖不可全給、而奉祭祀之條、或給五分・七分之一、於理似當、臣等磨勘之時、思不及焉、古人云、議禮之家、名爲聚訟、況議法乎、臣以謭薄叨忝郞廟、當初勘定之時、不能發明立法本意、今猥與多官更議、所當固避、而溫敎丁寧、許復上議、臣不敢不盡所懷、

又

以二臺諫所一レ啓(中略)、無二子女一養父母奴婢、三歲前則全給云者、乃指二父母同議收養者一也、若夫歿後妻養二己族一、妻歿後、夫養二己族一者、於二其先亡者一、未三嘗相接一、有二何恩義之可一レ言乎、與下同宗爲二繼後一者上不レ同、恐難二全給一、其爲二奉祀一者、則從二分數一分給、以供二祭祀一爲レ當

(下略)

收養子は襁褓の內より養育した恩愛の情に於て、同二己子一とは云へ、繼後の資格なく、祖上の祭祀を奉承するものでもない。夫の歿後妻が己族を養ひ、又は妻の歿後夫が己族を養ふ場合に、於二其先亡者一、未三嘗相接一、有二何恩義之可一レ言乎と云ひたくなる。先亡者の本族からすれば、祖業を他族の有に歸せしめることを欲しないのも當然である。夫の死後、夫の族人を立てて後となすと同日の論ではない。子女なき前母の遺產を、承重義子に分給する場合と比較しても、歿後の收養子に遺產を全給する理由のないことは明瞭である。賴る處なき生存配偶者が、己族の子を收養して後事を託し、自己の遺產の全部を之に給することは、生存配偶者の本族と雖も異議を唱へる餘地はない。其の者の遺產に付ては、父母同議收養

様に論ずるを得ない。 明宗實錄第二十卷十一年丙辰六月丁未條に

以臺諫所啓(中略)、私賤條言、三歲前收養者非一、無子女養父母奴婢七分之一、註三歲前則全給云者、父母俱生時所養者之謂也、用祖父母以下遺書、註、三歲前養子女卽同親子女云者、以祖上遺書勿與他之意而言也、且其同條曰、無子女夫妻奴婢、雖無傳係、生存者區處、本族外不得與他、如有妾子女・養子女、亦毋過其分、將此等語反覆參詳、臣之淺見以爲、家之有土田・臧獲、猶國之有土有民也、有國者、欲使子孫世守先業、不失我之尺土一民、以爲他人之有、則有家者、亦豈無子孫常守其業、不使其奴婢・土田爲他族之有之心乎、此言雖似迫隘、而乃有家人所不免之常情、所以法典有本族外勿與他等語也、然則或夫或妻、生存者之所養子女、不知死者之心亦合當否也、以此言之、全給之論、雖似濶大、而恐亦有所未盡、但生而同室、死而共饗、乃其志願、不可區夫妻神主二之論、甚合情理、然則已死者己物、雖不可全給、而奉祭祀之條、或給五分・七分之一、於理似當、臣等磨勘之時、思不及焉、古人云、議禮之家、名爲聚訟、況議法乎、臣以謭薄叨忝廊廟、當初勘定之時、不能發明立法本意、今猥與多官更議、所當固避、而溫敎丁寧、許復上議、臣不敢不盡所懷、

以臺諫所啓(中略)、無子女養父母奴婢、三歲前則全給云者、乃指父母同議收養者也、若夫歿後、妻養己族、妻歿後、夫養己族者、於其先亡者、未嘗相接、有何恩義之可言乎、與同宗爲繼後者不同、恐難全給、其爲奉祀者、則從分數分給、以供祭祀爲當

(下略)

又

收養子は襁褓の内より養育した恩愛の情に於て、同己子とは云へ、繼後の資格なく、祖上の祭祀を奉承するものでもない。夫の歿後妻が己族を養ひ、又は妻の歿後夫が己族を養ふ場合に、於其先亡者、未嘗相接、有何恩義之可言乎、と云ひたくなる。先亡者の本族からすれば、祖業を他族の有に歸せしめることを欲しないのも當然である。夫の死後、夫の族人を立てて後となすと同日の論ではない。子女なき前母の遺産を、承重義子に分給する場合と比較しても、歿後の收養子に遺産を全給する理由のないことは明瞭である。賴る處なき生存配偶者が、己族の子を收養して後事を託し、自己の遺產の全部を之に給することは、生存配偶者の本族と雖も異議を唱へる餘地はない。其の者の遺產に付ては、父母同議收養

様に論ずるを得ない。　明宗實錄第二十卷十一年丙辰六月丁未條に

以臺諫所啓(中略)私賤條言、三歲前收養者非一、無子女養父母奴婢七分之一、註三歲前則全給云者、父母俱生時所養者之謂也、用祖父母以下遺書註、三歲前養子女卽同親子女云者、以祖上遺書勿與他之意而言也、且其同條曰、無子女夫妻奴婢、雖無傳係、生存者區處、本族外不得與他、如有妾子女・養子女、亦毋過其分、將此等語反覆參詳、臣之淺見以爲、家之有土田・臧獲、猶國之有土有民也、有國者、欲使子孫世守先業、不失我之尺土一民、以爲他人之有、則有家者、亦豈無子孫常守其業、不使其奴婢・土田爲他族之有之心乎、此言雖似迫隘、而乃有家人所不免之常情、所以法典有本族外勿與他等語也、然則或夫或妻、生存者之所養子女、不知死者之心亦合當否也、以此言之、全給之論、雖似濶大、而恐亦有所未盡、但生而同室、死而共饗、乃其志願、不可區夫妻神主二之論、甚合情理、然則已死者己物、雖不可全給、而奉祭祀之條、或給五分・七分之一、於理似當、臣等磨勘之時、思不及焉、古人云、議禮之家、名爲聚訟、況議法乎、臣以譾薄叨忝廊廟、當初勘定之時、不能發明立法本意、今猥與多官更議、所當固避、而溫敎丁寧、許復上議、臣不敢不盡所懷、

以臺諫所啓(中略)、無子女養父母奴婢、三歳前則全給云者、乃指父母同議收養者也、若夫歿後、妻養己族、妻歿後、夫養己族者、於其先亡者、未嘗相接、有何恩義之可言乎、與同宗爲繼後者不同、恐難全給、其爲奉祀者、則從分數分給、以供祭祀爲當(下略)

又收養子は襁褓の内より養育した恩愛の情に於て、同己子とは云へ、繼後の資格なく、祖上の祭祀を奉承するものでもない。夫の歿後妻が己族を養ひ、又は妻の歿後夫が己族を養ふ場合に、於其先亡者、未嘗相接、有何恩義之可言乎、と云ひたくなる。先亡者の本族からすれば、祖業を他族の有に歸せしめることを欲しないのも當然である。夫の死後、夫の族人を立てて後となすと同日の論ではない。子女なき前母の遺産を、承重義子に分給する場合と比較しても、歿後の收養子に遺產を全給する理由のないことは明瞭である。賴る處なき生存配偶者が、己族の子を收養して後事を託し、自己の遺産の全部を之に給することは、生存配偶者の本族と雖も異議を唱へる餘地はない。其の者の遺產に付ては、父母同議收養の者と同様、三歲前則全給を適用するに何の妨げもないのである。唯夫妻は生而同室、死而共饗する。其の一方の歿後の收養とは云へ、之に後事を託する者は、必ず神主を亡配偶者と共にせんことを欲するであらう。然らば生存配偶者の死亡に因つて、同時に相續の開始する亡配偶者の遺產の內からも、祭祀條を割いて之に給することが穩當だとも考へられる。或給二五分・七分之一一於レ理似レ當と云ひ、從二分數一分給、以供二祭祀一爲レ當といふ所以である。五分之一は父母奴婢、承重子加二五分之一一に當り、子女の相續に於ける祭祀條である。七分之一は嫡有二子女一養父母奴婢、三歲前則七分之一が聯想せられる。三歲前則全給の適用がないとすれば七分之一が相當かも知れぬ。詞訟類聚私賤條に

　夫歿後、妻養二己族一爲二子女一者、雖二三歲前一、夫邊田・民、以二奉祀條一從二分數一分給、夫之於レ妻亦如レ之(嘉靖丙辰八月十九日受教)

とあるのは、前記の所論が採擇せられたのである。嘉靖丙辰は明宗十一年に當る。其の奉祀條と云へるは、恐らく五分之一をいふのであらう。班祔人奴婢、先給二主祭者五分之一一も、本族との相續に於て、主祭者の受ける奉祀條である。但し

收養子に奉祀條を給するのは、之に奉祀の資格を認める趣旨ではなく、單に香火を供する資たらしめんとするに過ぎないのであらう　又詞訟類聚私賤條に

(註解)取他人子養以爲己子、曰侍養、三歲前收而養之、卽同己子、曰收養、養父母立後、則其奴婢、依嫡有子女養父母例給之(養子女十分之一、三歲前則七分之一)○若妻於夫歿後、收養己族者、雖三歲前、不得並夫之物而給之、夫之於妻亦然、不然則無子女者己物、爲人所巧奪、而本族外不得與他之法不行矣、

と云へるは、父母同議して收養・侍養せる者との對立に於て、一方の歿後の收養子には、亡配偶者の遺產を全給すべからざる所以を闡明したに止り、奉祀條の分給をも否定する趣旨ではない。而していつも收養己族が問題となつてゐるが、恐らく其の事例が最も多く、之に亡配偶者の遺產を全給せんとするときに、其の弊害が最も顯著なるが爲めであつて、己族に非ざる者を收養したときでも、異る所はないと思ふ。

侍養子女

配偶者の一方の歿後に養はれた者は、收養子と雖も、亡配偶者の遺產を全給しないとすれば、侍養子女に付て、無子女養父母奴婢、養子女七分之一の適用のない

ことも明である。然らば侍養子に付ては、收養子と異り、奉祀條も分給することを得ないものと云はねばならぬ。奉祀條を假りに七分之一とすれば、父母同議の侍養子本來の相續分に當る。若もこれを五分之一とすれば、本來の相續分をも超過するからである。

幼學李㧌、外釣學行之名、内懷猜險之心、從前以貪財醜正、見棄於人久矣、其同姓三寸叔父李立身、無後身死、其立身之妻具氏、取㧌之兄子三才、稱以侍養、爲託後事、則㧌也惧其無後三寸財物之不得分占、詬辱具氏、經年不省、叔姪之間、多有壞亂之事、李㧌・李三才、按問後治罪（承政院日記康熙七年戊申二月十日條）

李㧌の叔父李立身は無後にして死し、其妻具氏は、㧌の兄の子李三才なる者を侍養子として、之に後事を託した。㧌は叔父の財物の分給を得ざるを惧れ、具氏及び李三才と不和であつたといふのである。㧌は李立身の本族に當り、具氏の死後は、李立身の遺産の分給に與り得るのである。具氏が李三才を侍養子としたのを快としなかつたのは、侍養子も亦奉祀條を以て本族の相續に參加することを得るが爲めか、或は事實に於て、侍養子が遺産を壟斷することを惧れたのか明かでない。具氏が捌の兄の子を取つて侍養ご稱したのは、亡夫の孫列に當るが故に、繼後子ごなすことを得ないが爲めである。恐らく具氏の死後は、事實に於て全財産が、兄の支配に歸するであらうし、また捌はそれを惧れたのではなからうか。

配偶者の歿後に於ける收養・侍養が亡配偶者の遺言に基くものなるときは、生前同議したると同樣に論ずべきは固よりである。

第七章　相續の開始及び相續

財產の分執

第一　相續の開始

相續原因

一　改嫁

相續は被相續人の死亡に因つて開始する。死亡以外の原因によつて相續の開始する場合としては(1)死後養子(2)改嫁及び(3)罷繼歸宗が考へられる。其の內死後養子に付ては既に述べた。次養子は、其の子生るれば、之を養父の繼後孫として、自らは退いて一支をなすことが豫定せられて居る處の繼後子である。子の生れるに先つて、養父母が死亡するときは、一旦は遺產を相續する。養父死亡するときは祭祀をも承繼する。しかし子が生れるときは、其の承繼したるものを悉く子に讓らねばならぬ。故に次養子の選定は相續から見れば、後に生るべき子を後位相續人としての、先位相續人の指定であることは、之亦既に述べた（三七頁參照）。

改嫁が相續開始の原因となるのは、子女なき夫妻の相續に於て、寡婦が亡夫の遺産を相續した後に改嫁した場合に付てである。

再嫁三嫁に對する制裁

寡婦の改嫁は、婦德に悖るものとして指彈せられた。　しかし法を以て之を禁止したのではない。

命召僉經政丞・議政府・六曹・司憲府・司諫院・漢城府・敦寧府・二品以上・忠勳府二品以上、議改官制、禁婦女再嫁、遣助戰將雜職隨班等事、領議政鄭昌孫・上黨府院君韓明澮・左議政沈澮・右議政尹子雲・坡川君尹士昕議、(中略)一、良家女子、年少喪夫、又誓死守節則善矣、不能則或迫於飢寒、不得已奪去、則容或有之、若立法禁斷、犯者治罪、累及子孫、則反爲玷累風教非少失也、依前更歴三夫外勿論何如(中略)光山府院君金國光・永山府院君金守溫・領敦寧盧思愼・判中樞金漑議、(中略)一、婦人之德、莫大於從一、然年少早寡者、不許再嫁、則上無父母、下無所仰、因致失節者多、國家不得已、勿禁再嫁、仍舊爲便(中略)戶曹判書尹欽・居昌君愼承善・知中樞府事鄭久㬇・工曹判書李芮・刑曹判書尹繼謙・僉知中樞府事金瀚・工曹參議李陸議(中略)、一、從一而終、婦人之大節、其再嫁者、雖愧於古人割鼻截髮不從父母之命之節義、然年少無子而寡居者、父母或尊長、憐其孤苦而奪節者、則出於不得已、人情之所難禁也、迫寒餓死、亦豈少乎、是故大典之法、更適三夫者子孫、不許淸要之職、而無禁再嫁之條、臣等妄謂、大典之法、合於情理、若其無父母尊長之命、再嫁者、不在此限、知中樞府事具壽永・工曹參判洪道常・吏曹參判李坡・參議崔漢禎議、一、士族子女早寡、不幸而父母又逝、計活伶仃、無所依歸、窮迫之極、或至於失行、不得已再嫁者、或因父母之命、而奪情者勢也、故大典、只限以更適三夫、但旣有子女、家不甚貧、而自許再嫁者亦有之、是不勝情慾者也、今後以更適三夫例論何如、(中略)漢城府左尹成允文議、一、一與之齊、終身不改、婦道卽然、然其父母無後、祗有女子、而又無子早孀、不得已奪情改嫁者、及無扶護而無後早寡者、其一族同議改嫁者外、依大典更適三夫例論如何(中略)、同知中樞府事金紐議(中略)、一、婦人義不可事二夫、然或有不幸早寡、其父母、恐其孀居爲强暴取汚而奪情者、或有夫死無依不能自存、其宗族共議而更適者、此則出於不得已、而不可罪者也、故大典再嫁者、只勿封爵、其三嫁失行者、則錄案、子孫不許授顯官赴擧、已著爲令、此斟酌輕重而爲之制、今不可增損矣、(中略)禮曹參判李克墩漢城府右尹沈瀚·禮曹參議金自貞議、(中略)一、大典再嫁者勿封爵、更適三夫者同、其失行子孫、不許授顯官、亦不許赴擧、蓋審情犯之輕重、而設法也、此足以戒勵風俗、婦女從一而終常禮也、然不幸早寡、生無所歸、死無所歸、死無所託、則其爲再嫁、或出於不得已也、國家責人人以節義節行則固也、又從而一々論罪則亦難也、一依大典施行何如(中略)司憲府大司憲金永濡·執義李瓊仝·掌令慶俊議、(中略)一、本國衣冠之家、世守禮義貞信不淫、載在史典、近來大防稍弛、有如李諶妻趙氏、自媒嫁夫、醜聲流聞、若不深治、中人以下之女、皆將以諶妻藉口、無復守信之行、禮俗之毀、可勝歎哉、但今大典內、更適三夫者、與恣女同案、其子孫不得赴試、爲臺諫政曹、若再嫁之女則不論、大抵律設大法、禮緣人情、若有貧賤之家、兩無扶護之親、早年爲孀亦難守節、其父母親戚酌情更醮、不至害禮、舅奪母志、古人所言、若與恣女同科、恐爲大過、臣等以爲、申嚴大典、更適三夫者之子孫、不授顯官之法、李湛妻趙氏、嚴斷其罪、示好惡、則雖不立再嫁之法、禮俗將自正、寡婦知所戒(中略)大司諫孫比長·司諫朴孝元·獻納金塊·正言金孟性議(中略)一、女適夫、或有早寡無扶護者、一切不許再嫁、則無以自存、或至於汚身、故不禁再適、猶惡其無節、不給爵牒、此法至當、依舊爲便(中略)、西平君韓繼禧・左贊成尹弼商・右贊成洪應・吏曹判書姜希孟・花川君權瑊・兵曹判書魚有沼・韓城君李堣・鷄林君鄭孝常・淸平君韓繼純・漢城府尹魚世恭議、(中略)一、年少早寡、且無子女可托、而父母奪情改嫁則聽、若有子女而再嫁者、罪其父母、依大典更適三夫例論、爲便(中略)左參贊任元濬・禮曹判書許琮・武靈君柳子光・文城君柳洙議、(中略)一、昔程子曰、再嫁只爲後世怕寒餓死、然失節事極大、餓死事極小、張横渠曰、人取失節者以配己、是亦失節也、蓋一與之醮、終身不改、婦人之道也、若更二夫、則是與禽獸奚擇哉、世俗不顧節義、雖貲財饒富、不虞飢寒者、亦皆再嫁、國家亦無禁令、使失節者子孫亦列淸顯之職、習以成俗、恬不爲怪、雖無主婚者、自媒求夫者有之、若此不禁何所不至、今後再嫁者一皆禁斷、如有冒禁再嫁者、並以失行治罪、其子孫亦不許入仕、以勵節義爲便(下略)(成宗實錄第八十二卷八年丁酉七月條)

再嫁の禁止の當否が議論せられた。大體に於て、年少早寡の婦の失節は已を得ざるものとし、父母尊長が、孤苦を憐んで、再嫁せしめるのも、人情であつて、一律に之を禁止し犯す者を罪し、累を子孫に及ばすことは却つて風教に害あり、大典に從つて再嫁者は、爵に封せず、三嫁失行者には、子孫の顯官に就き、擧に赴くことを許さざる程度の制裁を以て、間接に抑壓するを正當とするといふ意見であるが、法を立てて再嫁を禁じ、禁を冒す者は罰し再嫁者の子孫も、任官することを得ざらしむべしと論ずる者もあつた。

傳旨禮曹曰傳云、信婦德也、一與之齊、終身不改、是以有三從之義、而無一違之禮、自世道日卑、女德不貞、士族之女、不顧禮義、或爲父母奪情、或自媒從人、非徒自壞家風、實是有玷名敎、若不嚴立禁防、難以止淫僻之行、自今再嫁女子孫、不歯仕版、以正風俗(成宗實錄第八十二卷八年丁酉七月條)

是れが前議に依つての敎旨である。再嫁女の子孫も亦仕官を許さないこととしたのではあるが、再嫁を禁止したのではない。再嫁を以て失行となすに對しては、異論があつたが採用せられなかつた。

瓊仝曰、傳旨、再嫁者子孫、勿歯仕版、恐有防礙、上曰、餓死事小、失節事大、國家立法、但當如是(成宗實錄第八十二卷八年丁酉七月條)

經國大典吏典京官職條に

失行婦女及再嫁女之所レ生、勿レ叙二東・西班職一、至二曾孫一、方許三以上各司外用二之

となつて掲げられた、以上各司といふは、議政府・六曹・漢城府・司憲府・開城府・承政院・掌隷院・司諫院・經筵・世子侍講院・春秋館・知製敎・宗簿寺・觀察使・都事・守令を指す。

相續原因としての改嫁

再嫁者の子孫をして、顯官に就くことを得ざらしめることに依つて、再嫁者を娶らんとする者を躊躇せしめたであらうと同様に、亡夫の遺産を相續した寡婦が再嫁するときは、之を夫の本族に還給するのであつて、これがまた寡婦をして再嫁に躊躇せしめたことと思はれる。尤もこれは改嫁に對する間接の制裁としての意味ではなく、亡夫の家に在る寡婦をして、其の終身、夫の財産の上に有した扶養の利益を享有せしめることが、子女なき夫妻の間に、先位相續を認めた所以であり、改嫁に因つて其の根據がなくなつた當然の結果と解すべきである。改嫁が相續開始の原因となるのは、卽ち此の場合であつて、妻が夫の生存中夫から贈與せられた財産も、併せて返還することを要し、從つて共に相續財産を構成する。曩に擧げた

無子息夫妻奴婢、雖無文契、亦許己身使用、身後本孫許給、夫與妻成文許給者、從許與傳繼、妻爲夫許與者、但以印信・手寸取信難、便必有證・筆的實、然後方許決給、其妻不守信者、勿論文契有無、卽還本孫（中略）允之（太祖實錄第十二卷六年七月條）

と云へるが、卽ちそれである。相續人は亡夫の本族である。妻の固有財產は相續財產には包含されない。同じ趣旨が經國大典刑典私賤條には

無子女夫妻奴婢、雖無傳繼、生存者區處（中略）妻適他者、其所區處不用、

と規定せられてゐる。文字の上からは、其所區處不用といふが故に、恰も妻が既に亡夫の本族に分給したものの效力をも否定するが如き觀を呈するのであるが、少くとも未だ區處せざるものに付て、亡夫の本族の爲めに相續の開始することは明であり、又改嫁後に於ける區處の無效なることも疑を容れぬ。唯改嫁前に既に亡夫の本族に分給せるものあるときは、遡つて之を無效とする理由はないやうに思はれる。結局改嫁が、後位相續の開始の原因をなすことを區處なる文字を以て示さんとするものと解すべきであらう（三六頁參照）。

故丹陽郡事南儀妻李氏、卒永陽君膺之孫女也(中略)、及儀死、李孀居、(中略)居數年、李欲更適人、而難於自發、乃謂母曰、奴婢豪悍何以制之、母知其意、令自擇其配、李將儀神主、送儀兄倫家、迎媒求婚、聞僉知柳均陽道壯偉、心已許之、(中略)遂定約(中略)老奴婢若干人、列見于庭曰、主之資產不敷歟、臧獲不足歟、何故圖新、或有流涕者、李掩窓不答、既適均、儀奴婢居李家者、一日盡去、而哭聲載路、李殊無慘色(睿宗實錄第六卷元年六月甲戌條)

南儀の妻李氏は儀の死亡に因つて其の奴婢を相續したが、數年にして改嫁せんと欲し、儀の神主は儀の兄倫の家に送り柳均なる者と婚約が成立した。老奴婢若干名は、主家富裕なるに、何故の改嫁ぞと、李氏を責めたのであつたが、李氏は窓を掩ふて聞かなかつた。遂に均に適つた。依つて儀の奴婢は李氏の家を去つたといふのである。奴婢迄が李氏の失節を憤慨したことを叙したのであらうが、李氏を去つたのは改嫁に因つて儀の本族が相續すべき奴婢だからである。

・改嫁に因つて相續の開始したことに付ての事例としては、文獻に見るべきものが乏しい。

母の改嫁と子女の相續權

妻が亡夫に代襲して亡夫の父母の遺産を相續した後に、卽ち續大典刑典私賤條の父母奴婢不爲和會者、呈官分執の註の

子女身歿、無子孫者、勿爲分給、而其妻守信則給、

に依つて、遺妻が分給を受けた後に改嫁した場合も同樣に、亡夫の本族の爲めに相續の開始するものと解すべきである。

母の改嫁は子女が父の遺産を相續するに付ては、影響はない。

尤庵曰、禮有嫁母之子、爲父後之文、何當以母嫁而奪宗於他人乎、子思之母嫁於庶氏、而未聞子思不得爲孔子及泗水侯後也、宗法至嚴、何人敢生變通之議也、答朴世振（禮疑類輯附錄上）

祭祀の承繼に於て已に然りとすれば、財産の相續に付ては殆疑を容れないであらう。故に亡父の遺産を子女が相續した場合には、其の後の母の改嫁も問題とはならぬ。子女は母の遺産に對する相續の期待を失ふだけである。但し此の場合、嫁母の遺産に對して先夫の子女に相續權があるか否かは明でない。改嫁して子女なき場合にでも恐らく先夫の子女は相續に與らないであらう。

二 罷繼歸宗

經國大典禮典立後條に

爲二人後一者、本生父母絕レ嗣、則罷繼歸宗、許三其所レ後家、改立レ後、

實家の絕嗣は罷繼の理由となるのである。

命召二議政府・六曹堂上及曾經政丞等一議下姜希孟繼二順德後一當否上、領議政鄭昌孫・上黨府院君韓明澮・左議政曹錫文・茂松府院君尹子雲・光山府院君金國光・右贊成尹弼商・吏曹判書洪應・兵曹參知鄭佸議、立後許二同宗支子一爲レ之者、以二長子一奉二本宗祀一也、順德只有二二子一、長希顏、次希孟、希孟之爲二順德後一宜也、今希顏無レ後而死、希孟當レ奉二本宗之祀一、假令希孟次子、爲二希顏之後一、奉二祀本宗一、則是立後爲レ重、本宗爲レ輕、宜下罷二立後一還中祀本宗上、右參贊魚有沼・工曹判書金嶠・刑曹判書鄭文炯・吏曹參判李坡・刑曹參判鄭崇祖・戶曹參判李恕長議、只有二兩兄弟一者、其弟爲二人後一、其兄死、其弟還二祀本宗一、古今不易之定理也、然希孟之立レ後、在二兩家父母俱存之時一、且在二大典之前一、今而易レ之、於二生亡一情理兩乖、仍レ舊爲レ便、兵曹參判柳睠・禮曹參議安寬厚・工曹參議

李陸議、大典嫡妾俱無子者、告官立同宗支子爲後、若嫡長子無後則衆子、衆子無後則妾子奉祀、註、兩家父同命立之、父歿則母告官、嫡長子只有妾子、願以弟之子爲後者聽、欲自與妾子別爲一支、則亦聽、希孟既以兩家父命、爲順德之後、父子之倫已定、今以希顏無後、還本宗不可、豈有朝而父之、暮而不父者乎、希顏既以希孟第二子鶴孫爲後、則鶴孫自爲大宗無疑、況順德生時、以希孟爲子、又以功臣之父追贈、今而不以爲父、則於情理亦未穩、依大典、以希孟第二子、奉本宗、希孟仍爲順德後、便、傳曰、領議政等議至當、然兩家父生時所定、且希孟次子已繼希顏、本宗亦非無祀、古有爲之後、爲之子之法、而今遽改之、使朝而爲父、暮而不父、於人情何、昌孫等合辭啓曰、 上教允當、然皆在情理之中耳、其重本宗、則不可如是、今之議、要爲一定之法、若論情理、則援此者多、而本宗輕矣、傳曰、希孟爲順德後已久、況鶴孫已繼希顏而爲大宗、仍久何如、昌孫等啓曰、今當以大宗爲重、 上乃從昌孫等議
(成宗實錄第六十八卷七年六月壬申條)

姜希顏の弟希孟は出でて姜順德の後を繼いだ。 然し希顏には子なく、希孟の次子鶴孫を立てて後となして死んだのであるが、此の場合に尙ほ實家(本宗)の繼絕

は重く、所後の家は輕しとなし、順德既に死し希孟は其の祭を繼いだ後なるにも拘らず、之をして本宗に還祀せしむべし、との說が採用せられたのである。其弟爲人後、其兄死、其弟還祀本宗の原則は、繼後子が既に所後の家の祭祀を繼だ後に於ても、適用せられるのである。

立後が違法なるときは罷繼の原因となる。

司憲府啓、田蘊、曾爲田可芸之後、與母反脣相詰、本府論啓、已罷立後、而今蘊謀得可芸家財・田民、背本宗、更訴强欲繼後、貪頑莫甚、大抵爲之後者爲之子、當從兩家情願、不可强令立後、田蘊繼後、元非可芸之意、而鄭氏墮於術中、初許立後耳、今不可以不順不孝之人强令立後、請從鄭氏情願、勿許立後、從之（成宗實錄第三十七卷四年十二月壬申條）

田蘊は、所後父田可芸の生前に罷繼せられたに拘らず、其の死後所後母鄭氏を籠絡して、死後養子となつたのを、更に鄭氏の願に依つて罷繼したのであらう。

引見大臣・備局諸臣、禮曹判書趙相愚曰、鄭曄卽仁廟朝名臣、而血嗣幷絕、先朝特許以疏屬爲嗣、而其人悖亂、不齒人類、其外孫等狀請、請問于大臣、錫鼎曰、不可仍

置、宜令罷養後、使其族人改定立後、上從之、以文官啓章爲後（肅宗實錄第四十六巻三十四年八月丙辰條）

繼後子、人となり悖亂なるが爲めに罷繼し、改めて族人を立後したのである。

德興大院君奉祀孫、以犯逆之故、朝家之改定奉祀、其意甚重、而祭器及田畓・財産一不移給、其縱恣無嚴誠極痛駭、新定奉祀孫李弘模、每當祀享出債以行云、前奉祀宗人、令攸司囚禁後、祭器及田・民文書與財産、一併推給何如、上曰、依爲之（承政院日記雍正元年癸卯正月初五日條）

これは奉祀孫犯逆の故を以て、奉祀の改定を命じたのである。

讓寧大君奉祀孫李炯、以仁望爲繼後子、炯死後、始覺兄弟之爲父子、朝家命去仁望一代、而以仁望之子績爲炯後、英祖庚戌、績以齊和爲子、齊和連服所後母、所後祖母喪、十餘年後、始覺其爲兄弟、呈狀罷繼、以齊和之子爲績後（增補文獻備考第八十六巻私祭禮條）

李炯の死後、繼後子仁望と兄弟の列に在ることが發覺したので、之を罷繼して、仁望の子績を後とした。又績は齊和を繼後子としたが、所後母、所後祖母の喪にも服し、十餘年を經た後に、兄弟の列に在ることが明となつて罷繼した。

參判柳之發上疏、八寸孫星河、於亡子錫祚爲姪、星河年齒、較錫祚爲數年長、而錫祚已亡、星河直爲臣之繼後孫、不過存其繼序而已、禮曹啓曰、考諸禮傳、只言倫屬、而不論年歲、似不必嫌碍、命特爲立後、既而大臣、以父少子老、古今所未有、啓罷之、儒生沈益謙、初娶無子卒、後再娶又無子、益謙既死、其妻上言、乞以益謙七寸姪廷煒爲後、禮曹以母年少子年多、而其夫已死、婦人不可取年長於己者爲後、勿施（春官志二繼後條）

前段は、所後父よりも年長の繼後子を、一旦は許したが、大臣の啓する處に依つて罷繼した。後段は夫の死後、寡婦が己より年長の者を立後せんとしたが許されなかつた。

相續原因としての罷繼

所後父既に死して、祭祀を承繼したる後の罷繼なるときは勿論、所後父生存中、所後母歿して、其の遺産を相續したる後に於ても罷繼せられたる者の相續したる財産は、改めて後たる者に傳へねばならぬ。罷繼せられたる者の相續したる財産が、罷繼を原因としての相續に於ける相續財産を構成する。罷繼せられたる繼後子の相續したるものは、若し其の繼後子なかりせば、嫡女か、妾子女か、養子女か、然らざれば生存配偶者として所後父母の一方が相續すべかりしものではあるが、罷繼後は、改めて立後することが豫想せられるが故に、立後する迄は、常に生存の所後父母が一時相續したのではなからうか。

前記經國大典禮典立後條の註に依れば

若所後父母已死、不レ得三改立二後、則從二旁親班祔例一、權奉二其神主一、俾レ不レ絕レ祀

故に罷繼が、所後父母俱に歿したる後なるが爲めに、改めて再立後することを得ざるときは、罷繼に因りて、嫡女・妾子女・養子女又は所後父母の本族の爲めに相續が開始する。主祭者には祭祀條が分給せられる（三一五頁參照）。

第一　相續財產の分執

別居又は婚嫁と分財

大明律戸律別籍異財の條には

凡祖父母・父母在、而子孫別二立戸籍一、分二異財產一者杖一百、（須二祖父母・父母親告一乃坐）若居二父母喪一、而兄弟別二立戸籍一、分二異財產一者杖八十（須二期親以上尊長親告一乃坐）

とある。しかし父母が衆子に分財して別居を許したであらうことは、家婦を說くに當つて擧げた、明宗實錄第十七卷九年甲寅九月乙丑條の啓文（三三五頁參照）の內に

今之議者曰、兄妻固不可黜、則弟當與兄妻同居一家、以奉祭祀云、此言雖似近理、然用之中國則可也、用之於我國則不可也、夫中國造家之制、各爲一照、故非徒兄弟、至於八九代同居者有之、我國則雖大家、皆爲一照、故雖兄弟不得同居、其勢然也、況有奴婢之輩、各自分邊、互相造言、鬪狠不已、故兄弟雖欲同居、而兄弟之妻、不能相和、必至於分産、

とあるに依つて察せられる。支那の造家の法が、克く一家數世帶を營むに適するに反し、朝鮮の家屋は其の構造上一家一世帶を目標とする。長子は父母の家を去ることはないが、次子結婚するときは、兄夫妻と同居することは、家庭の平和を亂す惧れがある。故に父は財産を分つて次子を別居せしめるのである。兄弟雖欲同居、而兄弟之妻、不能相和、必至於分産と云ふ、その分産は異財であり、別居を伴ふ。又女子が婚嫁に當つて、父母より財産の分給を受けることは、嘗て述べた（二六三頁參照）。加之之等の機會に父母が諸子に分財した事例も少くない。

坡州牧使孔瑞麟、其妻同生四人內、女一男三、其妻父尹承世生存時、長子鈴原尉鼎、次子鼎、次子鼐、及妾子等各給家舍一坐、而孔瑞麟妻則割尹鼎所居家前空垈、兼給造作時所需米布、使之作家、諸同生、各居其家二十餘年、尹鼎與孔瑞麟、連墻異戶、各安其居、其父生時乃曰、某家某子之家也、某家某女之家也、親戚隣里衆所共知、而尹承世身死之後、孔瑞麟持妻父許與文記、謀奪尹鼎之家、鼎呈漢城府、府以有文記、決給孔瑞麟、然其文記、乃尹承世甲子年被罪時、恐其籍沒、孔瑞麟妻爲處女時、以此付託許與成文也、承世免放後、其家舍、則給尹鼎、其空垈、則給孔瑞麟、但未及收破其文記、而今者孔瑞麟、潛藏此文記、其妻父生時、及死後三年內、有文記事、同生間秘不發說、而三年後分財時、忽發此文記、謀奪尹鼎之家、爭訟決得、使尹鼎窮無所歸、承世諸子女及妾子皆給家舍、而尹鼎則獨不給家舍、萬無其理、其子則不給一家、而其壻則疊給二家、亦萬無其理、孔瑞麟與尹鼎連墻異戶、各入帳籍、而居幾二十餘年、其妻父之給尹鼎、孔瑞麟昭然知之矣、而潛藏文記、一朝無恥奪爭、非徒親戚隣里共所唾罵、朝廷亦皆驚怪鄙之、(下略)(中宗實錄第七十三卷二十七年六月庚寅條)

相續財産の分割と喪

尹承世は生前、三男には各一家を給して之に居らしめ、一女には空垈と造家の資とを與へたのである。

曩に收養子の地位に關して擧げた世宗實錄第百二卷二十五年十一月乙亥條（二四二頁參照）にも

初仁壽府尹姜籌、養㆓誠寧君䄄妻崔氏㆒爲㆑女、後以㆓良女寶背㆒爲㆑妾、生㆓子帶生、洗生㆒、籌給㆓䄄妻奴婢百五十口、寶背二百口、帶生二百口、洗生五十口㆒、又籌嫡妻李氏、贈㆓籌奴婢二十口㆒、給㆓䄄妻十八口㆒、及㆓籌卒㆒、籌之遺漏未分奴婢八十口、及李之贈㆑籌奴婢、䄄並皆據奪、

姜籌には收養女と妾子二人とがあつた。收養女は䄄の妻となつてゐる。其れに奴婢百五十口、妾に二百口、妾子の一人に二百口、他の一人に五十口を分給し、籌の妻は夫に二十口、收養女に十八口を贈つた。籌の死んだときには遺産として は未分奴婢、尙ほ八十口と、妻から贈與を受けた二十口とがあつたのを、悉く䄄が奪つたといふ事案である。

父母が其の生前に分財しなかつた財産が相續財産であつて、子女均分に相續

する。經國大典刑典私賤條の

未分奴婢、勿論子女存歿分給、

か即ちそれである。

相續財産は相續人等に依つて分割せられる。經國大典刑典私賤條の

父母・祖父母・外祖父母・妻父母・夫妻妾及同生和會分執外、用官署文記

の和會分執がそれである。

禮曹啓、慶尙道觀察使吳伯昌啓、(中略)生員表沇洙、咸陽人 平生篤學力行、丁母憂、哀毀踰制、小祥始蔬食、居廬三年、不飮酒、不見齒、夜不解帶、塋域之外、足不一踊焉、治喪事、一依朱文公家禮、鄕里化之、有廢佛齋者、服闋、會兄弟分遺財、臧獲之少壯者、皆欲自占、沇洙嗚咽流涕曰、慈氏平時、此奴婢俱屬意於小妹、靈爽如在、其忍背諸、遂取其老弱者、先隷於己、諸兄慙赧、莫敢駁焉、鄕人有識者皆曰、表子之行、無愧辭包(成宗實錄第十五卷三年壬辰二月丙申條)

又

成處士聃壽、字眉叟、成靜齋聃年、字耳叟、皆仁齋禧之子、文肅公璐之曾孫也、但以

文雅著名、兄弟娚妹十餘人、父母皆亡、三年之喪畢、會兄弟分財、見物之有色者曰、與某、奴之有實者、則曰與某、其破碎罷劣則曰、此父母之意也、我其爲之、姉妹李廷堅之妻無家、又欲以本宅與之、諸弟固諫、家舍傳之長子、眉叟曰、均是父母之子、我不獨有家也、卽出所有綿布、爲廷堅買家之資、一門之內、人無間言(靑坡劇談)

何れも三年の喪を畢つて會兄弟分財したのである。

分執は三年の喪の終るを俟つて行はれる。

宗簿寺啓、誼城君寀・寶城君𡩧・永川君定、以位尊識理宗親、遭父喪、斂殯纔畢、而忘哀分財罪、懷義都正蕆・堤川君甚・高林正薰・淸渠守蕙・忿其分財不均、以三寸叔寀等貪邪忘哀告訴罪、律該寀・蕆以家長杖八十奪告身三等、𡩧定・甚・薰・蕙、以隨從勿論、命議于月山大君婷・德源君曙・鳥山君澍・玉山君躋・蛇山君灝・定陽君淳・及議政府領敦寧以上、婷議、寀等當初喪分財、蕆等告至親之罪、情甚薄惡、皆不可輕論、澍・鄭昌孫・金謙光議、依宗簿所啓施行、灝議、今觀宗薄寺照律似當、但蕆等與三寸叔寀等分財、而或不均、則以微辭語之可也、心懷忿怨、乃至告官敗毀綱常、今若輕論、惡無所懲、尹弼商議、寀等斬焉在衰絰之中、分財殯前、略無哀痛、蕆等惟利是貪、親

訟尊長罪、關綱常、今此照律皆輕、請重論以懲之、從宗薄寺所啓(成宗實錄第百九十七卷十七年十一月己酉條)

誼城君寀が父の喪中哀を忘れ、殯前に於て分財した罪を論じ、又懷義都正菆等が、三寸叔寀等の分執に當つての不公平なることを恐り、喪中をも辨へず告訴した罪を論ぜんとするのである。之に依れば前記大明律後段の喪中に於ける分財の禁は行はれたものと思はれる。財産を前にしては、親族の間にも紛爭が起る。惟利是貪、喪家の靜肅を害することを虞れるのである。然るに經國大典刑典私賤條には

無後身死人奴婢、收養・使孫等、三年內毋得相分、同田宅・財産

と規定し、無後の人に限つた。專ら死後養子の、其の間に選定せられることあるべきを想定しての規定であらう。一般に喪中の分執を許す趣旨ではない。

分執前に於ける相續財産

未だ分執せられざる相續財産に對する共同相續人間の關係は、明ではないが、相續人等の總てに屬し、而も未だ何人もが、之に對して權利を行ふことを得ざる狀態に於て、團體財産として存し、之を管理し代表する者が選定せられ、事實上は

和會分執

勢力ある者が、暗默の選定に依つて其の地位に卽いたのではなからうか。債務は相續財產の觀念に包含せられないことは、奴婢・田宅・家舍・財產と稱するに徵して明である。この債務が相續人に依つて承繼せられたか、又は共同相續人間に當然に分割せられたか、若くは共同相續人が共同債務者として責任を負ふたかは之を判定する資料に乏しい。經國大典戶典徵債條に

（前略）負公私宿債者、雖身死、有妻子財產者、許徵

債權に付ても、當然分割せられたるや否や明でない。共同相續人の團體財產は、分割喪終つて後は、各相續人は分執を請求し得る。共同相續人の團體財產は、分割を目的としての一時の狀態に過ぎないからである。

崇禎紀元六十三年庚午十一月日明文

我外氏田產之分異、實在於先妣下世之後、及丁卯歲、先府君眥命鎭厚、就其臧獲、復加分異、如近俗衿付、狀既成、而又命姑徐、是年先府君遽棄、不肖等、攀號痛毒窮天靡逮、鎭厚謹遵遺旨、每歲以其奴婢身貢幷與土田之所收者、輒分之諸

兄弟、惟是罪孽餘生、又當世禍、作爲文券、有所未遑、今始追成、以遺各家、蓋懼有違於先訓、非敢冒法禮而擅行之也、後之人、宜詳察焉、

奴婢・田畓俱甚零星、故奴婢則毋論男女老弱、但取口數之平均、田畓則不計膏瘠、卜束槩從地稅之多寡、奴婢中、或有遺漏者、當隨得追分、

奉祀條

京婢士眞一所生奴鶴松戊戌生、三所生奴鶴龍庚戌生、婢義玉二所生婢永德丙辰生、婢花還一所生婢吉還壬子生、婢吉還一所生奴一清己巳生、驪州奴英一良妻一所生奴信男丁巳生、二所生奴信立庚申生、三所生奴起立癸亥生、四所生婢起涉丙寅生、竹山婢茂玉辛卯生、同婢一所生奴尙龍壬子生、二所生奴立伊乙卯生、三所生婢尙今己未生、四所生奴龍伊癸亥生、尙州奴貴男良妻二所生婢壬分己未生、懷德伴呈坪成字畓三斗落只、逡石收字畓三斗落只、伴程坪殷字田一日耕、漢江成字田二卜二束、墓直奴晩卜戊子生、

李進士宅

京婢女玉、同婢一所生婢秋蟾辛亥生、二所生奴石壽戊午生、收養女婢丁伊、婢丁伊一所生奴萬還、二所生婢壬女壬午生、麻浦婢蘭伊、同婢一所生婢晩

丁己酉生、二所生奴厤同丁巳生、安山婢信女辛卯生、同婢一所生奴英、發甲寅生、二所生婢次香戊午生、三所生婢次丁壬戌生、四所生婢㐀丁丙寅生、奴銀金庚子生、懷德奴戒春、同奴良妻所生婢梅日丙辰生、泰安奴義仁辛未生、同奴良妻一所生婢義龍庚寅生、二所生婢從容癸巳生、三所生奴龍業丙申生、四所生婢從女己亥生、婢從容一所生婢屯香庚申生、二所生奴斗萬癸亥生、三所生奴斗奉乙丑生、婢從女一所生婢斗丁壬戌生、二所生婢鵲德己巳生、懷德迸石秋字畓五斗落只、伴程坪殿字田二日耕

正字宅

京婢士眞甲子生、婢義玉丙子生、婢花暹庚寅生、驪州婢命春乙未生、同婢一所生婢靑今乙丑生、二所生婢正月己巳生、安山奴者斤庚子生、陰城婢愛今己丑生、鎭岑婢勝春、泰安婢四春乙亥生、同婢一所生奴四龍癸巳生、二所生婢四玉乙未生、婢四玉一所生奴卓先辛酉生、二所生婢太女乙丑生、三所生奴太日戊辰生、婢五生二所生婢分香庚子生、婢分香一所生奴順鶴丙寅生、奴還伊乙巳生、尙州婢貴代、同婢一所生奴貴男戊寅生、奴貴男良妻一所生奴壬承壬辰生、三所生婢納節庚戌生、四所生奴庚申庚申生、丹城婢㐀梅己

丑生、同婢一所生奴毛道音金壬戌生、二所生奴明發甲子生、三嘉奴次日辛
卯生、靈光奴露積己巳生、懷德件呈坪成字畓十斗落只、件程坪道字田十一
卜六束
先達宅
安山奴莫生庚辰生、泰安婢五生戊寅生、同婢一所生婢富女戊戌生、三所生
奴起宗壬寅生、四所生奴義亨己酉生、五所生奴乙仁戊午生、婢富女一所生
奴自命甲子生、二所生奴叔伊丙寅生、三所生奴叔丁己巳生、婢四春三所生
婢玉女甲辰生、婢玉女一所生奴仁鶴丁卯生、奴永伊、瑞山奴好吉戊午生、奴
海良丙戌生、婢永女庚子生、海美婢海今己丑生、同婢一所生婢富今癸丑生、
二所生婢海生癸亥生、三所生婢海玉戊辰生、德山奴海善乙未生、尙州婢貴
婢壬辰生、同婢一所生𥽦去非丁卯生、靈光婢春德庚辰生、同婢一所生婢愛
眞辛丑生、三所生奴㲾日戊申生、四所生婢㲾女丙辰生、五所生望日已未生、
婢愛眞一所生婢愛順壬戌生、懷德甲川坐字畓五斗落只、棠字畓三斗落只、
件程坪殷字田一日耕、大禾餘字田十六卜一束、
申書房宅

京婢士眞二所生鶴仙贖代婢春德、婢英伊、婢英伊一所生　庚午生、黍
安奴義仁良妻五所生婢天香己酉生、婢天香一所生奴　戊辰生、奴靑吉
庚寅生、婢莫生己亥生、同婢一所生婢淡伊乙丑生、二所生奴壽千戊辰生、婢
論春辛卯生、同婢一所生奴一賢丙辰生、二所生婢仁香己未生、三所生婢四
良乙丑生、四所生奴四善庚午生、婢論節丙申生、同婢一所生奴太建癸亥生、
二所生婢始女丙寅生、三所生奴始言己巳生、瑞山婢莫德丁酉生、同婢一所
生婢㐲今乙丑生、二所生奴　庚午生、婢延香甲辰生、同婢一所生奴次慶
戊辰生、二所生婢　庚午生、海美婢論今癸巳生、同婢一所生奴得仁戊午
生、二所生婢貴生丙寅生、三所生奴民伊己巳生、懷德華里山制字沓七斗落
只、伴程坪殷字田二日耕

權知承文院副正字朝奉大夫　鎭　厚（花押）
泣　血　手　書
妹成均進士李晩昌妻　閔　氏
弟直赴　鎭　遠（花押）
妹壻幼學　申　錫　華

肅宗十六年に當る一子父の遺産を管理し年を經て同生に分財した。

和會分執は共同相續人の全員の同意に依り成立する。續大典刑典文記條に

父母奴婢和會文記、一人未ニ着名一、則勿レ施

其の註に

父母未分奴婢、其子女等和會分衿草文記成置、雖ニ或一人有レ故未ニ着名一、而各自執持、積年使用、則不レ可下以ニ未成文記一論上、仍給勿レ改

分割の請求

とあつて、共同相續人の協議に依る相續財産の分割に關するものなることは、其の前半に依つて明である。後半は事實分割を終つて、占有(執持)使用久しきに亙るものは、一人の署名漏があつても、其の儘(仍給)効力を認めんとするもので、時效乃至除斥期間を定めたのである。經國大典戸典田宅條の

凡訟ニ田宅一、過ニ五年一則勿レ聽

の註に

盜賣者、相訟未レ決者、父母田宅合執者(中略)不レ限レ年(中略)奴婢同

とあるのは、合執者に對しての分割請求の訴に付てである。これには出訴期限

の適用がなかつた。

合執者及び不均分執者に對しては、古くから訴が許された。曩に擧げた高麗恭讓王の敎旨(七七頁參照)。の内にも

一、奴婢爭訟所レ起、多原下於合執、願自今財主未分奴婢合執者、或分執而不レ均者、許レ人陳告上

とある。

相續財產を獨占して分割の請求に應ぜざる者、及び和會分執を履行せざる者に對しては、制裁があつた。

未分奴婢合執者、(中略)分執奴婢據執者、(中略)大小人員告狀前、許レ令二和論一、其不レ顧二己非一、飾詐强辯亂レ法瞞レ官者、以二判旨不從一兩府申聞科レ罪(下略)(太祖實錄第十二卷六年七月甲戌條)

經國大典刑典私賤條に

其不レ均二分執一者、合執專レ利者、論レ罪後、其應レ得奴婢屬レ公、(田宅同)

と云へる、不均分執は、法定相續分に違背した和會分執の効力を否定するもので

はなく、不均分執が不當に行はれたか、又は分執奴婢を據執する者を指すのであらう。

合執者の事例として次の如きがある。

司憲府、據忠清道觀察使呈啓曰、文義縣人金湄、父歿與母同居、合執田地・奴婢、不分與同產、造家一區、一百九間、其庫廩以彌・增・盈・滿・益・億・萬・添八字分額、稱珍庫、中置高樓、兩旁作幽房、分置婢妾・妓女、恣行情慾、妻張氏及女子、別置浴室、女子及季弟濬、皆年長不爲婚嫁、父死十三年、始立祠堂、然猶不肯安神主、以供祭祀、及母死氣未絕、畏陰陽拘忌、出避外廊、不親斂襲、且母未葬、國喪卒哭前、與嬖妓楚兒常同寢處、傷倫敗俗、莫此爲甚、若以赦前不治其罪、則頑惡之徒、無所懲戒、請移兩界極邊、以戒後來、其財物、請令觀察使均給同產、家舍破取沒官、從之（端宗實錄魯山君日記第四卷文宗二年十一月條）

金湄なる者、父の遺產を合執して兄弟(同產)に分たず、贅澤を盡し、父母を奉祀しなかつたので、其の罪を治し、財物は兄弟に均給せしめたのである。

分執の協議の調はざるときは、官に呈して分執する。續大典刑典私賤條の

父母奴婢、不爲和會者、呈官分執

此の場合に相續分は、官が決給するに當つての準則である。別居の際、又は婚嫁に當つて分給せられたものを、加算したか否かは明ではないが、

卒、僉知事趙武英、令執父母臧獲、不與同產均分、相訟不決者有年、是日令諸宰議之、高靈君申叔舟等議曰、武英所得偏重、除公主別給奴婢及出居時稱給奴婢外、均分同產、上可其議(睿宗實錄第二卷元年戊子十二月丙申條)

とあるに依れば、之を計算に加へなかつたのであらう。

第八章　附　記

終りに經國大典頒行に當つての敎旨を揭げて附記とする。

傳二旨禮曹一曰、今頒二行經國大典刑典一、京中則今七月十五日、京畿則二十三日、忠淸・黃海・江原道則二十八日、全羅・慶尙・平安・咸吉道則八月十三日、爲レ始遵行、六典及受敎內、定限之法、則非二萬世遵行經久之法一、故不レ載二刑典一、今具二錄于後一、依レ舊遵行、(中略)一、永樂丁酉九月初一日以前、相訟奴婢事、勿レ令二告狀一、已告狀相訟奴婢、時得決者給レ之、無二前決一者、仍給二時執者一、雖二父母・祖父母未分奴婢一、上項限日前、各執者勿レ擧論、是日以前得決奴婢、他人因仍役使、而限後告狀者、勿レ許二受理一(中略)一、正統壬戌八月二十八日以後、大典頒降以前、祖父母・父母許與及同腹自中分執記外、不レ稅契レ文券、勿レ許二受理一、衆所二共知一、收養・侍養、及同姓親・異姓親、並限二四寸一外、贈給奴婢亦勿二受理一、一、正統壬戌七月十六日以前、無二子息一前母奴婢、已還二本孫一者、勿レ給二承重義子一、一、祖業奴婢、一從二遺書一決給、宣德丙午正月以前、已曾決折奴婢、及永樂丁酉九月初一日以前傳得時執奴婢、勿レ許ニ改決一、一、景泰乙亥正月初一日爲レ始、奴婢訴訟者、先告被論中、時立訟人假給、分揀決折(世祖實錄第二十五卷七年七月丁未條)

相續財產に關する出訴の制限と改給

右の內、永樂丁酉九月初一日以前の事件に付ては、父母・祖父母の相續財產(未分奴婢)に關しても事實の審理を許さず。既に裁決あるものは勝訴者(得決者)の所有とし、未だ裁決を經ざるものは、其儘占有者(時執者)の所有(仍給)とする。勝訴者の奴婢でも、占有侵奪(他人因仍役使)が其の日以前に係るものなるときは、其の返還の訴に付ても同樣とすと云ふのであつて太宗實錄第三十四卷十七年九月癸丑條の

司憲府上疏、疏略曰、私賤、依ニ曾受敎旨一、公文成給、今丁酉八月二十九日以前、已接狀未レ畢レ決、公私賤訴レ良、大小員人相訟奴婢、限ニ朔決絕一、今年二月初六日以前奴婢之事、於ニ時得者一給レ之、已曾受敎、而奸詐之徒、或稱ニ逃亡一、或稱ニ無レ隻假決一、亂雜呈狀、斷訟無レ際、已前相訟奴婢、既皆勿レ問ニ是非一、而中分、今二月初六日前時執奴婢、亦許レ勿レ問ニ是非一、時執者不動給レ之、逃亡私賤、辛丑年已後、始接狀推考、然年久之事、分揀實難、累月不レ決、誠爲ニ未便一、凡逃亡奴婢、壬申年已前、勿レ許ニ推覈一、壬申年以後逃亡之事、

許レ令三接状推考一、以斷二訟事一、奉レ敎、壬申年已前逃亡私賤、勿レ許二推考一、其中、時使用奴婢中、同腹三四寸現存者、及雖レ無二同腹三四寸一、當身現存、役使明白者、許レ令二推考一、辛丑年前逃亡、勿レ許二推考一、若其相訟之事、今丁酉九月初一日以前、時得決者給レ之、無二前決一者、則時執不レ動

とあるに該當する。此の受敎と永樂四年八月初八日受敎即ち

刑曹都官上二奴婢事二條一、一、凡奴婢役使者、於二收養及有恩處一給二奴婢一、成二契券一之後、或有下以二其奴婢一更給二他人一、以生二爭端一、今後如有二不レ得レ已給二他者一、具レ錄二辭緣一、告二于官一、收二取前券一勾銷、官給二文案一、如有下不レ告レ官隱密改券者上、並皆論レ罪(下略)(太宗實錄第十二卷六年八月丙申條)

との關係に於て次の受敎がある。

刑曹據二都官呈啓一、永樂四年八月初八日議政府受敎、財主於二收養・侍養・有恩處一、許與奴婢、後如有二不レ得レ已更改之故一、則具レ由告レ官、官取二前文契一、燒二毀之一、改成二文記一給レ之、其不レ告レ官改二文契一者、勿二並取一レ實、受者物故、不レ許二受理一、永樂十五年九月初一日司憲府受敎、相訟奴婢、丁酉九月初一日以前時執者決給、財主則依二永樂四年八月受

教、受者則依永樂十五年九月受教、反面相爭、然財主還取奴婢、未可與相訟奴婢時、執者例論、請自今財主與奪、不問限前、一依上項議政府受教施行、從之（世宗實錄第四十八卷十二年四月丙申條）

収養・侍養等其の愛する處に許與したる奴婢を、後に至つて又他人に給するが故に爭端を生ずるのであるから、贈與の撤回は、其の事由（辭緣）を具して官に告げ、更めて文券の成給を求むべしといふ敎旨と、丁酉九月初一日以前の事件は、總て占有者に決給せよといふ敎旨とが牴觸し、贈與者（財主）が、已を得ず更改する所以を具して官の許可を請求するに對し、受贈者は丁酉九月初一日以前の占有を主張して爭ふので問題となり、丁酉九月初一日の受敎は、贈與の取消を求める妨げとならぬことに決したのである。

白文文記の範圍の擴張と贈與の解禁

次に正統壬戌八月二十八日以後經國大典頒降以前は、祖父母・父母の許與文記及び同腹の分執文記の外は白文を用ゐずと云ふのは、經國大典に於て、父母・祖父母・外祖父母・妻父母・夫妻妾、及同生和會分執外、用官署文記と規定し、外祖父母・妻父母・夫妻妾に擴張したが爲めである。經國大典頒布の後にも

藝文館典翰崔敬止輪對曰(中略)奴婢白文、不税契、姦僞滋甚、請告官税契(中略)凡奴婢文券皆用白文、則姦僞或生、自今親父母・義父母・養父母・妻父母許與、及同腹和會分執記外、並用經官文券(睿宗實錄第六卷元年六月壬申條)

とあつて、父母を義父母・養父母に擴張したやうであるが、續大典刑典文記條には

繼母傳係文記、用官署、嫡母・庶母同

とあるから、義父母の內義母卽ち繼母は除外せられた。

それと併せて、收養・侍養及び同姓親・異姓親は四寸を限りとして、其の以外の奴婢の贈與に付ては同じく正統壬戌八月二十八日以後、大典頒降以前のものは受理を許さずと云ふのは

議政府據刑曹呈啓、今之世俗、當婚姻之時、以奴婢多寡、爲家風高下、故人人務得、爲心恬不爲怪、僥利者將己奴婢、投權納賂、貪得者任情忘義、市權受賂、廉恥道喪、風俗之敗、職此之由、請自今大小朝官兩班子弟等、衆所共知收養・侍養、及同姓親・異姓親・妻親、並限四寸外、奴婢受贈、一行禁約、如有違法贈與、則與者受者並皆論罪、受者以贓吏論、其奴婢沒入于官、於違法許與、筆執・證保人、並依律論罪、當該官

前母の遺産に對する義子女の相續分に付て

吏、不能檢擧者、以知非誤決論、且大小官吏執政時、受贈奴婢亦皆沒官、從之(世宗實錄第九十七卷二十四年八月乙卯條)

を受けたのであつて、右は贈收賄の弊を矯めんが爲めに、奴婢の贈與の範圍を限定したのであつて、一時の禁制である。收養・侍養及び同姓四寸親は、何れも子女と共同して、若くは其の次順位に於て、相續人たるべきものであり、素より贈與の許さるべきは當然である。異性親及び妻親も四寸を限つて之を許したのは、近親なる姻族なるが故である。妻親は妻の本族、異姓親は母の本族を云ふのであらう。兩者を併せて異姓親といふを妨げない。

上謂承政院曰、四寸外、不得以奴婢相贈、已有法令、永膺嘉禮時、七寸之族、多有贈以奴婢者、然夫人五寸、乃夫人父母之四寸也、此則給夫人之母、而傳給於夫人可矣、閔厚生夫人七寸也、其給奴婢、於法不可、其速還之、厚生年老、昏耄而希進不已、趨勢納賄、人皆竊笑(世宗實錄第百二十五卷三十一年七月乙酉條)

これは前記禁制後違背の事例である。經國大典以後は此の禁は解かれた。

次に正統壬戌七月十六日以前に、子女なき前母の奴婢にして已に本族に還給

したものは、承重義子に給する勿れといふのは

議政府據刑曹呈啓、今世俗無子息亡妻奴婢、其夫因仍使喚、及改娶他妻、則其奴婢即還本宗、竊惟、夫之亡妻雖改娶、非婦人改嫁之比、無義絶之理、而還奴婢于本宗、未便、且無子息、無傳繼、繼母奴婢、於奉祀義子分半許給、已有定法、獨前母奴婢、奉祀義子、不得役之、亦爲未便、又賤妾子、若於嫡室無子、則承重奉祀、曾有定制、而無子息嫡母及前嫡母・繼嫡母之奴婢、全不許給、有違承重之義、並不合情理、請自今無子息亡妻奴婢、其夫使喚、及其身死、於後妻所生承重長子、給三分之一、若無嫡子、則承重良妾子、給五分之一、賤妾子七分之一、其餘奴婢、並還本宗、(世宗實錄第九十七卷二十四年七月申戌條)

の受教に依つて始めて、前母の奴婢を其の本族と共に承重子が分給に與ることを得るに至つたのであつて、經國大典も亦之に從つて

無子女前母・繼母奴婢、義子女五分之一、承重子、則加三分

と規定したのであるが、右の受教以前には適用なきことを示したのである。これに續いで祖業奴婢、一從遺書決給と云へるも

議政府啓、續刑典節該、祖業奴婢、其子孫不顧祖上遺書、擅自與他、未便、一從遺書決給、乙卯年敎旨節該、無後婦人奴婢、分半給其奉祀義子、今官吏等、不知立法之意、眩於處決、然出家女子、已去本宗、以夫家爲重、以義子爲己子、其自己所得奴婢分半、給其義子、不背於義、非擅自與他之比、當依乙卯年敎旨、分半決給、其無義子者、當依六典、從遺言決給、且無繼嗣者、旣以同宗支子、立以爲後、一應家事、皆如己子、其奴婢・財産、泥於遺書、不傳於爲後者、而傳於族人、則尤乖於義、一如親子決給爲便、從之(世宗實錄第八十二卷二十年九月癸巳條)

などが聯想せられるのであつて、祖上遺書を顧みずと云ふは、外祖父母の母に對する遺書中に、往々にして勿給孫外の禁止があるので、義子は孫外に當り、義子女に分給することは一從遺書決給すべしといふに牴觸するが故に、官吏處決に迷ふたのである。　經國大典刑典私賤條にも、右の敎旨の如く

三歲前養子女・承重義子、卽同親子女、雖遺書有勿與他之語、勿用

と規定した。　しかしこれも壬戌七月十六日以前の遺書に從つて、本族に決給したものは、義子女に改給せざることを明にしたのである。

以上要するに經國大典の施行規則ともいふべきである。

李朝の財産相續法　終

附錄

第一圖版說明

第一圖　父母未分奴婢・田畓同生和會分衿文記

（忠淸南道瑞山郡音岩面遊溪里金德煥氏所藏）

本圖版は康熙三十三年甲戌卽ち肅宗二十八年（皇紀二、三五四年 西紀一、六九四年）通訓大夫行掌樂院僉正朴泰長が、亡父の遺意に依り其の同生姉妹の夫及甥姪（姉妹の子）と相議して、父の遺產たる奴婢・田畓を分割するに際し、各財產相續人の連署を以て作成した文券の首部と末部とを示したものである。本文券の全文は後に揭ぐる通りであるが、其の內容を摘記すれば、署名者の一人なる朴泰長の父は病臥中其の所有財產である奴婢及田畓を、子女に分給せむとして分衿文記を草したが、病勢遽に增惡し遂に實行に至らずして死亡したので、其の三年の喪を終つた後寡婦たる母が亡夫の遺志を繼ぎ、承重子卽ち祭祀相續人たる朴泰長及女婿の一人である金斗昌と協議して、夫の遺產を各子女をして分割せしめんとし、旣に其の草案だけは作成したが、會々金斗昌が病氣となり遂に死亡したので、復實行することを得なかつた、それより十九年の星霜を經た後承重子である朴泰長は、前記金斗昌の嗣子である興慶(朴泰長の姊妹の子)及姊妹夫である金汝南・具守禎の三人と協議し、該遺產中より第一に祖先の祭祀の資に充當すべき奉祀條を定め、殘餘の財產を四人で分割し、其の證據として本文記を四通作成し、各自一通宛所持することとしたのである。

本文記の中には「先祖考妣及先妣不遷之節」とか「不遷遺意」とか或は「不遷之饗」とか言ふ語があるが、是れは「不遷の位」のことである。經國大典禮典奉祀の條に「始爲功臣者、代雖盡不遷、別立一室」とあつて、國家が勳功ある者の死後特に其の神主(位牌)を永久に祠堂に祭るを許すことがある。之を「不遷の典」又は「不祧の典」と云ひ、其の神主を「不遷の位」と云ふのである。普通は父母・祖父母・曾祖父母・高祖父母の四代までの神主を祠堂に祭り、其れ以上の神主は墓所に埋安してしまうのである。蓋し朴泰長の父は多數の奴婢・田畓を有してゐた爲め、多額の奉祀條を設定し、自己及先祖の神主を不遷の位と爲し、子孫をして永久に祭祀を爲さしむべく、生前より既に計劃し、又遺言したのであらう。 然れども不遷の位は前述の如く國家の特命に因り定まるものであつて、私に創定すべき性質のものでないので、遺產分割に當り問題となり博詢稟議の結果、此の點のみは遺言に從ふを得ずとしたのである。

又本文記中には「自先世大小祭祀、不爲輪行於子孫而宗家專主」とあるより見れば、當時に於ては男女を問はず、財產相續人たる子女間に於て、祖先の祭祀を輪行する者もあつたことが推察し得られる。

康熙三十三年甲戌二月十日同生中和會成文

右文爲。 辛亥年春 先君子病裡將欲分給田民於子女等、著成分衿文字、而許多田民乙未及區處、病候轉劇、壬子下世。 故過三年後、 先妣追承 先考遺意、使不肖與女壻金斗星、又欲區處以爲成文之地矣。 因金弟之病歸其家、竟至不淑、又未得成就、只成文草。 回想前後事、愴感之痛、豈忍言哉。 先考壬子疾革時、使堂叔李仁爀執筆口號遺書、未及歸竟、而其奉祀條立議中一款、有雖處事、卽 先祖考妣、及 先妣不遷之節矣。 嗚呼我 先世累代早世、宗祀之危、不絕如縷。 逮我 先祖考、以孤危蹤跡、備閱險難、復昌幾泯之宗祀。 先君子又不墜家聲、而闡揚舊業、以延及不肖矣。 追惟、宗祀之綿々于今、繫兩世之是賴、不遷遺意、豈 先君偶然之意乎。

其在繼述之道、事當祗承之不暇、而第念不遷之變、既有國家之定制、非私家所可創立者。故撰以法例、終有所不妥者。博詢于一家諸人、又稟議于知禮家、則皆以爲、雖是遺意、斷不可率行云。既知其未安、而强以行之、亦非事之當然者。故乃與同生及甥姪輩相議定、以不得率行。則至於奉祀條段《ハ》、不可一依前定之數。故奴婢二十口、及田畓二十石落只內、奴婢則不爲減數《シテ》爲遣、田畓段《ハ》、十三石落只乙《ヲ》、載錄爲乎矣《スルガ》。粤自先世、大小祭祀乙《ヲ》、不爲輪行於子孫、而宗家專主。故先考亦遵先世遺意、多出奉祀條、以重宗祀、而不用定憲。故今此成文時、一依先考遺書、前奉祀條段《ハ》、不爲擧論爲遣《シテ》、今番加出田民乙《ヲ》、載錄爲乎旀《シ》、父母主遺書兩件段《ハ》、煩不得添付於分衿文記之上。故藏置於宗家、以爲日後遵行之地是去乎《デアルカラ》。此後文書中遺漏、及逃亡奴婢段《ハ》、如有推尋者、則擇歸宗家後分執爲旀《シ》。如有孫外放賣者、則告官還退、而日後如有不肖子孫、不遵父母遺意、則當率告官、論以不孝事。

山直奴婢、非但禁火伐也、守直石物祭器是旀《デアル》。凡祭時所用之物、別作庫間、無使毀失、永爲流傳爲乎矣《スルケレドモ》、如有不謹之弊、則治罪後一々生徵事

奉祀條田畓秩。保寧青羅面上道堂內前冠字畓二束、二十七卜三束、三束、三十七卜六束、四束、十九斗落只。畓十三卜、四斗落只。昌洞山所前茂字畓十八卜八束、二卜二束、八束、五斗落只。畓十五卜一束、二卜五束、一卜五束、四斗落只。勒字畓二十七卜九束、六斗落只。畓八十七卜一束、十五斗落只。畓十九卜四束、四斗落只。畓八卜七束、二束、三斗落只。實字田七卜七束、三束、三斗落只。田五卜八束、三卜七束、五卜一束、七斗落只。田十三卜七束、三卜三束、八斗落只。田八卜二束、五斗落只。田十七卜二束、九斗落只。溪字田三十一卜四

束、十五斗落只。 青蘿下道垤洞魏字田八卜九束、六斗落只。 西山下盟字田八束、六卜、七卜
四束、八束、一卜、三卜八束七斗落只。 田十一卜二束、六卜五束、十六卜九束、十七斗落只。 畦
忠面中甫坪母字田十七卜二束、八斗落只。 田六卜九束、三斗落只。 田十五卜三束、七斗落
只。 夫字畓六卜九束、二十一卜四束、七斗落只。 奉字畓二十四卜七束、六斗落只。 畓十五
卜六束、五卜五束、五斗落只。 畓九卜五束、十二卜七束、三卜八束、八斗落只。 畓十卜二束、十
四卜七束、七斗落只、長尺面邑內坪盈字畓七十一卜五束、三十七卜二束、七十二卜一束、一石
十六斗落只。 地字田四十八卜六束、十七斗落只。 吾三田面勒洞州字畓十卜九束、二十七
卜四束、九斗落只。 畓十二卜二束、二十三卜六束、八斗落只。 及保寧婢漢玉二所生、婢綠禮
庚寅生。 婢占化二所生、婢小禮癸卯生。 婢季生二所生、奴毛立戊午生。 四所生、婢毛禮乙
丑生。 婢德伊四所生、奴敏伊庚寅生。 婢詑巨非二所生、婢仁今庚午生。 洪州浦婢今化二
所生、奴論立戊戌生。 三所生、婢論西非辛丑生。 五所生、奴山伊丁未生。 全州婢春生四所
生、奴夫次里己亥生。 六所生、奴可乃壬寅生。 石城婢正月一所生、奴海先丙戌生。 婢刈春
一所生、婢具業己亥生。 婢具業一所生、奴可石甲子生。 婢業進一所生、奴水伯丙辰生。 二
所生、婢論今癸亥生。 西江婢香伊一所生、奴益伊　　生。 二所生奴貴益　　生。 三所生、
奴三益　　生。 四所生婢業伊　　生印
山直婢乭今三所生、奴柴公金辛丑生。 四所生、婢詑巨非丙午生。 婢千生二所生、奴先日癸
卯生。 婢善業一所生、婢士今戊午生印

一宅衿

新奴、亘伊金年庚午生。 婢得環年壬申生印
衿得保寧婢玉禮一所生、婢綠陽甲戌生。 婢綠陽一所生、婢武玉三所生、婢永化庚寅生。 同婢一所生、奴　　生。 二所生、婢　　生。 三所生、奴　　生。 奴者斤朴良產一所生、婢順禮生、婢者斤介一所生、奴本立　　生。 婢恩代七所生、婢恩香壬午生。 同婢二所生、婢愛禮辛亥生。 四所生、奴先伊癸丑生。 婢面玉二所生、奴險龍甲辰生。 婢蘭今三所生、奴乙龍庚子生。 奴仇加金良產一所生、奴好令甲午生。 婢漢玉三所生、奴接同乙未生。 四所生、婢得禮戊戌生。 奴接同良產一所生、婢時叱介庚午生。 婢得禮一所生、奴鐵萬甲子生。 二所生、奴萬連戊辰生。 奴己丑良產一所生、奴占山辛酉生。 二所生、婢己禮甲子生。 婢愛玉三所生、奴武云戊午生。 婢春今一所生、病婢召春　生。 婢占化四所生、婢小烈己酉生。 病婢耆生二所生、奴武金癸亥生。 婢小禮三所生、婢小今庚午生。 婢信化三所生、奴道率里甲寅生、 四所生、婢甘德庚申生。 婢愛禮一所生、奴命信戊午生。 四所生、婢命化乙丑生。 監浦婢于勿介五所生、奴三萬庚申生。 六所生、奴士萬甲子生。 全州奴異生良產二所生、婢亥今己亥生。 四所生、婢亥德甲辰生。 洪州浦婢論郙一所生、奴咸先乙丑生。 婢今化四所生、婢欣非甲辰生。 六所生、婢阿亡介己酉生。 同婢一所生、奴業伊庚午生。 二所生、奴業先壬申生。 古阜婢眞乃六所生、奴哲奉戊申生。 七所生、婢貴今丙辰生。 羅州婢日今二所生、婢元化庚寅生。 五所生、奴元金辛丑生、婢元化三所生、婢毛眞介乙卯生。 四所生奴介山戊午生。 婢占代七所生、婢奉介甲申生。 八所生、婢奉禮丁亥生。 婢奉介一所生、奴奉金丙午生。 三所生、婢奉進甲寅生。·四所生、奴斗相辛酉生。 婢奉禮二所生、婢哲相癸丑生。 三所生、奴

壬金丁巳生。 四所生、婢奉相己未生。 咸平婢燕之二所生、奴鶴連癸未生。 三所生、奴鶴男乙酉生。 婢愛介二所生、婢今相癸亥生。 婢牡丹一所生、婢於汝非癸亥生。 婢士化一所生、奴西晉山癸亥生。婢連非二所生、婢大今癸亥生。 同婢一所生、奴仅宗庚辰生。 二所生、婢仁化戊子生。 同婢一所生、婢晩春丁未生。 礪山婢得香一所生、婢季化甲申生。 二所生、奴季日丙戌生。 三所生、奴三日壬辰生。 婢季化一所生、奴雄吉辛亥生。 臨陂婢禮生二所生、奴加音伊戊子生。 五所生、奴汗卜戊戌生印

田畓秩。 保寧睦忠面力字田一卜二束、田四卜二束、三斗落只。 則字田三卜、四十五卜六束、田二十二卜二束、田七束、一石落只。 田二卜一束、二斗落只。 田十五卜二束、九斗落只。 田八卜三束、田四束、六斗落只。 盡字田十一卜八束、田三束、田一束、田一卜五束、六斗落只。 田十六卜八束、九斗落只。 履字田二十六卜、十三斗落只。 田二十一卜、十二斗落只。 田十二卜七束、四十五卜八束、田三卜三束、十六斗落只。 夙字田二十一卜五束、十二斗落只。 斯字田五卜四束、五斗落只。 籍字田七束、二卜四束、二斗落只。 無字田二十七卜、一石二斗落只。 力字畓十五卜四束、十一卜六束、八束、八斗落只。 畓十三卜七束、七束、六斗落只。 畓五卜二束、四卜三束、五斗落只。 則字畓一卜一束、五卜五束、四斗落只。 畓四卜五束、二斗落只。 薄字畓十二卜五束、五斗落只。 斯字畓六卜四束、五卜九束、四斗落只。 松字畓六卜九束、三斗落只。 息字畓十卜一束、二束、五斗落只。 篤字畓十一卜六束、五斗落只。 畓十卜四束、十一卜六束、六斗落只。 優字畓九卜二束、七卜一束、七斗落只。 畓一卜七束、四十四卜、三卜八束、三卜八束、十三斗落只。 畓十三卜四束、三卜六束、四束、四斗落只。 畓二十三卜七束、六卜八

東、八斗落只。畓十三卜五束、二卜三束、三斗落只。登字畓八卜九束、四斗落只。仕字畓六
卜三束、二卜八束、四斗落只。畓十九卜、六斗落只。畓五束、十二卜、五斗落只。夫字畓十卜
四束、三斗落只。畓五卜六束、三卜八束、四斗落只。和字畓六卜二束、二斗落只。隨字畓十
八卜七束、四卜三束、七斗落只。外字畓十三卜四束、五斗落只。盡字畓三束、四升落只。長
尺面荒字田九卜五束、四斗落只。餘字田三十四卜九束、十五斗落只。周浦面長字田十五
卜二束、八斗落只。烈字田六卜八束、四卜一束、八斗落只。景字畓八卜一束、一卜七束、三斗
落只。畓十六卜、一卜六束、九卜、八斗落只。作字畓十六卜五束、五斗落只。聖字畓十七卜
九束、十四卜四束、三束、十二斗落只。刑字畓四卜三束、三十卜三束、十斗落只。聽字畓三卜
三束、五卜五束、三斗落只。吾三田面於字田七卜五束、四斗落只。用字畓六卜八束、三斗落
只。軍字畓十九卜四束、七斗落只。農字畓十五卜七束、一束、一卜一束、五斗落只。金神面
方字畓十九卜三束、六斗落只。豈字畓五十一卜八束、十五斗落只。敢字畓二十五卜九束、
二束、七斗落只。青所面默字畓十四卜六束、二十七卜三束、二十一卜九束、十八斗落只。歡
字畓十四卜八束、三卜五束、六斗落只。聆字畓二卜四束、一卜一束、二斗落只。晉字畓五卜
九束、三斗落只。結成廣川面則字田九卜三束、四斗落只。忠字田十一卜一束、四束、七斗落
只。夙字田四十四卜五束、六斗落只。慶字畓十七卜七束、五斗落只。善字畓十七卜七束、
五斗落只。陰字畓十七卜六束、五束、三卜四束、九斗落只。是字畓四卜四束、二斗落只。寸
字畓六卜二束、一卜七束、四斗落只。力字畓七卜七束、十八卜二束、十六卜九束、十三斗落只。
履字畓十二卜、三斗落只。忠字畓三卜四束、二斗落只。盡字畓三卜四束、八束、二斗落只。

畓五卜三束、十四卜六束、六斗落只。 斯字畓三卜二束、九卜六束、十三卜四束、八卜九束、五卜
二束、九斗落只。 保寧靑蘿面枾木坪蔡家籬下牧字田十九卜四束、九斗落只印

二宅衿

新奴、千連、年庚午生。 婢士德、年甲戌生印
衿得婢、命德六所生、奴斗永甲申生。 七所生、奴永吉戊子生。 婢禮今二所生、奴信日辛卯生。
婢莊春一所生、奴朴男辛巳生。 奴香男良產二所生、奴二軍壬子生。 婢千生四所生、奴先哲
丁未生。 奴玉先良產一所生、奴先立癸卯生。 婢信生六所生、奴石只丁未生。 婢今春一所
生、奴仇加金己巳生。 同奴良產四所生、奴江祥癸丑生。 婢德伊三所生、奴善伊戊子生。 婢
關代四所生、奴今先己酉生。 婢論之七所生、婢季生癸巳生。 十所生、婢莫今辛丑生。 婢實
介一所生、婢信香庚子生。 婢每陽四所生、婢奉酒戊戌生。 婢今禮二所生、婢占禮己未生。
婢恩香七所生、婢莊進癸亥生。 婢論今一所生、婢元陽癸巳生。 婢信香二所生、婢愛生庚午
生。 婢信生三所生、婢美正介庚寅生。 婢愛玉二所生、奴乙敏乙卯生。 四所生、婢信玉辛酉
生。 婢小禮一所生、婢小陽壬戌生。 婢愛禮三所生、婢命禮壬戌生。 婢諸巨非一所生、婢仁
化乙丑生。 婢春月二所生、婢愛玉丁亥生。 婢愛化四所生、奴香男癸未生。 婢春今二所生、
啞奴生男 生。 婢季生一所生、奴毛進丙辰生。 三所生、奴毛先癸亥生。 五所生、奴丁民
丁卯生。 婢莫今一所生、奴鋤乙朴己未生。 二所生、奴徐立癸亥生。 婢奉酒一所生、奴壬先
壬戌生。 洪州婢占春二所生、婢亥今 生。 同婢一所生、奴亥先甲子生。 婢占化一所生、
奴孝男辛丑生。 婢春今三所生、婢占化辛未生。 七所生、奴己生己卯生。 浦婢今春一所生、

婢己玉丙辰生。 結城婢綠禮一所生、婢次今癸丑生。 二所生、婢山今壬戌生。 三所生、婢同
叱德丁卯生。 奴厚山戊辰生。 五所生、奴三先庚午生。 臨陂婢禮生三所生、奴萬朴甲午生。
婢愛生四所生、奴承立辛卯生。 咸平婢延之三所生、奴鶴龍辛卯生。 婢大今五所生、奴先日
庚寅生。 婢奉今三所生、奴張鶴庚戌生。 古阜婢生日一所生、婢尙今庚子生。 同婢一所生、
奴黃生壬戌生。 二所生婢仅占丙寅生。 羅州婢乭非三所生、婢賈化乙卯生。婢莫今五所生、
婢耆德壬子生。 婢日今四所生、婢加進丁酉生。 同婢一所生、婢善陽庚申生。 二所生、奴千
石壬戌生。 康津婢美正介一所生、方竹甲寅生。 婢信化二所生、奴命述甲辰生。 全州奴異
生良產一所生、奴亥生丙申生。 石城婢禮代一所生、婢六月庚寅生。 二所生、奴斗里金壬辰
生。 六月一所生、婢禮月甲子生。 藍浦婢禮今二所生、婢于勿介辛卯生。 同婢二所生、奴日
萬癸丑生。 婢今禮三所生、婢占德丙寅生印

田畓秩。 保寧青蘿面上道甫岐刻字畓五卜六束、一卜一束、三斗落只。 畓五卜六束、二斗落
只。 宗坪刻字畓　八斗落只。 吾三田面乾川坪禹字畓十六卜七束、五卜七束、五束、六
斗落只。 沙字畓十二卜四束、四斗落只。 畓七卜八束、七束、二斗落只。 濵字畓三卜四束、二
十七卜四束、八斗落只。 畓十三卜四束、四斗落只。 禹字畓二十一卜九束、五斗落只。 譽字
畓二十二卜九束、六斗落只。 奄古介最字畓十五卜二束、五斗落只。 石字畓二十八卜八束、
七斗落只。 沙可里坪農字畓二卜二束、十八卜九束、五斗落只。 畝字畓三十三卜、七斗落只。
黍字畓三十一卜九束、七斗落只。 龍頭勒字畓十七卜七束、五斗落只。 睦忠面忠字田十一
卜九束、六卜一束、九斗落只。 盡字畓九卜二束、二十三卜二束七斗落只。 畓十二卜七束、一

卜二束、三斗落只。 田十二卜一束、十五卜三束三十七卜八束、一石五斗落只。 履字田五十六卜九束、一石五斗落只。 畓五卜一束、三斗落只。 薄字畓十四卜、四斗落只。 畓八十九卜六束、十六斗落只。 興字田十三卜七束、四卜一束、四斗落只。 似字田十四卜七束、六斗落只。田十四卜五束、六斗落只。田八卜七束、五斗落只。 蘭字田七卜二束、四斗落只。 田九卜四束、二卜五束、四斗落只。 田二卜五束、三束、三斗落只。 田七卜八束、八束、一卜一束、六束、九束、七斗落只。 畓十九卜二束、五束、二卜五束、三束、三束、六斗落只。 田七卜九束、五斗落只。 田十四卜二束、五斗落只。 田三卜六束、二斗落只。 誠字畓二十五卜七束、十九卜九束、十三斗落只。 美字畓一卜六束。 十二卜四束、四斗落只。 畓三十二卜五束、八斗落只。 畓六卜八束、二斗落只。 愼字田八卜八束、五斗落只、田十六卜、九斗落只。 田三十四卜七束、十五斗落只。宜字田三十六卜九束、十五斗落只。 田四卜八束、一束、四斗落只。 令字畓二十七卜五束、七卜三束、八斗落只。 畓九束、六束、八卜二束、三斗落只。 所字畓六卜四束、六卜七束、五斗落只。基字畓一卜九束、六卜五束、二斗落只。 畓四卜九束、七卜二束、四卜八束、二束、六斗落只。 畓十九卜七束、五斗落只。 竟字田十七卜三束、八束、八斗落只。 甘字丙畓二十四卜七束、五斗落只。 畓四卜二束、七卜六束、四斗落只。 畓七卜六束、畓十三卜九束、四斗落只。 和字畓十二卜七束、三斗落只。 洪州興口香面異字田三卜八束、一卜六束、五束、七束、三斗落只。 糧字田二束、一卜二束、一斗落只。 田三卜二束、三卜六束、六卜一束、五斗落只。 房字畓二卜三束、一斗落只。 圓字畓六卜、一斗落只。 畓三十卜二束、七斗落只。 潔字畓二十卜二束、九卜九束、五卜九束、七斗落只。 煌字田二卜八束、十卜一束、五卜五束、九斗落只。 睬字畓十五卜一東、三斗落只。 藍字田四東、畓八卜一束、二斗落只。 紘字畓十五卜三束、三斗落只。 畓九卜九束、十六卜七束、五斗落只。 畓十卜八束、三斗落只。 畓十五卜三束、一卜九束、三斗落只。 牀字畓二卜五束、一斗落只。 潔字畓二十五卜五束、二十五卜六束、九斗落只。 舉字田十二卜六束、三卜七束、七斗落只。 觴字畓二卜三束、一斗落只。 矯字畓七卜、一斗五升落只。 畓十五卜一束、十三卜一束、五斗落只。 田十六卜一束、五束、五斗落只。 畓二十九卜一束、三卜八束、十九卜五束、十一斗落只、手字畓二十八卜三束、六斗落只。 足字畓十三卜四束、三斗落只。 預字畓三卜九束、一斗落只。 康字畓五卜三束、二斗落只。 畓三十一卜六束、六斗落只。 嫡字畓二十四卜一束、三卜三束、六斗落只。 畓三十卜三束、七斗落只。 蒸字田二十一卜二束、七斗落只。 懼字畓十一卜五束、三斗落只。 足字畓十卜二束、六卜三束、四斗落只。 畓十四卜七束、三斗落只。 於乙方面大牛洞李家前執字畓二十卜九束、五斗落只印

三　宅衿

新奴厚生、年　生。 婢助德、年庚午生印

衿得保寧婢汗玉七所生、奴莫連乙卯生。 婢武仁介一所生、婢於屯介甲午生。 同婢一所生、奴介日戊午生。 二所生、奴介孫庚申生。 三所生、奴夫許非丙寅生。 四所生、婢玉節庚午生。 婢闖今二所生、奴莫男戊戌生。 婢險禮一所生、奴馬山丁卯生。 二所生、奴太山己巳生。 婢加進四所生、婢天今壬申生。 婢豐今一所生、奴朴先癸卯生。 三所生、婢已德己酉生。 四所生、婢已生戊午生。 五所生、奴恝金庚申生。 婢倫今四所生、婢季香己酉生。 婢實介四所生、婢今化辛亥生。 婢占化三所生、奴小元　生。 婢春今四所生、病奴恝生　生。 奴仇加金

良産三所生、奴江季壬寅生。 婢允今九所生、婢甘德丁丑生。 同婢一所生、奴亥眞己亥生。 二所生、婢己生戊申生。 四所生、奴可仁甲寅生。 五所生、奴禾里丙辰生。 六所生、婢莫禮己未生。 七所生、婢㐎禮壬戌生。 婢蘭今二所生、奴廢軍甲辰生。 奴朴先良産一所生、奴咸成庚午生。 婢莫今三所生、婢䆂禮庚午生。 婢汗玉一所生、婢玉承乙酉生。 同婢三所生、婢士云辛酉生。 婢耆生一所生、婢武永庚申生。 洪州浦婢論之六所生、奴信民辛卯生。 十所生、婢㐎生甲辰生。 同婢一所生、奴仅玄丙寅生。 二所生、婢仅化庚午生。 婢今化八所生、奴莫金丙辰生。 婢今春二所生、奴己奉戊午生。 四所生、婢水禮甲子生。 婢欣非一所生、奴長金己巳生。 藍浦婢于勿介一所生、婢日禮辛亥生。 三所生、奴其萬乙卯生。 四所生、婢日乶戊申生。 古阜婢生日六所生、婢士今乙卯生。 七所生、奴容者只丁巳生。 八所生、婢馬音春庚申生。 婢末今三所生、婢進乃庚午生。 同婢四所生、奴士哲壬寅生。 五所生、婢善德乙巳生。 羅州婢命之一所生、婢先非癸巳生。 同婢一所生、奴日恩金癸丑生。 二所生奴其晩乙卯生。 三所生、婢自歎戊午生。 婢乭介六所生、婢莫今庚辰生。 同婢二所生、奴立生甲辰生。 三所生、奴立奉丁未生。 婢日之一所生、奴亥暗癸未生。 四所生、奴信奉辛卯生。 婢奉今一所生、奴今日丙申生。 二所生、婢先陽甲辰生。 四所生、奴仁鶴癸丑生。 婢大阿只三所生、婢牧丹庚子生。 六所生、婢禿邑介丙午生。 八所生、奴鶴伊壬子生。 九所生、奴最先乙卯生。 婢乭乶五所生、婢自化庚申生。 礪山婢季化二所生、婢貴禮乙卯生。 所生、婢開香 生印

田畓秩。 保寧吾三田面郡字畓二十一卜八束、四卜、八斗落只。 塞字畓二十卜二束、十三卜一束、十四卜八束、十一斗落只。 南字畓十六卜五束、五斗落只。 青蘿面上道郡字畓十六卜、

六斗落只。 書字畓十一卜七束、二束、九束、四斗落只。 聲字畓十五卜五束、一卜八束、九卜八束、九斗落只。 畓二十五卜六束、七斗落只。 經字畓一卜七束、二十卜八束、六斗落只。 相字畓六卜八束、二斗落只。 睦忠面諸字田六卜、十二卜二束、三束、六斗落只。 伯字田六束、八束、二十九卜九束、一卜五束、一卜三束、七卜、四卜六束、一石落只。 儀字田一卜二束、四卜、二斗落只。 和字畓十七卜四束、五斗落只。 唱字畓十八卜二束、六斗落只。 婦字畓二卜九束、二十二卜五束、五卜一束、九斗落只。 畓二十一卜九束、二卜一束、七斗落只。 奉字畓九卜四束、一卜六束、一卜九束、三斗落只。 儀字畓三束、五升落只。 于羅末面上道華字田八卜二束、二斗落只。 田二卜、一斗落只。田九卜六束、四束、二斗落只。 夏字田九卜九束、四斗落只。 田二卜六束、三卜一束、一卜四束、三斗落只。 田十一卜五束、四卜七束、六束、七斗落只。 西字田九卜九束、四斗落只。 二字田一卜一束、三卜一束、二斗落只。 面字田九卜、四卜三束、一卜三束、九斗落只。田十二卜四束、五斗落只。 田四卜九束、六卜四束、四卜四束、七斗落只。 田三卜、二十卜三束、六斗落只。 分字畓五卜四束、二斗落只。 退字畓十七卜三束、五斗落只。 心字畓十五卜五束、五束、三斗落只。 畓三卜一束、二十五卜四束、八斗落只。 眞字畓十六卜八束、六斗落只。 靡字畓十二卜二束、四束、四斗落只。 東字畓六卜八束、二斗落只。 畓三卜八束、三束、二斗落只。 畓二卜八束、一卜一束、二斗落只。 背字畓三卜七束、六卜六束、三斗落只。 印字畓二卜五束、一斗落只。 于羅末下道洛字田二束、據字田二十卜、六斗落只。 圖字田三十三卜九束、三卜四束、十一斗落只。 寫字田四卜九束、六卜三束、三斗落只。 田三卜六束、十卜四束、六斗落只。 傍字田三卜五束、五卜、三斗落只。 田十五卜四束、七斗落只。 田十一卜三束、

三束、六斗落只。　啓字田四卜六束、二斗落只。　對字田十一卜一束、四斗落只。　楹字田二卜
九束、三斗落只。　疑字田十卜六束、一卜九束、五斗落只。　星字田十卜、四斗落只。　田二卜二
束、二卜三束、三斗落只。　田十六卜四束、六斗落只。　田五卜五束、二斗落只。　廣字田三卜三
束、十卜四束、四斗落只。　渭字畓六卜六束、三斗落只。　傍字畓三卜五束、三卜六束、三斗落只。
畓七卜四束、三斗落只。　畓七卜六束、五斗落只。　啓字畓八卜七束、三斗落只。　畓十二卜四
束、六斗落只。　畓八卜、二卜三束、五斗落只。　甲字畓四卜九束、三斗落只。　帳字畓十三卜
二束、四斗落只。　畓一卜五束、六卜一束、三斗落只。　對字畓十卜六束、三斗落只。　楹字內畓
十五卜一束、四斗落只。　畓三卜三束、一斗落只。　設字畓五卜三束、一卜五束、三斗落只。　席
字內畓三卜、一斗五升落只。　畓十六卜二束、六斗落只。　納字畓六卜五束、四斗落只。　陛字
畓五卜四束、九卜六束、四斗落只。　轉字畓三卜八束、一卜七束、二束、四斗落只。　畓二卜五束、
七卜一束、四斗落只。　畓五卜八束、十八卜二束、十斗落只。　疑字畓十二卜六束、七斗落只。
達字畓十一卜七束、四斗落只。　畓十四卜五束、八斗落只。明字畓四十七卜六束、十四斗落只。
集字畓七卜四束、三斗落只。　藍浦古里頭甲量階字田十卜七束、一卜六束、六斗落只。　納字
田二十一卜八束、九斗落只。　陛字田四卜六束、二斗落只。　田六束、十一卜六束、五斗落只。
星字田八卜八束、六卜二束、六斗落只。　陛字田十二卜七束、五斗落只。　墳字田十四卜五束、
六斗落只。　典字田七卜二束、七束、三斗落只。　田二十二卜九束、九斗落只。　陛字畓十卜三
束、三斗落只。　轉字畓五卜三束、十五卜五束、七斗落只。　明字畓二十八卜七束、八斗落只。
廣字畓十五卜八束、五斗落只。　墳字畓二十一卜三束、七斗落只。　相字畓十五卜四束、四斗

落只。亦字畓二十卜八束、一卜五束、六束、二卜二束、八斗落只。典字畓二十三卜九束、三卜一束、四束、五卜七束、六束、四束、一卜六束、十二斗落只。畓四束、一卜六束、一斗落只。邑內面觀字畓六卜八束、二斗落只。新安面夏字畓十五卜二束、三斗落只印

四 宅衿

新奴、者斤年甲子生。婢億禮、年丁亥生印

衿得保寧婢汗今四所生、婢愛香戊寅生。同婢一所生、婢元禮辛丑生。二所生、奴涳同庚戌生。三所生、婢貴禮甲寅生。婢元禮一所生、奴一上壬戌生。二所生、奴　生。婢千生一所生、奴先興乙未生。二所生、婢先業庚寅生。同婢二所生、婢士每甲子生。三所生、婢士烈丙寅生。四所生、奴士男癸酉生。婢論今三所生、婢季春癸卯生。婢汗玉五所生、婢五禮壬寅生。同婢一所生、婢異正甲子生。二所生、婢永化丁卯生。婢關今一所生、奴儉戊己未生。婢命德八所生、奴成介庚寅生。婢春月一所生、奴小吉　生。婢春今五所生、病婢菁生生。婢愛玉五所生、奴悉山乙丑生。六所生、奴悉同庚午生。婢美正介二所生、奴勿伊丁巳生。三所生、奴季民丁卯生。奴仇加金良產二所生、奴從成己亥生。婢恩香五所生、奴介之丙辰生。六所生、奴莫金戊午生。婢愛禮五所生、奴命男丁卯生。六所生、奴命元庚午生。婢尙今三所生、婢悉占庚午生。婢春伊一所生、奴春金辛丑生。婢玉承四所生、奴士衡甲子生。五所生、奴從衡丁卯生。婢七生一所生、奴邇伊戊午生。二所生、婢水代甲子生。婢今禮三所生、奴馬堂壬戌生。婢加進三所生、奴千乭屎庚午生。婢信香一所生、奴聽立丁卯生。婢信生二所生、奴亥吉甲申生。洪州婢關代三所生、婢景化戊戌生。同婢一所生、婢水化戊

午生。 四所生、奴水必癸亥生。 六所生、婢從禮庚午生。 泰安浦奴奉山良產五所生、婢興今丙子生。 同婢四所生、奴澆金丙辰生。 婢今化七所生、婢耆郡癸丑生。 婢今春三所生、婢水今壬戌生。 古阜婢禿德二所生、婢生日庚辰生。 同婢二所生、奴士男癸卯生。 三所生、奴士奉丙午生。 羅州婢先陽一所生、奴先奉甲午生。 二所生、婢嫩祥丁卯生。 三所生、婢嫩禮庚午生。 婢占介六所生、婢乭之甲申生。 同婢二所生、婢仁業乙巳生。 三所生仁化丁未生。 同婢二所生、婢萬今庚午生。 婢占介七所生、婢乭郡己丑生。 同婢四所生、婢善今丁巳生。 六所生、婢自今壬戌生。 咸平婢延之一所生、婢大阿只丁丑生。 同婢二所生、婢愛介戊戌生。 四所生、婢士化壬寅生。 五所生、奴老郎甲辰生。 咸悅婢愛生三所生、奴承生丁亥生。 五所生、奴承山癸巳生。 礪山婢季化二所生、奴異建癸丑生。 三所生、婢貴香癸亥生。 康津婢信生四所生、奴要民壬辰生印

田畓秩。 保寧青羅面上道聚字田十四卜二束、六斗落只。 隸字畓六卜七束、二卜、五斗落只。 淼字畓十四卜三束、四斗落只。 路字畓七卜八束、七卜一束、四斗落只。 世字畓十卜五束、五卜、七斗落只。 畓十二卜四束、四斗落只。 綠字畓五束、四卜五束、一卜八束、七斗落只。 田五卜三束、三斗落只。 策字畓七卜九束、三斗落只。 縣字畓二十五卜一束、八斗落只。 青羅下道且字畓十二卜九束、七卜九束、六升落只。 營字畓七卜九束、二斗落只。 畓七卜六束、二斗落只。 匡字畓十六卜四束、五斗落只。 合字畓十一卜六束、三斗落只。 畓十九卜一束、一卜三束、六斗落只。 畓十七卜三束、六斗落只。 弱字田十二卜六束、五斗落只。 傾字畓五卜六束、二斗落只。 畓四十卜一束、五卜、十二斗落只。 乂字畓九卜、三斗落只。 畓九卜九束、六束、

五束、三斗落只。 法字畓二十六卜八束、八斗落只。 煩字田十卜九束、四斗落只。 刑字畓二十卜四束、十三卜、十一斗落只。 畓九卜一束、三斗落只。 畓四束、十卜六束、三斗落只。 畓九卜六束、三斗落只。 畓二十一卜三束、七斗落只。 起字畓十三卜五束、四斗落只。 畓十八卜九束、六斗落只。 頗字畓十二卜五束、五束、四斗落只。 畓二十五卜一束、八斗落只。 畓一束、一束、一束、五束、二斗落只。 畓十一卜六束、五束、三斗落只。 牧字畓十二卜九束、四斗落只。 田二十三卜二束、三卜四束、十三斗落只。 田四卜六束、三斗落只。 田六束、二卜六束、二斗落只。 于蘿未面上道兒字田三卜五束、二斗落只。 畓四卜九束、二斗落只。 懷字田八束、一卜三束、一斗落只。 惻字田六卜七束、五斗落只。 田一卜三束、二斗落只。 田十一卜一束、十斗落只。 造字田四卜六束、四斗落只。 田十五卜四束、三卜六束、十斗落只。 睦忠面儀字田三束、三卜九束、八卜八束、一卜二束、三卜八束、十卜一束、一卜、四卜、十九斗落只。 吾三田面禹字畓八卜七束、四斗落只。 秦字畓十一卜四束、十一卜九束、七斗落只。 鉅字畓四十九卜六束、十三卜六束、十一斗落只。 畓四卜五束、七卜六束、七卜一束、九束、六斗落只。 於字畓二十卜五束、五斗落只。 鷄字田十一卜六束、一卜三束、六束、九斗落只。 洪州弓耕面則字田十四卜五束、一卜八束、八卜九束、四卜五束、一卜、九卜九束、四卜二束、五束、四束、二卜三束、三卜四束、一卜四束、二卜七束、一束、八束、十三卜七束、五卜七束、四束、一卜五束、三十一斗落只。 竭字田五卜九束、六卜一束、五斗落只。 與字田三十六卜一束、九卜九束、二十二卜八束、十五卜三束、四十八斗落只。 深字田二十一卜、八斗落只。 盡字田八卜一束、九卜一束、十四卜八束、十二斗落只。 命字畓二十九卜九束、九斗落只。 孝字畓三卜二束、二十五卜五束、七斗落只。 畓十

二卜、三斗落只。 畓二卜九束、十四卜六束、十一卜三束、七斗落只。 敬字畓八卜三束、四斗落
只。 竭字畓十三卜、四斗落只。 澄字畓十七卜一束、六斗落只。 不字畓十二卜九束、五斗落
只。 斯字畓八卜八束、一斗五升落只。 嚴字畓二十二卜八束、八斗落只。 命字畓二十卜五
束、七卜六束、七斗落只。 深字畓、三卜五束、三卜五束、三卜八束、臨字內畓六卜六束、五斗落只。
竟字畓十一卜二束五斗落只。 陰字畓十五卜二束、五斗落只。 父字畓十五卜、四斗落只。
畓八卜二束、三斗落只。 是字畓十八卜九束、四斗落只。 父字畓五十卜四束、十三斗落只。
畓八卜二束、三斗落只。 與字畓八卜六束、三斗落只。 結城廣川面璧字岱田三卜三束、三斗
落只。 尺字畓六卜二束、一斗五升落只印

通訓大夫行掌樂院僉正 朴 泰 長 花押

折衝將軍行僉知中樞府事兼五衛將 金 汝 南 花押

幼學 具 守 禎 花押

故進士金斗星代子幼學 興 慶 花押

筆執 幼學 尹 時 澤 花押

第二圖　奴婢・田畓・家舍分給文記

（本院所藏）

本文記は康熙六十年辛丑卽ち景宗元年（皇紀二、三八一年 西紀一、七二一年）四月二十八日、折衝將軍行忠武衞副護軍梁忠全が、其の身も妻も年將に七十ならむとし、餘命の程も計り知るべからざるを以て、生前に於て、其の所有財產たる奴婢・田畓・家舍を、二男二女（文記には女婿の名に於て分給されてゐるけれども出嫁した女子に分給する意味である）の間に分給し、後日の證として同生弟二人を證人に、外從弟を筆執者として連署作成した文劵であつて、各子女に交付されたのである。

本文記の中には次男が未だ家屋を有せないからとて、其の代價として錢四十兩を別給すること、及自己夫妻の死亡時に於ける棺槨造成の資に充當すべく、畓四斗落を留保する旨を特記してゐる。又僅な所有財產であるけれども、其の中より祖先の祭祀の資に充當するため、奉祀條として家舍の外若干の田畓及奴婢を指定し、殘餘財產を各子女に分給してゐる。而して本文記の文言には「二男二女平均分給」と謂つてゐるけれども、女子は男子に比し其の割合が少いやうである。又次子には奴一人及家屋の代價として錢四十兩を分給してゐるにも拘はらず、承重子たる長子には唯だ田畓のみを給してゐて、如何にも不均衡のやうであるが、實際には長子は其の分衿部分の外承重者の特權として奉祀條を承繼する、その奉祀條中には奴婢一口と瓦家十三間があるから之等を合計すれば相當になるからである。以つて當時に於ける分財の一班を窺ふことが出來る。

康熙六十年辛丑四月二十八日子女等處和會成文

右文爲、吾夫妻年將七十、命之長短不能先知乙仍于。當此在世之日、若干奴婢・田畓・家舍等物、自己買得衿得爲有在果、二男二女處平均分給爲旀。次子益河段、未得家舍、故價折錢文四十兩乙、許給是置、不爲爭望爲旀。唐字畓四斗落只九卜八束庫、吾夫妻棺板次遺漏除存爲去乎、日後汝矣等俾無相爭之弊、鎭長耕食居生爲齊

一唐字畓四斗落只、九卜八束庫、遺漏除存印

一奉祀條、瓦家十三間。家墻園內致字田三卜、又三卜一束。出字畓五斗落只、二十二卜七束。

婢愛香二所生、奴二金年丙戌生、等印

一長子壽碩衿、陽字田十五卜八束半日耕。玉字田十卜七束一日耕。出字田十三卜三束。

河字田十七卜八束。出字畓八卜、五斗落只。河字畓九卜六束、六斗落只印
一次子益河衿、婢愛香一所生、奴甲戌年甲戌生。玉字田十二卜一束一日耕半。出字田六卜
四束半日耕。河字田二十一卜二束、一日耕。出字畓八卜、五斗落只。同字䎘畓五卜九束、五
斗落只等印。
一女婿吳應碩衿、宙字田上邊二卜七束、半日耕庫印
一女壻李斗三衿、宙字田下邊二卜七束、半日耕、庫印

財主　折衝將軍行忠武衛副護軍父　梁　忠　善（花押）
證　展力同生弟　忠　萬（花押）
展力同生弟　忠　望（花押）
筆　展力外四寸弟　咸　壽　萬（花押）

第三圖　田畓別給文記

（本院所藏）

本文記は康熙三十四年乙亥卽ち肅宗二十一年（皇紀二、三五五年 西紀一、六九五年）十二月、三人の兄弟中唯だ一人の子を有する者が、常に其の子の未だ痘瘡を爲さざるを憂とせしところ、會〻痘患に罹り無事平癒したるを悅び、お祝として其の子に對し、畓一石

落を贈與するため作成交付した文券である。當時人の父母たる者が子女の痘瘡を如何に憂慮せしかが窺はれて誠に興味ある文記である。
又末尾に貼付の文記は上典(奴の主人)より奴隷に對し、田畓・家舍等の賣買を命ずる(委託)ために交付する書面であつて、普通に牌旨又は牌子と稱してゐる。舊時兩班者流が土地・家屋等を賣買するには自己の名を以つてすることを嫌忌し、唯だ其の家の奴隷に對し本文記の如き牌旨を交付するのみである。故に賣買文記は奴隷の名を以て作成されるのが通例である。本牌旨は前記父より痘患快癒の祝として田畓を贈與された子が、其の土地を他人に賣渡すため其の家の奴及伊に交付したものである。

康熙三十四年乙亥十二月　日子當百處別給成文

右文爲汝以吾三兄弟中獨子未經痘患常以爲憂矣。今年多善患此疾心甚悅喜。玆以瓦洞面伏谷字畓一石落只表此慈愛以成別給事

財主自筆父　花押

差收及伊處

無レ他、上典家、以二要用所レ致、交河瓦洞面伏在、谷字畓一石落只、十一卜六束庫《ヲ》、放賣計料爲去乎《スルモノナレバ》。汝亦某人處準價捧上上納爲遣《シテ》、永永放賣爲乎矣《スルケレドモ》。本文記段《ハ》他田民並付、仍于《仍テ》不レ得レ許給爲去乎《モノナレバ》、別得文記一丈、此牌子導良《從ヒ》明文成給事

戊申二月日

上典 尹 [花押]

第二　引用書解題

經國大典

李朝初期に於ては經濟六典・元・續六典・謄錄等の成文法典の外種々の敎令ありて前後牴牾の虞ありしを以て世祖は之を損益し萬世の法ミ爲さんミ欲し寧城府院君崔恒等に命じ之を編纂せしむ。六年戶典成り七年刑典成り他の四典は未だ校正に及ばずして昇遐し、睿宗元年に至り之を完成して上進す。成宗庚寅に至り始めて吏典・兵典の官制を用ひしも尙校正する所あり、二年辛卯に至り未頒の部分を施行せり。其の後之を改訂頒布するこミ兩度に及べり。而して後世に行はれたる經國大典は卽ち成宗十六年乙巳に頒布せられたるものなり。

續大典

英祖二十年甲子領議政金在魯に命じ大典續錄・大典後續錄・受敎輯錄・典錄通考等に據り經國大典以後の敎令を編次せしめたるものにして經國大典の續編に該當するものなり。

受教輯錄

中宗三十八年癸卯大典後續錄成りしより肅宗二十四年戊寅に至る百五十五年間の敎令は嘗て收錄せず散逸せるもの多きを以て肅宗更に吏曹判書李翊等に命じ京兆諸司及各道に現存せるものを輯錄せしめたるものなり。

新補受教輯錄

英祖十九年癸亥弘文·藝文兩館提擧に命じて新に受敎輯錄以後の敎令を編せしむると共に其の以前の敎令にして前輯錄に漏れたるものを補收せしめたるものなり。

詞訟類聚

明宗の時、金伯幹が明律·經國大典·大典註解·大典續錄·大典後續錄·各年受敎等の中より詞訟に關する規定を類聚し斷訟用に供したるものにして宣祖十八年乙酉編者の子泰廷が全羅道觀察使たりし時全州に於て刊行せしものなり。

決訟類聚補

決訟類聚の缺漏を添補するため決訟事項の參考となるべきもの二十餘條を追

録したるものにして其の編輯は景宗より英祖初年に至る間ならん。

春官志

禮曹に關する各項事例を謄載編録したるものなり著者及編纂の年月未詳なり。

法外繼後謄錄

法典の規定に適合せざる繼後(養子緣組)出願に對し特に允許を與へ又は却下したる禮曹の記錄なり。

承政院日記

王命の出納を掌る承政院の日記にして朝鮮開國の初より完備せしも宣祖壬辰兵燹に罹り其の前半を燒失し、今存するは仁祖元年癸亥三月十二日より李太王三十一年甲午六月二十九日に至るまでの日記なり。

三國史記

新羅·高句麗·百濟等三國の正史にして高麗仁宗の時、金富軾等に命じ之を撰せしめたるものなり。

高麗史

高麗歷朝の正史にして李朝世宗の時、鄭麟趾等に命じ撰進せしめしものなり。

高麗史節要

鄭麟趾の撰進せし高麗史あるも卷帙浩瀚にして領略するに難し。長編綱目體は僅に東國通鑑あるに止まるを以て更に三國史節要の體に依り別に本書を編纂せしものならん。編者及編纂年時不明なるも命撰たること明なり。

李朝實錄

李朝歷代の實錄にして各王每に編纂し其の在位中に於ける政令、其の他の事實を載錄す。太祖實錄十五卷十三冊、定宗實錄六卷四冊、太宗實錄三十六卷三十五冊、世宗實錄百六十三卷百五十四冊、文宗實錄十三卷十一冊、端宗實錄十四卷十五冊、同附錄一冊、世祖實錄四十九卷四十二冊、睿宗實錄八卷五冊、成宗實錄二百九十七卷百五十冊、燕山君日記六十三卷四十六冊、中宗實錄百五卷百二冊、仁宗實錄二卷二冊、明宗實錄三十四卷三十四冊、宣祖實錄二百二十一卷百二十五冊、宣祖修正實錄四十二卷八冊、光海君日記百八十七卷六十四冊、仁祖實錄五十卷五十冊、孝宗實錄二十一卷二十二冊、顯宗實錄二十二卷二十三冊、顯宗改修實錄二十八卷二十九冊、肅宗實錄六十五卷七十三冊、景宗實錄十五卷七冊、景宗修正實錄五卷三冊、英祖實錄百二十七卷八十三冊、正祖實錄五十四卷五十六冊、純祖實錄三十四卷三十六冊、憲宗實錄十六卷九冊、哲宗實錄十五卷九冊にして總卷數壹千七百七卷壹千二百十一冊なり。

實錄は太祖以來易代の後之を撰し、明宗以前は四部を印刷して春秋館及星州・全州・忠州の三史庫に分藏せしも、春秋館及星州・忠州兩史庫の藏本は宣祖二十五年壬辛兵燹に罹り、唯全州史庫の舊本は海州及寧邊妙香山に移藏せしため殘存し後又之を江華に運び、三十九年丙午に至り四部を重刊し、安東太白山、江陵五臺山、寧邊妙香山の各史庫及春秋館に分藏し、舊本は江華摩尼山史庫に藏む。其の後妙香山史庫を廢して茂朱赤裳山に新築し妙香山史庫所藏の實錄を之に移し、又江華摩尼山史庫を鼎足山に移建す。日韓併合當時現存せし實錄は唯た史庫所藏の四本のみなりしが、其の後赤裳山所藏の實錄は李王職圖書館に收め、五臺山史庫所藏の實錄は東京帝國大學圖書館に寄贈し、太白山及鼎足山の實錄は朝鮮總督府參事官分室(元奎章閣跡後に學務課分室)に藏せしが、昭和五年、之を京城帝國大學圖書館に移し現に同館に於て保管す。東京帝國大學圖書館所藏の實錄は大正十二年關東大震災の厄に遭ひ燒失したるを以て、現在の實錄は唯だ李王職圖書館及京城帝國大學圖書館所藏の三本のみなりしが、昭和五年京城帝國大學に於て印影本二十部を印刷し各所に配布したり。

東國通鑑

新羅高句麗百濟の三國時代より高麗恭讓王に至る一千四百年間の史籍にして世祖の時、儒臣に命じて編纂せしめしも完成に至らず、成宗其の遺緒を承け徐居正・鄭孝恒等をして之を續成せしめしものなり。

東史綱目

安鼎福の著にして箕子の時より筆を起し高麗末に至る迄の諸事蹟を錄す。安鼎福は順菴又は椽軒と號す廣州の人、英祖朝の人なり。

增補文獻備考

東國文獻備考は英祖の時に成り其の目を十三考に分ちしが正祖の時李萬運に命じ更に七考を增し二十考と爲したるも刊行するに至らず。李太王に至り朴容大等に命じ之を取捨して十六考に改め、隆熙二年再版に付したるもの即ち本書なり。

朝鮮彙言

著者及編纂年月未詳。

疑禮問解

金長生の著にして朝鮮の禮論を知るに缺くべからざる好書なり。金長生は仁祖朝の碩儒にして沙溪と號す。

家禮輯覽

疑禮問解の著者金長生の著にして朱熹の家禮に關する諸家の說を編輯したるものにして孝宗己亥に編成したるものなるも、其の子愼獨齋金集更に之を校讐し肅宗乙丑に刊行す。

喪禮備要

申義慶の著にして朱熹家禮の本文を主とし、古今諸家の說を參考し初喪より葬祭に至る一切の儀式を記述したるものにして沙溪金長生之を删潤し、仁祖二十六年沙溪の子愼獨齋金集更に校正刊行す。

南溪禮說

朴世采の著にして著者が知友この間に往復したる禮に關する問答を其の門人金幹が抄錄したるものなり。朴世采は南溪こ號し顯宗朝の人にして當時禮に通曉せるを以て名あり。

明齋疑禮問答

尹拯の著にして其の門人等が裒聚編刊したるものなり。尹拯は肅宗朝の人にして明齋こ號す、

禮疑類輯

潛溪李惟哲古來の禮論を編して四禮集說を作らんこし未だ業を了へずして歿し、其の子希正父の遺命に依り之が完成を朴聖源に囑す。聖源は乃ち其の師陶庵李縡に謀り遍く古今の禮書を渉獵し要を采りて此の書を編せり。正祖七年癸卯校書館に命じ刊行せしむ朴聖源は英宗朝の人にして廣巖又は謙齋こ號す。

疑禮類說

申近の著にして正祖十六年壬子其の子達淵之を刊行す。申近は肅宗朝の人に

して退修齋ご號す。

常變通攷

常變禮儀に關する諸說を彙集したるものにして柳長源の著に係り正祖癸卯年刊行す。　柳長源は全州の人にして東巖ご號す正祖の時の人なり。

四禮按

著者及刊行年時不明なるも本書の內容に於て近齋(朴胤源正祖朝の人)の說を引用しあるより推せば本書は恐らく正祖朝以後刊行されたるものならん。

近齋禮說

朴胤源の著書にして正祖の時印刊せり。　朴胤源は英祖及正祖朝の人にして近齋ご號す。

儀　禮

撰者未詳。　士冠禮を始さし之を十七篇に分ち、士大夫諸侯の諸禮式を記す。

朽淺集

黃宗海の詩文集にして肅宗三十九年癸巳族孫爀固城郡守たる時刊行す。　黃宗海は朽淺と號す。仁祖朝の人なり。

尤庵集

宋時烈の遺稿にして肅宗四十三年丁酉校書館に命じ活字を以て印刊せしめたるものなり。宋時烈は顯宗朝の人にして尤菴と號す。

南塘集

韓元震の著にして南塘は其の號なり。

鶴庵集

崔愼の遺集にして七代の孫擎祖の蒐輯したるものなり。李太王二十一年甲申九代の孫秉鎭之を刊行す。崔愼は鶴庵と號す肅宗の時の人なり。

與猶堂集

丁若鏞の遺著にして寫本なり（本書は京城帝國大學圖書館所藏本に依る）。編者及編纂年時詳ならず。丁若鏞は正祖及純祖朝の人にして茶山又は冽水或は與猶堂と號す。

梅山集

洪直弼の遺稿にして李太王三年丙寅に刊行す洪直弼は梅山と號し正祖及哲宗

朝の人なり。

著庵文集

兪漢雋の文集なり著者は純祖朝の人にして著庵と號す。

錦谷集

宋來熙の詩文集にして隆熙元年丁未孫鍾奎の刊行せるものなり。宋來熙は憲宗の時の人錦谷と號す。

肅齋集

趙秉悳の著にして諸子及門人等之を編次し李太王三十一年甲午之を刊行す。趙秉悳は哲宗朝の人にして肅齋と號す。

第三 李朝年表

王名	年紀	干支	支那 年號	支那 年紀	皇紀	西紀
太祖	元	壬申	洪武	二五	二、〇五二	一、三九二
	二	癸酉		二六	二、〇五三	一、三九三
	三	甲戌		二七	二、〇五四	一、三九四
	四	乙亥		二八	二、〇五五	一、三九五
	五	丙子		二九	二、〇五六	一、三九六
	六	丁丑		三〇	二、〇五七	一、三九七
	七	戊寅		三一	二、〇五八	一、三九八
定宗	元	己卯	建文	元	二、〇五九	一、三九九
	二	庚辰		二	二、〇六〇	一、四〇〇
太宗	元	辛巳		三	二、〇六一	一、四〇一
	二	壬午		[illegible]	二、〇六二	一、四〇二
	三	癸未	永樂	元	二、〇六三	一、四〇三
	四	甲申		二	二、〇六四	一、四〇四

王名	年紀	干支	支那 年號	支那 年紀	皇紀	西紀
太宗	五	乙酉	永樂	三	二、〇六五	一、四〇五
	六	丙戌		四	二、〇六六	一、四〇六
	七	丁亥		五	二、〇六七	一、四〇七
	八	戊子		六	二、〇六八	一、四〇八
	九	己丑		七	二、〇六九	一、四〇九
	一〇	庚寅		八	二、〇七〇	一、四一〇
	一一	辛卯		九	二、〇七一	一、四一一
	一二	壬辰		一〇	二、〇七二	一、四一二
	一三	癸巳		一一	二、〇七三	一、四一三
	一四	甲午		一二	二、〇七四	一、四一四
	一五	乙未		一三	二、〇七五	一、四一五
	一六	丙申		一四	二、〇七六	一、四一六
	一七	丁酉		一五	二、〇七七	一、四一七

太宗	一八	戊戌	永樂	一六	二、〇七八	一、四一八
世宗	元	己亥		一七	二、〇七九	一、四一九
	二	庚子		一八	二、〇八〇	一、四二〇
	三	辛丑		一九	二、〇八一	一、四二一
	四	壬寅		二〇	二、〇八二	一、四二二
	五	癸卯		二一	二、〇八三	一、四二三
	六	甲辰		二二	二、〇八四	一、四二四
	七	乙巳	洪熙	元	二、〇八五	一、四二五
	八	丙午	宣德	元	二、〇八六	一、四二六
	九	丁未		二	二、〇八七	一、四二七
	一〇	戊申		三	二、〇八八	一、四二八
	一一	己酉		四	二、〇八九	一、四二九
	一二	庚戌		五	二、〇九〇	一、四三〇
	一三	辛亥		六	二、〇九一	一、四三一
	一四	壬子		七	二、〇九二	一、四三二
	一五	癸丑		八	二、〇九三	一、四三三
	一六	甲寅		九	二、〇九四	一、四三四
	一七	乙卯		一〇	二、〇九五	一、四三五
世宗	一八	丙辰	正統	元	二、〇九六	一、四三六
	一九	丁巳		二	二、〇九七	一、四三七
	二〇	戊午		三	二、〇九八	一、四三八
	二一	己未		四	二、〇九九	一、四三九
	二二	庚申		五	二、一〇〇	一、四四〇
	二三	辛酉		六	二、一〇一	一、四四一
	二四	壬戌		七	二、一〇二	一、四四二
	二五	癸亥		八	二、一〇三	一、四四三
	二六	甲子		九	二、一〇四	一、四四四
	二七	乙丑		一〇	二、一〇五	一、四四五
	二八	丙寅		一一	二、一〇六	一、四四六
	二九	丁卯		一二	二、一〇七	一、四四七
	三〇	戊辰		一三	二、一〇八	一、四四八
	三一	己巳		一四	二、一〇九	一、四四九
	三二	庚午	景泰	元	二、一一〇	一、四五〇
文宗	元	辛未		二	二、一一一	一、四五一
	二	壬申		三	二、一一二	一、四五二
端宗	元	癸酉		四	二、一一三	一、四五三

端宗	二	甲戌	景泰	五	二、一一四	一、四五四
	三	乙亥		六	二、一一五	一、四五五
世祖	元	丙子		七	二、一一六	一、四五六
	二	丁丑	天順	元	二、一一七	一、四五七
	三	戊寅		二	二、一一八	一、四五八
	四	己卯		三	二、一一九	一、四五九
	五	庚辰		四	二、一二〇	一、四六〇
	六	辛巳		五	二、一二一	一、四六一
	七	壬午		六	二、一二二	一、四六二
	八	癸未		七	二、一二三	一、四六三
	九	甲申		八	二、一二四	一、四六四
	一〇	乙酉	成化	元	二、一二五	一、四六五
	一一	丙戌		二	二、一二六	一、四六六
	一二	丁亥		三	二、一二七	一、四六七
	一三	戊子		四	二、一二八	一、四六八
睿宗	元	己丑		五	二、一二九	一、四六九
成宗	元	庚寅		六	二、一三〇	一、四七〇
	二	辛卯		七	二、一三一	一、四七一
成宗	三	壬辰	成化	八	二、一三二	一、四七二
	四	癸巳		九	二、一三三	一、四七三
	五	甲午		一〇	二、一三四	一、四七四
	六	乙未		一一	二、一三五	一、四七五
	七	丙申		一二	二、一三六	一、四七六
	八	丁酉		一三	二、一三七	一、四七七
	九	戊戌		一四	二、一三八	一、四七八
	一〇	己亥		一五	二、一三九	一、四七九
	一一	庚子		一六	二、一四〇	一、四八〇
	一二	辛丑		一七	二、一四一	一、四八一
	一三	壬寅		一八	二、一四二	一、四八二
	一四	癸卯		一九	二、一四三	一、四八三
	一五	甲辰		二〇	二、一四四	一、四八四
	一六	乙巳		二一	二、一四五	一、四八五
	一七	丙午		二二	二、一四六	一、四八六
	一八	丁未		二三	二、一四七	一、四八七
	一九	戊申	弘治	元	二、一四八	一、四八八
	二〇	己酉		二	二、一四九	一、四八九

成宗	二一	庚戌	弘治	三	二、一五〇	一、四九〇
	二二	辛亥		四	二、一五一	一、四九一
	二三	壬子		五	二、一五二	一、四九二
	二四	癸丑		六	二、一五三	一、四九三
	二五	甲寅		七	二、一五四	一、四九四
燕山君	元	乙卯		八	二、一五五	一、四九五
	二	丙辰		九	二、一五六	一、四九六
	三	丁巳		一〇	二、一五七	一、四九七
	四	戊午		一一	二、一五八	一、四九八
	五	己未		一二	二、一五九	一、四九九
	六	庚申		一三	二、一六〇	一、五〇〇
	七	辛酉		一四	二、一六一	一、五〇一
	八	壬戌		一五	二、一六二	一、五〇二
	九	癸亥		一六	二、一六三	一、五〇三
	一〇	甲子		一七	二、一六四	一、五〇四
	一一	乙丑		一八	二、一六五	一、五〇五
中宗	一二 元	丙寅	正德	元	二、一六六	一、五〇六
	二	丁卯		二	二、一六十	一、五〇七
中宗	三	戊辰	正德	三	二、一六八	一、五〇八
	四	己巳		四	二、一六九	一、五〇九
	五	庚午		五	二、一七〇	一、五一〇
	六	辛未		六	二、一七一	一、五一一
	七	壬申		七	二、一七二	一、五一二
	八	癸酉		八	二、一七三	一、五一三
	九	甲戌		九	二、一七四	一、五一四
	一〇	乙亥		一〇	二、一七五	一、五一五
	一一	丙子		一一	二、一七六	一、五一六
	一二	丁丑		一二	二、一七七	一、五一七
	一三	戊寅		一三	二、一七八	一、五一八
	一四	己卯		一四	二、一七九	一、五一九
	一五	庚辰		一五	二、一八〇	一、五二〇
	一六	辛巳		一六	二、一八一	一、五二一
	一七	壬午	嘉靖	元	二、一八二	一、五二二
	一八	癸未		二	二、一八三	一、五二三
	一九	甲申		三	二、一八四	一、五二四
	二〇	乙酉		四	二、一八五	一、五二五

中宗	二一	丙戌	嘉靖	五	二、一八六	一、五二六
	二二	丁亥		六	二、一八七	一、五二七
	二三	戊子		七	二、一八八	一、五二八
	二四	己丑		八	二、一八九	一、五二九
	二五	庚寅		九	二、一九〇	一、五三〇
	二六	辛卯		一〇	二、一九一	一、五三一
	二七	壬辰		一一	二、一九二	一、五三二
	二八	癸巳		一二	二、一九三	一、五三三
	二九	甲午		一三	二、一九四	一、五三四
	三〇	乙未		一四	二、一九五	一、五三五
	三一	丙申		一五	二、一九六	一、五三六
	三二	丁酉		一六	二、一九七	一、五三七
	三三	戊戌		一七	二、一九八	一、五三八
	三四	己亥		一八	二、一九九	一、五三九
	三五	庚子		一九	二、二〇〇	一、五四〇
	三六	辛丑		二〇	二、二〇一	一、五四一
	三七	壬寅		二一	二、二〇二	一、五四二
	三八	癸卯		二二	二、二〇三	一、五四三
中宗	三九	甲辰	嘉靖	二三	二、二〇四	一、五四四
仁宗	元	乙巳		二四	二、二〇五	一、五四五
明宗	元	丙午		二五	二、二〇六	一、五四六
	二	丁未		二六	二、二〇七	一、五四七
	三	戊申		二七	二、二〇八	一、五四八
	四	己酉		二八	二、二〇九	一、五四九
	五	庚戌		二九	二、二一〇	一、五五〇
	六	辛亥		三〇	二、二一一	一、五五一
	七	壬子		三一	二、二一二	一、五五二
	八	癸丑		三二	二、二一三	一、五五三
	九	甲寅		三三	二、二一四	一、五五四
	一〇	乙卯		三四	二、二一五	一、五五五
	一一	丙辰		三五	二、二一六	一、五五六
	一二	丁巳		三六	二、二一七	一、五五七
	一三	戊午		三七	二、二一八	一、五五八
	一四	己未		三八	二、二一九	一、五五九
	一五	庚申		三九	二、二二〇	一、五六〇
	一六	辛酉		四〇	二、二二一	一、五六一

明宗	一七	壬戌	嘉靖	四一	二、二二二	一、五六二
	一八	癸亥		四二	二、二二三	一、五六三
	一九	甲子		四三	二、二二四	一、五六四
	二〇	乙丑		四四	二、二二五	一、五六五
	二一	丙寅		四五	二、二二六	一、五六六
	二二	丁卯	隆慶	元	二、二二七	一、五六七
宣祖	元	戊辰		二	二、二二八	一、五六八
	二	己巳		三	二、二二九	一、五六九
	三	庚午		四	二、二三〇	一、五七〇
	四	辛未		五	二、二三一	一、五七一
	五	壬申		六	二、二三二	一、五七二
	六	癸酉	萬曆	元	二、二三三	一、五七三
	七	甲戌		二	二、二三四	一、五七四
	八	乙亥		三	二、二三五	一、五七五
	九	丙子		四	二、二三六	一、五七六
	一〇	丁丑		五	二、二三七	一、五七七
	一一	戊寅		六	二、二三八	一、五七八
	一二	己卯		七	二、二三九	一、五七九
宣祖	一三	庚辰	萬曆	八	二、二四〇	一、五八〇
	一四	辛巳		九	二、二四一	一、五八一
	一五	壬午		一〇	二、二四二	一、五八二
	一六	癸未		一一	二、二四三	一、五八三
	一七	甲申		一二	二、二四四	一、五八四
	一八	乙酉		一三	二、二四五	一、五八五
	一九	丙戌		一四	二、二四六	一、五八六
	二〇	丁亥		一五	二、二四七	一、五八七
	二一	戊子		一六	二、二四八	一、五八八
	二二	己丑		一七	二、二四九	一、五八九
	二三	庚寅		一八	二、二五〇	一、五九〇
	二四	辛卯		一九	二、二五一	一、五九一
	二五	壬辰		二〇	二、二五二	一、五九二
	二六	癸巳		二一	二、二五三	一、五九三
	二七	甲午		二二	二、二五四	一、五九四
	二八	乙未		二三	二、二五五	一、五九五
	二九	丙申		二四	二、二五六	一、五九六
	三〇	丁酉		二五	二、二五七	一、五九七

宣祖	三一	戊戌	萬曆	二六	二、二五八	一、五九八
	三二	己亥		二七	二、二五九	一、五九九
	三三	庚子		二八	二、二六〇	一、六〇〇
	三四	辛丑		二九	二、二六一	一、六〇一
	三五	壬寅		三〇	二、二六二	一、六〇二
	三六	癸卯		三一	二、二六三	一、六〇三
	三七	甲辰		三二	二、二六四	一、六〇四
	三八	乙巳		三三	二、二六五	一、六〇五
	三九	丙午		三四	二、二六六	一、六〇六
	四〇	丁未		三五	二、二六七	一、六〇七
	四一	戊申		三六	二、二六八	一、六〇八
光海君	元	己酉		三七	二、二六九	一、六〇九
	二	庚戌		三八	二、二七〇	一、六一〇
	三	辛亥		三九	二、二七一	一、六一一
	四	壬子		四〇	二、二七二	一、六一二
	五	癸丑		四一	二、二七三	一、六一三
	六	甲寅		四二	二、二七四	一、六一四
	七	乙卯		四三	二、二七五	一、六一五
光海君	八	丙辰	萬曆	四四	二、二七六	一、六一六
	九	丁巳		四五	二、二七七	一、六一七
	一〇	戊午		四六	二、二七八	一、六一八
	一一	己未		四七	二、二七九	一、六一九
	一二	庚申		四八	二、二八〇	一、六二〇
	一三	辛酉	天啓	元	二、二八一	一、六二一
	一四	壬戌		二	二、二八二	一、六二二
仁祖	一五 元	癸亥		三	二、二八三	一、六二三
	二	甲子		四	二、二八四	一、六二四
	三	乙丑		五	二、二八五	一、六二五
	四	丙寅		六	二、二八六	一、六二六
	五	丁卯		七	二、二八七	一、六二七
	六	戊辰	崇禎	元	二、二八八	一、六二八
	七	己巳		二	二、二八九	一、六二九
	八	庚午		三	二、二九〇	一、六三〇
	九	辛未		四	二、二九一	一、六三一
	一〇	壬申		五	二、二九二	一、六三二
	一一	癸酉		六	二、二九三	一、六三三

仁祖	一二	甲戌	崇禎	七	二、二九四	一、六三四
	一三	乙亥		八	二、二九五	一、六三五
	一四	丙子		九	二、二九六	一、六三六
	一五	丁丑		一〇	二、二九七	一、六三七
	一六	戊寅		一一	二、二九八	一、六三八
	一七	己卯		一二	二、二九九	一、六三九
	一八	庚辰		一三	二、三〇〇	一、六四〇
	一九	辛巳		一四	二、三〇一	一、六四一
	二〇	壬午		一五	二、三〇二	一、六四二
	二一	癸未		一六	二、三〇三	一、六四三
	二二	甲申	(清)順治	一七 元	二、三〇四	一、六四四
	二三	乙酉		二	二、三〇五	一、六四五
	二四	丙戌		三	二、三〇六	一、六四六
	二五	丁亥		四	二、三〇七	一、六四七
	二六	戊子		五	二、三〇八	一、六四八
	二七	己丑		六	二、三〇九	一、六四九
孝宗	元	庚寅		七	二、三一〇	一、六五〇
	二	辛卯		八	二、三一一	一、六五一
孝宗	三	壬辰	順治	九	二、三一二	一、六五二
	四	癸巳		一〇	二、三一三	一、六五三
	五	甲午		一一	二、三一四	一、六五四
	六	乙未		一二	二、三一五	一、六五五
	七	丙申		一三	二、三一六	一、六五六
	八	丁酉		一四	二、三一七	一、六五七
	九	戊戌		一五	二、三一八	一、六五八
	一〇	己亥		一六	二、三一九	一、六五九
顯宗	元	庚子		一七	二、三二〇	一、六六〇
	二	辛丑		一八	二、三二一	一、六六一
	三	壬寅	康熙	元	二、三二二	一、六六二
	四	癸卯		二	二、三二三	一、六六三
	五	甲辰		三	二、三二四	一、六六四
	六	乙巳		四	二、三二五	一、六六五
	七	丙午		五	二、三二六	一、六六六
	八	丁未		六	二、三二七	一、六六七
	九	戊申		七	二、三二八	一、六六八
	一〇	己酉		八	二、三二九	一、六六九

顯宗	一一	庚戌	康熙	九	二、三三〇	一、六七〇
	一二	辛亥		一〇	二、三三一	一、六七一
	一三	壬子		一一	二、三三二	一、六七二
	一四	癸丑		一二	二、三三三	一、六七三
	一五	甲寅		一三	二、三三四	一、六七四
肅宗	元	乙卯		一四	二、三三五	一、六七五
	二	丙辰		一五	二、三三六	一、六七六
	三	丁巳		一六	二、三三七	一、六七七
	四	戊午		一七	二、三三八	一、六七八
	五	己未		一八	二、三三九	一、六七九
	六	庚申		一九	二、三四〇	一、六八〇
	七	辛酉		二〇	二、三四一	一、六八一
	八	壬戌		二一	二、三四二	一、六八二
	九	癸亥		二二	二、三四三	一、六八三
	一〇	甲子		二三	二、三四四	一、六八四
	一一	乙丑		二四	二、三四五	一、六八五
	一二	丙寅		二五	二、三四六	一、六八六
	一三	丁卯		二六	二、三四七	一、六八七
肅宗	一四	戊辰	康熙	二七	二、三四八	一、六八八
	一五	己巳		二八	二、三四九	一、六八九
	一六	庚午		二九	二、三五〇	一、六九〇
	一七	辛未		三〇	二、三五一	一、六九一
	一八	壬申		三一	二、三五二	一、六九二
	一九	癸酉		三二	二、三五三	一、六九三
	二〇	甲戌		三三	二、三五四	一、六九四
	二一	乙亥		三四	二、三五五	一、六九五
	二二	丙子		三五	二、三五六	一、六九六
	二三	丁丑		三六	二、三五七	一、六九七
	二四	戊寅		三七	二、三五八	一、六九八
	二五	己卯		三八	二、三五九	一、六九九
	二六	庚辰		三九	二、三六〇	一、七〇〇
	二七	辛巳		四〇	二、三六一	一、七〇一
	二八	壬午		四一	二、三六二	一、七〇二
	二九	癸未		四二	二、三六三	一、七〇三
	三〇	甲申		四三	二、三六四	一、七〇四
	三一	乙酉		四四	二、三六五	一、七〇五

肅宗	三二	丙戌	康熙	四五	二、三六六	一、七〇六
	三三	丁亥		四六	二、三六七	一、七〇七
	三四	戊子		四七	二、三六八	一、七〇八
	三五	己丑		四八	二、三六九	一、七〇九
	三六	庚寅		四九	二、三七〇	一、七一〇
	三七	辛卯		五〇	二、三七一	一、七一一
	三八	壬辰		五一	二、三七二	一、七一二
	三九	癸巳		五二	二、三七三	一、七一三
	四〇	甲午		五三	二、三七四	一、七一四
	四一	乙未		五四	二、三七五	一、七一五
	四二	丙申		五五	二、三七六	一、七一六
	四三	丁酉		五六	二、三七七	一、七一七
	四四	戊戌		五七	二、三七八	一、七一八
	四五	己亥		五八	二、三七九	一、七一九
	四六	庚子		五九	二、三八〇	一、七二〇
景宗	元	辛丑		六〇	二、三八一	一、七二一
	二	壬寅		六一	二、三八二	一、七二二
	三	癸卯	雍正	元	二、三八三	一、七二三
景宗	四	甲辰	雍正	二	二、三八四	一、七二四
英祖	元	乙巳		三	二、三八五	一、七二五
	二	丙午		四	二、三八六	一、七二六
	三	丁未		五	二、三八七	一、七二七
	四	戊申		六	二、三八八	一、七二八
	五	己酉		七	二、三八九	一、七二九
	六	庚戌		八	二、三九〇	一、七三〇
	七	辛亥		九	二、三九一	一、七三一
	八	壬子		一〇	二、三九二	一、七三二
	九	癸丑		一一	二、三九三	一、七三三
	一〇	甲寅		一二	二、三九四	一、七三四
	一一	乙卯		一三	二、三九五	一、七三五
	一二	丙辰	乾隆	元	二、三九六	一、七三六
	一三	丁巳		二	二、三九七	一、七三七
	一四	戊午		三	二、三九八	一、七三八
	一五	己未		四	二、三九九	一、七三九
	一六	庚申		五	二、四〇〇	一、七四〇
	一七	辛酉		六	二、四〇一	一、七四一

英祖	一八	壬戌	乾隆	七	二、四〇二	一、七四二
	一九	癸亥		八	二、四〇三	一、七四三
	二〇	甲子		九	二、四〇四	一、七四四
	二一	乙丑		一〇	二、四〇五	一、七四五
	二二	丙寅		一一	二、四〇六	一、七四六
	二三	丁卯		一二	二、四〇七	一、七四七
	二四	戊辰		一三	二、四〇八	一、七四八
	二五	己巳		一四	二、四〇九	一、七四九
	二六	庚午		一五	二、四一〇	一、七五〇
	二七	辛未		一六	二、四一一	一、七五一
	二八	壬申		一七	二、四一二	一、七五二
	二九	癸酉		一八	二、四一三	一、七五三
	三〇	甲戌		一九	二、四一四	一、七五四
	三一	乙亥		二〇	二、四一五	一、七五五
	三二	丙子		二一	二、四一六	一、七五六
	三三	丁丑		二二	二、四一七	一、七五七
	三四	戊寅		二三	二、四一八	一、七五八
	三五	己卯		二四	二、四一九	一、七五九
英祖	三六	庚辰	乾隆	二五	二、四二〇	一、七六〇
	三七	辛巳		二六	二、四二一	一、七六一
	三八	壬午		二七	二、四二二	一、七六二
	三九	癸未		二八	二、四二三	一、七六三
	四〇	甲申		二九	二、四二四	一、七六四
	四一	乙酉		三〇	二、四二五	一、七六五
	四二	丙戌		三一	二、四二六	一、七六六
	四三	丁亥		三二	二、四二七	一、七六七
	四四	戊子		三三	二、四二八	一、七六八
	四五	己丑		三四	二、四二九	一、七六九
	四六	庚寅		三五	二、四三〇	一、七七〇
	四七	辛卯		三六	二、四三一	一、七七一
	四八	壬辰		三七	二、四三二	一、七七二
	四九	癸巳		三八	二、四三三	一、七七三
	五〇	甲午		三九	二、四三四	一、七七四
	五一	乙未		四〇	二、四三五	一、七七五
	五二	丙申		四一	二、四三六	一、七七六
正祖	元	丁酉		四二	二、四三七	一、七七七

正祖	二	戊戌	乾隆	四三	二、四三八	一、七七八
	三	己亥		四四	二、四三九	一、七七九
	四	庚子		四五	二、四四〇	一、七八〇
	五	辛丑		四六	二、四四一	一、七八一
	六	壬寅		四七	二、四四二	一、七八二
	七	癸卯		四八	二、四四三	一、七八三
	八	甲辰		四九	二、四四四	一、七八四
	九	乙巳		五〇	二、四四五	一、七八五
	一〇	丙午		五一	二、四四六	一、七八六
	一一	丁未		五二	二、四四七	一、七八七
	一二	戊申		五三	二、四四八	一、七八八
	一三	己酉		五四	二、四四九	一、七八九
	一四	庚戌		五五	二、四五〇	一、七九〇
	一五	辛亥		五六	二、四五一	一、七九一
	一六	壬子		五七	二、四五二	一、七九二
	一七	癸丑		五八	二、四五三	一、七九三
	一八	甲寅		五九	二、四五四	一、七九四
	一九	乙卯		六〇	二、四五五	一、七九五
正祖	二〇	丙辰	嘉慶	元	二、四五六	一、七九六
	二一	丁巳		二	二、四五七	一、七九七
	二二	戊午		三	二、四五八	一、七九八
	二三	己未		四	二、四五九	一、七九九
	二四	庚申		五	二、四六〇	一、八〇〇
純祖	元	辛酉		六	二、四六一	一、八〇一
	二	壬戌		七	二、四六二	一、八〇二
	三	癸亥		八	二、四六三	一、八〇三
	四	甲子		九	二、四六四	一、八〇四
	五	乙丑		一〇	二、四六五	一、八〇五
	六	丙寅		一一	二、四六六	一、八〇六
	七	丁卯		一二	二、四六七	一、八〇七
	八	戊辰		一三	二、四六八	一、八〇八
	九	己巳		一四	二、四六九	一、八〇九
	一〇	庚午		一五	二、四七〇	一、八一〇
	一一	辛未		一六	二、四七一	一、八一一
	一二	壬申		一七	二、四七二	一、八一二
	一三	癸酉		一八	二、四七三	一、八一三

純祖	一四	甲戌	嘉慶	一九	二、四七四	一、八一四
	一五	乙亥		二〇	二、四七五	一、八一五
	一六	丙子		二一	二、四七六	一、八一六
	一七	丁丑		二二	二、四七七	一、八一七
	一八	戊寅		二三	二、四七八	一、八一八
	一九	己卯		二四	二、四七九	一、八一九
	二〇	庚辰		二五	二、四八〇	一、八二〇
	二一	辛巳	道光	元	二、四八一	一、八二一
	二二	壬午		二	二、四八二	一、八二二
	二三	癸未		三	二、四八三	一、八二三
	二四	甲申		四	二、四八四	一、八二四
	二五	乙酉		五	二、四八五	一、八二五
	二六	丙戌		六	二、四八六	一、八二六
	二七	丁亥		七	二、四八七	一、八二七
	二八	戊子		八	二、四八八	一、八二八
	二九	己丑		九	二、四八九	一、八二九
	三〇	庚寅		一〇	二、四九〇	一、八三〇
	三一	辛卯		一一	二、四九一	一、八三一
純祖	三二	壬辰	道光	一二	二、四九二	一、八三二
	三三	癸巳		一三	二、四九三	一、八三三
	三四	甲午		一四	二、四九四	一、八三四
憲宗	元	乙未		一五	二、四九五	一、八三五
	二	丙申		一六	二、四九六	一、八三六
	三	丁酉		一七	二、四九七	一、八三七
	四	戊戌		一八	二、四九八	一、八三八
	五	己亥		一九	二、四九九	一、八三九
	六	庚子		二〇	二、五〇〇	一、八四〇
	七	辛丑		二一	二、五〇一	一、八四一
	八	壬寅		二二	二、五〇二	一、八四二
	九	癸卯		二三	二、五〇三	一、八四三
	一〇	甲辰		二四	二、五〇四	一、八四四
	一一	乙巳		二五	二、五〇五	一、八四五
	一二	丙午		二六	二、五〇六	一、八四六
	一三	丁未		二七	二、五〇七	一、八四七
	一四	戊申		二八	二、五〇八	一、八四八
	一五	己酉		二九	二、五〇九	一、八四九

哲宗	元	庚戌	道光	三〇	二、五一〇	一、八五〇
	二	辛亥	咸豐	元	二、五一一	一、八五一
	三	壬子		二	二、五一二	一、八五二
	四	癸丑		三	二、五一三	一、八五三
	五	甲寅		四	二、五一四	一、八五四
	六	乙卯		五	二、五一五	一、八五五
	七	丙辰		六	二、五一六	一、八五六
	八	丁巳		七	二、五一七	一、八五七
	九	戊午		八	二、五一八	一、八五八
	一〇	己未		九	二、五一九	一、八五九
	一一	庚申		一〇	二、五二〇	一、八六〇
	一二	辛酉		一一	二、五二一	一、八六一
	一三	壬戌	同治	元	二、五二二	一、八六二
	一四	癸亥		二	二、五二三	一、八六三
李太王	元	甲子		三	二、五二四	一、八六四
	二	乙丑		四	二、五二五	一、八六五
	三	丙寅		五	二、五二六	一、八六六
	四	丁卯		六	二、五二七	一、八六七
李太王	五	戊辰	同治	七	二、五二八	一、八六八
	六	己巳		八	二、五二九	一、八六九
	七	庚午		九	二、五三〇	一、八七〇
	八	辛未		一〇	二、五三一	一、八七一
	九	壬申		一一	二、五三二	一、八七二
	一〇	癸酉		一二	二、五三三	一、八七三
	一一	甲戌		一三	二、五三四	一、八七四
	一二	乙亥	光緒	元	二、五三五	一、八七五
	一三	丙子		二	二、五三六	一、八七六
	一四	丁丑		三	二、五三七	一、八七七
	一五	戊寅		四	二、五三八	一、八七八
	一六	己卯		五	二、五三九	一、八七九
	一七	庚辰		六	二、五四〇	一、八八〇
	一八	辛巳		七	二、五四一	一、八八一
	一九	壬午		八	二、五四二	一、八八二
	二〇	癸未		九	二、五四三	一、八八三
	二一	甲申		一〇	二、五四四	一、八八四
	二二	乙酉		一一	二、五四五	一、八八五

李太王	二三	丙戌	光緒	一二	二、五四六	一、八八六
	二四	丁亥		一三	二、五四七	一、八八七
	二五	戊子		一四	二、五四八	一、八八八
	二六	己丑		一五	二、五四九	一、八八九
	二七	庚寅		一六	二、五五〇	一、八九〇
	二八	辛卯		一七	二、五五一	一、八九一
	二九	壬辰		一八	二、五五二	一、八九二
	三〇	癸巳		一九	二、五五三	一、八九三
	三一	甲午		二〇	二、五五四	一、八九四
	三二	乙未		二一	二、五五五	一、八九五
	三三(建陽元)	丙申		二二	二、五五六	一、八九六
	三四(光武元)	丁酉		二三	二、五五七	一、八九七
	三五(二)	戊戌		二四	二、五五八	一、八九八
李太王	三六(三)	己亥	光緒	二五	二、五五九	一、八九九
	三七(四)	庚子		二六	二、五六〇	一、九〇〇
	三八(五)	辛丑		二七	二、五六一	一、九〇一
	三九(六)	壬寅		二八	二、五六二	一、九〇二
	四〇(七)	癸卯		二九	二、五六三	一、九〇三
	四一(八)	甲辰		三〇	二、五六四	一、九〇四
	四二(九)	乙巳		三一	二、五六五	一、九〇五
	四三(一〇)	丙午		三二	二、五六六	一、九〇六
李王	四四 隆熙元	丁未		三三	二、五六七	一、九〇七
	二	戊申		三四	二、五六八	一、九〇八
	三	己酉	宣統	元	二、五六九	一、九〇九
	四	庚戌		二	二、五七〇	一、九一〇

第四　索引

（配列ノ順序ハ發音式五十音順ニ依ル。數字ノゴチックハ其事項ヲ說明シタル頁ヲ示ス）

（イ）

（エ）

（オ）

（カ）

（ス）

（セ）

（タ）

（チ）

（ツ）

（テ）

（終）

昭和十一年三月二十五日印刷
昭和十一年三月三十日發行

朝鮮總督府中樞院

印刷所　朝鮮印刷株式會社
京城府蓬萊町三丁目六二・六三番地

李朝의 財産 相續法

1997년 7월 15일 印刷
1997년 7월 20일 發行

發行人 : 鄭 贊 溶
發行處 : 國學資料院

등록번호 제2-412호
서울시 강동구 암사4동 28-7 럭키B/D 301호
전화 : 442-4623 · 442-4624 FAX : 442-4625

값 30,000원